МАРШ ТУРЕЦКОГО

МАРШ ТУРЕЦКОГО

Фридрих НЕЗНАНСКИЙ

Ошейники для волков

ИЗДАТЕЛЬСТВО
ОЛИМП
МОСКВА
1998

ББК 84(2Рос-Рус)6
Н 44
УДК 882

Серия основана в 1995 году

Художник *Марат Закиров*

Эта книга от начала до конца придумана автором. Конечно, в ней использованы некоторые подлинные материалы как из собственной практики автора, бывшего российского следователя и адвоката, так и из практики других российских юристов. Однако события, место действия и персонажи безусловно вымышлены. Совпадения имен и названий с именами и названиями реально существующих лиц и мест могут быть только случайными.

Н 8820000000

© Copyright
by Friedrich Neznansky,
Germany, 1998
© «Олимп», 1998
© Оформление.
ООО «Издательство АСТ-ЛТД»,
1998

ISBN 5—7390—0562—0 («Олимп»)
ISBN 5—15—000647—5 (ООО «Издательство АСТ-ЛТД»)

Пролог

То, что еще два часа назад было роскошным «мерседесом», сейчас чернело кучей искореженного металла, от которой несло смрадом горелой пластмассы, кожи; ко всему примешивался сладковатый запах паленой плоти.

Водителя кое-как вытащили из машины и увезли. Опознать его, конечно, было невозможно. Труп сильно обуглился. Ни о каких документах не могло быть и речи. Следователь прокуратуры из Наро-Фоминска капитан Александр Жуков и скучающие служивые из Московского областного уголовного розыска угрюмо размышляли о возможной причине трагедии. Собственно говоря, присутствие на месте катастрофы прокурорского следователя и сыскарей было обусловлено лишь наличием трупа.

Некоторые детали происшествия показались Жукову несколько странными, но, взглянув на хмурых мужчин в добротных плащах, своих коллег, которым явно лишняя морока была ни к

5

чему, он решил их не напрягать. Тем более, что каким-то чудом сохранился, пусть и потемневший от огня, номер автомобиля. По нему легко можно было установить владельца «мерседеса» и таким образом быстро прекратить дело.

В конце дня Жуков получил информацию о хозяине машины. Скромная фамилия Иванов в сочетании с именем произвела на него впечатление: это был знаменитый столичный шоумен, которого Жуков много раз видел по телевизору, даже ходили слухи, что этот продюсер пользуется благосклонностью самого Президента. Итак, погибший оказался Юрием Ивановым, руководителем влиятельной телекомпании «Спектр». Это обстоятельство несколько обеспокоило следователя Нарофоминской прокуратуры. Однако наличие в крови погибшего алкоголя давало надежду списать все на несчастный случай.

Останки шоумена перевезли в Москву. Жена погибшего опознала труп, как она сказала, по зубам, и забрала тело для погребения.

Известному продюсеру нашлось место на Ваганьковском кладбище. Там лихого автолюбителя и схоронили в присутствии коллег и завистников. Какая-то женщина на похоронах все прорывалась к закрытому, богато отделанному гробу, но родственники и подруги вдовы ее не подпустили. Зеваки оживленно обсуждали случившееся, но так громко, что их пришлось урезонить.

Когда над могилой вырос холмик земли, а в головах поставили резной крест, зрители последнего шоу «от Юрия Иванова» расселись по иномаркам и поехали на поминки. Вдова шоумена держалась достойно.

Часть первая

ОБРЯД
ПЕРЕВОРАЧИВАНИЯ ПОКОЙНИКА

Глава первая

1

Начальник МУРа полковник Грязнов пригласил к себе в кабинет своего зама подполковника милиции Яковлева и оперуполномоченного старшего лейтенанта милиции Бодрова. Сегодня офицеры были в штатском. Войдя, они поприветствовали Грязнова и уселись в кресла напротив шефа. Хозяин кабинета молчал и что-то сосредоточенно чертил ручкой на листе бумаги. То ли унылая казенная атмосфера повлияла на Никиту Бодрова, то ли удручающий вид начальников, но ему вдруг захотелось свалить отсюда, посидеть в каком-нибудь баре, попить холодного пивка в обществе красивых женщин. В этот момент Никита поймал на себе изучающий взгляд Вячеслава Ивановича

Грязнова. Ему показалось, что шеф прочитал его мысли, и Никита отвел взгляд в сторону. «Вот взять бы и сказать начальнику о своем желании. Хорошо соблюдать субординацию, когда ничего не хочется», — с досадой подумал Бодров. Он стал перебирать в голове фразы, которые тонко и ненавязчиво намекнули бы его начальникам о том, как быстро и эффективно можно поднять жизненный тонус. Но ситуация в мгновение изменилась. Грязнов бросил ручку на стол, пригладил ладонью свою рыжую шевелюру и мечтательно заметил:

— Да, Бодров, я вот тоже подумал, что лучше бы сейчас сидеть нам где-нибудь на бережку Красного моря...

Никита обрадовался возможности поговорить и живо ответил:

— Нет, Вячеслав Иванович, я свою профессию ни на какое море не променяю. У меня просто мания какая-то в смысле тяги к сыскной работе.

— Что еще за мания? — не понял Яковлев.

— Страсть как за людьми бегать люблю, Владимир Михайлович.

— Ну и шел бы в олимпийские чемпионы, — вставил Грязнов. — Там не так опасно и платят больше.

— Да мне скучно по кругу бегать, товарищ полковник, проходными дворами куда увлекательней, — возразил Никита.

— И много ты преступников наловил по дворам-то? — улыбнулся Грязнов.

— Да нет, тут сам процесс важен, — вновь нашелся что ответить Никита.

— Ну ладно, сынок, язычок, я вижу, у тебя хорошо подвешен, — похвалил Грязнов старлея. — Однако к делу: что у нас с угоном иномарок от «Палас-отеля»?

— На сегодняшний день, Вячеслав Иванович, имеется пять угнанных тачек, — отрапортовал Никита. — Все принадлежат приехавшим из-за рубежа бизнесменам. Это затрудняет розыск. Некоторые из пострадавших иностранцев, правда, относятся к случившемуся с пониманием...

— С пониманием чего? — удивился Яковлев.

— С пониманием временных трудностей переходного периода... — уточнил Никита с улыбкой. — Один даже посмеялся и, провякав что-то по-своему, купил себе новую тачку и помахал нам ручкой.

— Ну и какие у тебя идеи по этому поводу? — перебил опера Грязнов.

Бодров сделал небольшую паузу и продолжал:

— Я полагаю, что в «Паласе» действует устойчивая преступная группировка.

— Скорее всего, — кивнул Грязнов. — А еще?

— Еще, товарищ полковник, у них, возможно, есть наводчик. Он либо работает в этом отеле, либо приходит туда в качестве проститутки и накалывает нужных клиентов.

— Это ты, Бодров, хорошо подметил. Моя подруга Тоня Черная Дыра была бы польщена твоей догадкой, — глубокомысленно заметил Грязнов.

Яковлев не удержался и прыснул со смеху.

9

— А чего я такого сказал? — недоумевал Никита.

— Ты сказал больше, чем мог, но гораздо меньше, чем хотел, — пояснил Яковлев.

Зазвонил телефон. Грязнов поднял трубку и услышал знакомый басок начальника главка МВД Федорова:

— Это ты, рыжий?

— Так точно! — ответил Грязнов.

— Один?

— Нет, с подполковником Яковлевым и старшим лейтенантом Бодровым.

— У меня к тебе просьба, — продолжал Федоров. — Я пошлю к тебе человека... поговори с ним и попытайся помочь... Это моя просьба...

— Хорошо, товарищ генерал-лейтенант, — буркнул Грязнов.

— Что, тебе моя просьба не очень понравилась? Вячеслав, ну уж сделай милость, — сухо проговорил Федоров и прервал разговор.

— Федоров звонил? — спросил Яковлев.

— Он. Подсовывает мне кого-то своего. Ведь знает же: не люблю. Думает, если я по его просьбе возглавил МУР, то он будет мне теперь этих своих блатных подсовывать. Как был треплом, так и остался, — махнул рукой Грязнов.

— Ну, Слава, позволь с тобой не согласиться, — съязвил Яковлев. — Раньше он был просто треплом, а теперь — важное трепло. Главк — это тебе не шутка.

— Да пошел он... Однако поговорить с этим блатным придется, причем тебе.

— С удовольствием, — вздохнул Яковлев.

В дверях Яковлев и Бодров буквально столкнулись с высоченным крепким мужчиной в кожаном пальто.

— Здравствуйте! Я от Федорова, — четко произнес гость.

— Я в курсе, — сухо ответил Грязнов. — Пройдите, пожалуйста, с подполковником Яковлевым. Он вас выслушает.

Яковлев прошел с гостем в свой кабинет. Подполковник попытался по суровому, но явно не блещущему интеллектом лицу незнакомца определить его профессию. Оказалось, не просто. Такое лицо могло принадлежать и офицеру, и спортсмену, и милиционеру, и бандиту. И человеку, объединившему в себе все эти виды деятельности.

— Я от Федорова, — повторил гость. — Меня зовут Сергей Васильевич Колобов. Я — генеральный директор фирмы «Каскад».

— Очень приятно, — кивнул Яковлев. — Я заместитель начальника МУРа подполковник Владимир Михайлович Яковлев. — Муровец постарался произнести эти слова в доброжелательном тоне. Это подействовало — Колобов расслабился, улыбнулся и сказал:

— Я очень надеялся, что наша беседа будет носить доверительный характер и, кажется, не ошибся. — Он протянул подполковнику свою визитную карточку, переливчатую, как детская переводная картинка.

— Внимательно вас слушаю, Сергей Васильевич, — улыбнулся подполковник.

— У меня недавно пропал брат, Олег, — начал Колобов.

— Родной брат? — поинтересовался Яковлев.

— Не то слово! Мы с Олегом близнецы.

— То есть ваш брат уже вполне самостоятельный человек?

— Намекаете, что искать не будете? — насторожился Колобов.

— Почему же. Искать мы его будем, но только специфика у нас несколько другая. Давно ли он пропал? — спокойно спросил Яковлев вдруг занервничавшего гостя.

— Да уже месяц, как его нет.

— А вообще у вас принято предупреждать друг друга о своем отсутствии?

— Раньше нет. Но это было до того, как он поступил на работу в мою фирму. Пока Олег не работал у меня, он мог заниматься чем угодно. Но когда устроился на работу... ну, в общем, в концерне у нас с дисциплиной очень строго.

— В каком концерне? Вы же сказали, у вас фирма.

— Все верно: у меня фирма «Каскад», но она является дочерним предприятием концерна «Кононг». Учредитель концерна — Союз ветеранов Западной группы войск. Отсюда и дисциплина.

— Понятно. Значит, мы где-то с вами коллеги, — заметил Яковлев.

— Если вы имеете в виду погоны, то мы с вами действительно *где-то* коллеги, потому что я в отставке, а вы предпочитаете ходить в штатском, — кивнул Колобов на беспогонное плечо подполковника.

— Скучаете по форме? — спросил Яковлев.

— Да как вам сказать... иногда хочется надеть форму, пройтись, — задумчиво ответил Колобов. Вопросы сыскаря успокоили его и даже вызвали ностальгическое чувство. Но он быстро взял себя в руки и еще раз четко повторил цель своего прихода.

Яковлев решил, что подготовка прошла успешно и пора приступать к обычной работе, без всякий эмоций.

— И чем же занимался ваш брат в вашей фирме?

Колобов глянул настороженно:

— Зачем это вам?

— Для дела. Старые связи, то-се. Мало ли в чем раньше ваш брат мог завязнуть, а до разборок дошло только сейчас.

— Мне кажется, это исключено.

— Почему вдруг?

— Любой, кто приходит в «Каскад», тщательно проверяется, не тянется ли за ним хвост неблаговидных поступков и дел. В концерне есть специальная служба.

Наступила пауза.

— Разрешите нескромный вопрос?

— Пожалуйста.

— Возможно, проверяющие были снисходительны, когда изучали биографию родного брата одного из директоров фирмы-концерна.

— Ну что вы! У нас организация совершенно нового типа. Никакого кумовства, карьера делается только по результатам работы.

— Хорошо. Предположим, в прежней трудовой деятельности вашего Олега все в порядке. Чем он занимался в вашей фирме?

— Низшая ступень!

Колобов красноречиво развел руками — никакого, мол, блата.

— Уборщик, значит?

— Ну почему? — обиделся Колобов. — Охрана и сопровождение грузов.

— Он подготовленный человек? В смысле боевых навыков?

— Стреляет как любитель, но прилично. Борец, водитель. Все, что требуется.

— Но не экономист?

— Нет.

— Проживал с вами?

— Нет. Я снимал ему квартиру.

— А что, он сам не в состоянии?

— Почему? Просто в данном случае фирма берет на себя добрую половину расходов.

— Гуманно! — оценил Яковлев.

— Нормально, — уточнил гость. — Если фирма заинтересована в сотруднике, она всегда пойдет на некоторые расходы, чтобы удержать его у себя.

— Все понял, — сказал подполковник.

Он попросил Колобова написать официальное заявление, и тот охотно внес в соответствующий бланк все необходимые сведения о пропавшем брате, а также изложил свою просьбу о его розыске.

Договорились, что на следующий день Яковлев осмотрит квартиру, которую снимал пропавший Олег Колобов.

14

2

Заместитель Генерального прокурора России государственный советник юстиции первого класса Константин Дмитриевич Меркулов беседовал у себя в кабинете со старшим следователем по особо важным делам Турецким. В это время его секретарша Клавочка всякому входящему в «предбанник» посетителю делала страшные глаза и шепотом сообщала, что шеф занят, идет важное совещание.

— Ну вот, Саша, — смачно прихлебывая чай, заметил Меркулов, — и чай хорош, и служба неплохо идет.

— Да уж, — перебил его Турецкий. — Хорошо нам теперь служится, легко. Лови себе Васю Лапу да Костю Питерского!..

— Не Питерский я! — мрачновато уточнил Меркулов. — А вот ты, если думаешь, что на пенсии будешь отдыхать, преследуя солнцевских и прочих бандитов, ошибаешься. Я пригласил тебя для того, чтобы сообщить, так сказать, пренеприятное известие...

— Какое? У нас будет новый генеральный? — улыбнулся Турецкий.

— А чем тебе старый плох?

— Да ничем. Ты меня не трогай — я тебя не трону.

— Зря так думаешь, — заметил Меркулов, с прищуром взглянув на собеседника. — Нечего тебе было так лихо дела раскрывать. Глядишь, о тебе бы и не вспомнили. Неужели ты думаешь, что я так стосковался по твоей ехидной физиономии, что стал бы тебя вызывать средь бела дня чаи гонять? Я разговариваю с тобой по просьбе генерального.

— И чего он от меня хочет? — посерьезнел Турецкий.

— Генеральный усомнился в том, что гибель продюсера Иванова — нелепая случайность.

— Какого Иванова? Половина России — Ивановы, — съязвил Турецкий.

— Ладно, не ерничай. Телекомпанию «Спектр» знаешь?

— Смотрю иногда из чувства мазохизма. Очень уж они любят все власти дрючить, кроме, разумеется, четвертой, — отмахнулся Турецкий.

— Однако, Саша, они не мазохисты. Так вот, недавно руководитель этой телекомпании Юрий Иванов попал в автокатастрофу и погиб.

— И что же? Генеральный сомневается, что это Божий промысел? — насторожился Турецкий.

— Очень даже сомневается, Саша.

— А кроме генерального в этом кто-нибудь сомневается? Например, родственники, друзья погибшего?

— Представь себе, что больше никто в этом не сомневается.

— Что же смутило нашего патрона? — спросил Турецкий, сменив ироничный тон на деловой.

— Ну, во-первых, погибший пользовался благосклонностью самого Президента, что и подвигло генерального поинтересоваться обстоятельствами гибели знаменитого продюсера. Во-вторых, нарофоминский следователь капитан Жуков, выезжавший на место происшествия, установил, что тело Иванова слишком сильно обуглилось, хотя по характеру аварии автомобиль не должен был сам по себе так сильно гореть.

— Резонно, — кивнул Турецкий. — А экспертиза что показала?

— Наличие в крови погибшего алкоголя, — задумчиво произнес Меркулов.

— И все? — удивился Турецкий.

— В том-то и дело, Саша, — развел руками Меркулов. — Этот капитан Жуков, видимо, хотел поскорее спихнуть это дело и наделал массу ошибок: он не присутствовал в морге на вскрытии, не поинтересовался, сравнивали ли эксперты прежние медицинские документы Иванова с показаниями, которые были получены после исследования трупа. Словом, маху дал этот нарофоминский следователь. А кашу расхлебывать придется тебе, Саша. Кроме того, место аварии выбрано, скажем так, крайне неудачно.

— Не понял? — удивленно взглянул на Меркулова Турецкий.

— Сейчас поймешь. Дело в том, что я по просьбе шефа поднял кое-какую статистику. Оказывается, на этом участке шоссе аварии случаются крайне редко, а если и случаются, то не приводят к таким последствиям.

Турецкий посмотрел на друга с грустью.

— Значит, Костя, ты всучаешь мне это наверняка глухое дело и ты же потом будешь грызть мне холку, если окажется, что все в этом деле пропахло тухлой политикой?

— Вероятно, да.

— Ну что ж, спасибо хотя бы за то, что не пытаешься подсластить пилюлю. А ведь погиб-то представитель средств массовой информации и пропаганды...

— Пропаганду, Саша, отменили, — тихо возразил Меркулов.

— Я так не считаю. Отменили только на словах... все эти журналюги будут стоять над душой, пока не выпотрошат из тебя подробности расследования. Причем не дай Бог нечаянно им нагрубить, когда особенно досаждать начнут!..

— Выкрутишься, Саша. Тебе же не двадцать!

— А я, Костя, как старая дева: с возрастом становлюсь ранимее.

— Не прибедняйся! О твоих кулуарных подвигах легенды в прокуратуре ходят!..

— Какой ты, Костя, стал железный. В жилетку тебе не поплачешься, совета не попросишь!

— Ладно уж, прости.

— Как думаешь, чем это дело больше пахнет — политикой или деньгами?

— Саша, ты и сам прекрасно знаешь, что одно с другим тесно связано. Начнешь с политики, дойдешь до любимого тобой Кости Питерского, у которого, как ни странно, под крышей какой-нибудь высокий чиновник. И наоборот: возьмешь за хобот солнцевского султана Махмуда, а за него какой-нибудь спикер так вступится с высокой трибуны, что устанешь объясниловки писать.

— Что ж, будем выяснять, где покойный больше всего наследил. У тебя нет таких сведений?

— Есть, но весьма туманные. В свое время этот Юрий Иванов и его студия «Спектр» хорошо проявили себя во время выборов Президента.

— А хорошо — это как? — иронично улыбнулся Турецкий.

— Много было шума, много денег ушло на предвыборную кампанию, все прошло, а Президент остался, — в тон ему ответил Меркулов.

3

Колобов предложил Яковлеву поехать для осмотра квартиры пропавшего брата на своем «мерседесе».

— Вообще-то МУР хорошо укомплектован. У меня есть свой «форд», — не без гордости заметил сыскарь, но предложение Колобова принял.

— А с нами разве больше никто не поедет? — поинтересовался Колобов.

— Осмотр носит официальный характер, но пока это материал для проверки, но не для следствия. Если понадобится, то следственное дело по данному случаю будет возбуждено, — уточнил Яковлев.

Перед самой дверью квартиры Колобов неожиданно сказал:

— Извините за возможный беспорядок в квартире, товарищ подполковник. Олег — холостяк.

— О чем вы говорите, Сергей Васильевич, — успокоил его Яковлев. — Только сначала войти надо...

— С этим проблем не будет, — кивнул Колобов и достал ключи.

— Не доверяли братцу? — поинтересовался Яковлев.

— Почему же? Просто такое правило. Квартира же не его. Это, скорей, комфортабельное общежитие.

Владимир Михайлович уважительно кивнул: видно, мол, фирму по полету.

Дверь была обычная: без дополнительной решетки, без брони и сигнализации. «Пожалуй, и в самом деле Олег Колобов не был особо ценной фигурой ни для фирмы «Каскад», ни для концерна «Кононг», ни для возможных недоброжелателей или конкурентов», — отметил про себя Яковлев.

Но все в этом мире относительно. Квартира, которую занимал не самый значительный сотрудник фирмы, была роскошно обставлена и снабжена спутниковой связью. Правда, порядок в ней был как раз такой, о котором предупреждал Колобов. Жилище представляло собой заполненную хламом, пустыми бутылками и аудио-видеоаппаратурой берлогу славянина-холостяка без аристократических привычек и денег на прислугу.

— Вот видите... — заметил вполголоса Сергей.

— Это ничего. В этом бардаке есть утешительный момент.

— То есть?

— Грубо говоря, это означает, что ваш братец не попал в лапы жестокосердных профессионалов, которые после выноса тела оставляют в квартире идеальный порядок. Кстати, вы были

здесь после того, как обнаружили исчезновение...
э-э... Олега Васильевича?

— Да, конечно. Я должен был узнать, почему
он не явился на службу.

— Как у вас с памятью?

— Пока не жалуюсь, а что?

— Посмотрите внимательно, не изменилось
ли что-нибудь со времени последнего вашего
прихода сюда. Может, что-то лежит не так или
вообще пропало...

— А, понял!

Пока Колобов с глубокомысленным видом
изучал оставленный в квартире бардак, Яковлев
прошелся туда-сюда по квартире, приглядываясь,
а иногда даже принюхиваясь. На кухне в мойке
из нержавейки стояли два бокала с остатками
желтоватого напитка. Хищно раздув ноздри, он
втянул носом застарелый запах шампанского.
«Значит, — прикинул он, — шерше ля фам. Два
мужика не станут оскорблять свои утробы сла-
бенькой шипучкой из хрупких бокалов. Не будут
также использовать в качестве закуски шоколад.
Вон фольга от него валяется прямо на столе. По
всему видать, девица не из домовитых и хозяйст-
венных, которую затем хочется взять в жены. Вот
и след от помады на одном из бокалов. Слава
Богу, пятен крови нигде нет».

Яковлев вошел в гостиную.

Колобов стоял посреди комнаты и шарил
взглядом по мебели, но без энтузиазма.

— Как успехи, Сергей Васильевич?

Тот пожал плечами.

— Знаете, однозначно трудно сказать. У

Олежки куча всякого тряпья, шмотки — его слабость. Но, кажется, так все и было, когда я его хватился...

— Ценности? Дорогая одежда? Аппаратура?

— Ценностями он еще на начал увлекаться, — улыбнулся Колобов. — В соболях не ходил, магнитофоны, кажется, на месте.

— Оружие?

— Откуда?

— Его работа, судя по всему, связана с определенным риском. Надеюсь, вы не будете мне рассказывать, что не добились разрешения хотя бы на газовые пистолеты?

— Не буду. Имеем разрешение, и не только на газовые. Но у нас, как и у вас, товарищ подполковник, оружие выдается только на время работы и сдается, когда работник отправляется домой.

— И все честно исполняют приказ руководства? Колобов помолчал.

— Признаться, об этом не думал.

— Почему?

— Это слишком серьезное нарушение, за которым следует увольнение без всяких поблажек.

— А если человек попал в неприятную ситуацию и хочет выпутаться из нее самостоятельно? Мне кажется, вы не хотите рассказывать об увлечениях брата до того времени, как прибрали его к рукам.

— Да, — мрачно признался Колобов. — Потому что Олег болтался в «быках» у Коли Слизовского, пока я не вытащил его оттуда. Слыхали о таком?

— Отчего же нет? Кличка — Скользкий.

Воюет с чеченами за контроль над «Палас-отелем».

— Да, МУР есть МУР! — с неподдельным уважением заметил Колобов и предложил: — Если у вас есть еще немного времени, подскочим в офис, уточним, сдал ли Олег оружие?

— Поехали, — согласился Яковлев.

4

Ангелина Иванова, шеф редакции политических программ студии «Спектр», выглядела моложе своих сорока двух лет, причем совсем не было заметно, каких усилий ей это стоит. Одета она была, как и все в телекиношной тусовке: с изящной небрежностью, но дорого. Лишь узкая полоска черной косынки поверх лба напоминала о том, что дама в трауре.

Строгая меблировка офиса и неудобные, с прямыми жесткими спинками стулья для посетителей намекали на то, что хозяйка кабинета не склонна к праздным разглагольствованиям. Тем не менее Турецкий все же сначала выразил соболезнования начальствующей вдове.

Та сухо поблагодарила.

— Позвольте узнать, — спросила она, — чем вызван ваш интерес к этому происшествию? Насколько мне известно, никто не оспаривал заключения ГАИ о несчастном случае.

Турецкий к такому вопросу не был готов. Пришлось мямлить старшему следователю по особо важным делам:

— Видите ли, Ангелина...

— Все зовут меня просто — Ангелина.

— А как же субординация?

— Путем правильного употребления местоимений «ты» и «вы», — уточнила она.

— Вас понял, — кивнул Турецкий. — Дело в том, что выводы Нарофоминской прокуратуры и областной ГАИ носят, скажем так, предварительный характер. Эти выводы пока никем не оспорены и потому остаются в силе.

— Почему — пока? — насторожилась вдова.

— Кое-кто сомневается, что имел место несчастный случай, — таинственно заметил Турецкий.

— Кое-кто? — хмыкнула Иванова. В голосе ее явно прозвучал скепсис: следователь, дескать, по особо важным делам — и толком не знает расследуемого дела.

— Вы проницательный человек. Неужели вы думаете, что Генеральная прокуратура заинтересуется рядовым дорожно-транспортным происшествием?! — с не меньшей долей скепсиса заметил Александр Борисович.

— Что же в этом деле нетипичного, не рядового, кроме одной жертвы? — вскинула брови Иванова.

— Все, — многозначительно изрек Турецкий.

Он не спускал глаз с Ангелины. Если она знает о смерти своего мужа больше, чем написано в постановлении об отказе в возбуждении уголовного дела, полагал следователь, то, может быть, ей не удастся этого скрыть. Вдова, в свою очередь, смотрела на него с неким досадным удивлением. Она взяла со стола пачку сигарет и достала одну, коричневую и длинную, как тростинка.

— Александр Борисович, зачем вы напускаете тумана? Отнимаете мое время и свое тоже. Я только-только пришла в себя, вошла в рабочий ритм. А вы являетесь и начинаете говорить загадками!

— Ну отчего же загадками, — улыбнулся Турецкий. — Генеральный прокурор сомневается в нелепой случайности этой трагедии. А моя скромная обязанность — проверить обоснованность его сомнений.

Ангелина усмехнулась и затянулась сигаретой.

— Если бы это не звучало кощунственно, я сказала бы, что наконец Юра добился желаемого веса в обществе сильных мира сего!

— По-моему, в последнее время ваша компания не страдала от невнимания властей. Не прежний ли генпрокурор был столь к вам внимателен, что наслал на вас следователей? — поинтересовался Турецкий.

— А-а, вы об этом? Никому не пожелаю такого внимания! Хорошо, хоть оборудование не арестовали! В его стоимости половина денег — наши личные сбережения. Форма собственности — акционерное общество закрытого типа, поэтому никто не помог нам подняться!

— Но, как мне сказали, на последних президентских выборах ваш муж поставил на верную лошадку...

— Да. Благодаря этому теперь не приходится обивать пороги чиновников, сами звонят и пред-

25

лагают помощь. Юра все сделал для своей фирмы. Все, что мог. Но такая уж у него несчастная карма: ушел как раз тогда, когда его мечта исполнилась...

Вдова опустила глаза.

Ангелина ошиблась, употребив замысловатое словцо. Турецкий как раз очень даже хорошо представлял себе, что такое карма и вообще восточная религия. К тому же многолетний опыт следственной работы подсказывал ему, что умышленное убийство редко бывает связано с буддизмом, особенно в европейском регионе.

— Вы предполагаете вмешательство сверхъестественных сил? — после небольшой паузы спросил он. — Вы правы лишь в том случае, если у вашего мужа не было врагов.

— Вот как? Любопытно! — насторожилась Ангелина.

— Дело в том, — продолжал Турецкий, — что автокатастрофа произошла на таком участке дороги, где она в принципе не могла случиться.

— И только на этом основаны сомнения генерального прокурора? — удивилась Ангелина.

— Когда речь идет о продюсере телекомпании, которой заинтересовался сам Президент, этого вполне достаточно. Поэтому, чтобы не отвлекать больше вашего внимания, я задаю вам, Ангелина, лишь один вопрос: если бы вы сами сомневались в случайности этой смерти, кого бы стали подозревать в первую очередь?

— Никого, — отрезала Ангелина.

— Ну не надо так спешить. Я попробую вам помочь ответить на этот вопрос. Например, коллеги-конкуренты вполне могли бы претендовать на роль подозреваемых. Ведь кое-кого из них вы выбили из эфира.

— Да нет же. Выбить-то выбили, но не так глобально, как нам хотелось бы.

— Хорошо. Допустим. Тогда, может быть, политические мотивы? — как бы размышлял вслух Турецкий.

— А вот это уж совершенно точно — нет. Мы работаем вне каких-либо политических пристрастий, — уверенно заявила Ангелина.

— Тогда остаются деньги, — сделал вывод Турецкий.

К его удивлению, Ангелина не стала возражать. Она задумалась, изучающим взглядом посмотрела на следователя и лишь потом сказала:

— Вы лишаете меня возможности уснуть сегодня ночью, Александр Борисович. Я совсем забыла...

Она вновь замолчала. Турецкий решил не торопить ее, хотя его так и подмывало это сделать.

— Если ваши сомнения не с потолка взяты, то я вам должна сообщить, Александр Борисович, что у Юры действительно был денежный спор с одной фирмой...

— Вы помните название этой фирмы? — оживился Турецкий.

— Как ни странно, запомнила. Фирма «Каскад». Там какие-то бывшие военные преуспевают на коммерческой ниве.

— Так-так! И каков же был характер личных отношений вашего мужа с сотрудниками этого «Каскада»?

— Личных финансовых отношений у Юры с ними не было. Это точно. Он весь принадлежал делу! — чуть ли не воскликнула Ангелина.

Ее пафос несколько утомил Турецкого, но он не стал комментировать сей эмоциональный пассаж, а спокойно спросил:

— А с концерном «Кононг», дочерним предприятием которого является фирма «Каскад», у вашего мужа были какие-нибудь сношения?

По игривому взгляду Ангелины следователь догадался, что в слове «сношение» эта женщина улавливает лишь один смысл.

— Пока Юра был жив, я не касалась финансовой стороны дела. С этим концерном, как его... «Кононг», кажется, у него были какие-то недоразумения в расчетах за рекламу, но я твердо не могу вспомнить, какие именно, — сказала она, слегка потупив взгляд.

Из беседы с Ангелиной Турецкий вынес совершенно четкое ощущение: сомнения генпрокурора не лишены оснований. Он также понял, что Ангелина — крепкий орешек и поработать с ней придется крепко. Эта Ангелина явно что-то утаивала от следствия.

5

Грязнов заехал на своем «мерседесе» в следственную часть за Турецким. Они договорились съездить сегодня на кладбище, посетить могилу их верного товарища, с которым они начинали работать еще двадцать лет назад.

Грязнов оценивающе взглянул на друга. Роскошный коричневый свитер, черные джинсы, желтые импортные ботинки и вызывающе строгий ежик волос на голове придавали Турецкому особый суперменистый вид. Правда, все, кроме прически, было с налетом некоторой небрежности: из-под одного рукава свитера торчал весьма потертый манжет рубашки, шнурки на ботинках были завязаны крайне неаккуратно. Тем не менее все это, как ни странно, придавало сорокалетнему самбисту даже некий шарм.

— Что уставился? — спросил Турецкий. — Плохо выгляжу?

— Да нет, Саня, я смотрю на тебя с восхищением. Человек, обладающий таким ростом и телосложением, мог бы обойтись и без умной головы, а у тебя и это есть. Здорово! — похвалил друга Грязнов.

— Ладно, Слава, не льсти. Наверное, я опять тряпки не в цвет подобрал. Ну да черт с ними. Поехали!

Турецкий уселся рядом с водителем. Грязнов плавно тронулся с места, но через минуту уже летел, превышая все дозволенные в городе скорости.

— Сначала за цветами на рынок рули, — посоветовал Турецкий.

Грязнов хмыкнул и, не оборачиваясь, достал с заднего сиденья букет хризантем.

— Нюх потерял, что ли? — спросил он с некоторой укоризной.

— А, не говори, с этим Меркуловым не только нюха лишишься! — пожаловался Турецкий.

— Что опять такое? — озабоченно спросил Грязнов.

— Да вот одно дело на меня вешает, а у меня большое подозрение, что гнилое оно сверху донизу!..

Турецкий вкратце поведал другу об автокатастрофе, которая вызвала сомнение у генерального прокурора, не исключающего убийство, закончив свой рассказ выводом:

— Подозреваю, все дело здесь в деньгах. И сама вдова как бы невзначай науськивает.

— На кого-нибудь конкретно? — поинтересовался Грязнов.

— Да, концерн тут есть один, называется «Кононг», а у него дочернее предприятие — фирма «Каскад». Понятия не имею, кто такие, знаю только, что они офицеры запаса из нашей бывшей ЗГВ. Вот пока и вся информация, — вздохнул Турецкий.

— Все правильно! Заважничал ты, Саня, мало советуешься с друзьями, со скромными пахарями МУРа! — весело заявил Грязнов.

— Это ты-то — скромный пахарь МУРа? — съязвил Турецкий, состроив ехидную мину. — Ну допустим, я посоветовался. И что?

— А то, что наш общий приятель Федоров, перешедший из Совета безопасности, снова в МВД. Так вот, позвонил он мне недавно из своего главка и попросил разобраться в одном оперативном деле. Оно, кстати, тоже представляется мне гнилым от головы до хвоста. Но заявитель, как видишь, оказался очень крутой. Такого большого начальника околдовал!..

— Врешь небось? — притворно-небрежно отреагировал Турецкий.

— Чего мне врать. Сам спроси у Юрки Федорова, какой ему интерес форсировать такое глухое и тупое дело, как пропажа без вести столь крупного мужика, каким является некий охранник Олег Колобов, — слегка ерничая, продолжал Грязнов. — Слышал эту фамилию?

— Представляешь, Слава, слышал, и совсем недавно.

— Вот-вот, хорошо, что слышал. А объект нюхал? — Грязнов весело и даже дерзко взглянул на друга.

— Ты лучше на дорогу, Слава, смотри. Подожди про нюх, а лучше объясни, что к чему?

— А что тут объяснять? Есть на свете такая фирма «Каскад», дочернее предприятие концерна «Кононг». Так вот, этот «Каскад» возглавляет Сергей Колобов.

— Не врешь? — вновь подстегнул начальника МУРа Турецкий.

— Да конь тебя понюхал, Саня! С ним Володя Яковлев начал работать. Да и пришел он к нам по просьбе того же Федорова. Как появились на моем горизонте эти бывшие военные из «Каскада» и «Кононга», так мы с Яковлевым и тащим их по ведомостям и платежкам. Вынюхиваем, к чему прицепиться, хотя занятие это не наше, а РУОПа. Думали, бухгалтеры-ревизоры помогут. Ан нет! Вся бухгалтерия у них в образцовом порядке. Вот какие пироги.

— Весьма любопытно, — хмыкнул Турецкий. — Но самое смешное, пан Грязнов, что денежки телепрограммы «Спектр», которую возглавлял Иванов, растут из бабок концерна «Кононг». Беда лишь в том, что никто ничего доказать не может. Госпожа Иванова убеждает меня, что никаких финансовых бумаг не подписывала. Получается, что ее ограбили залетные воры. По всему, вдова должна была подать заявление в милицию, что против ее воли некто попробовал по фальшивой доверенности получить со счета деньги, накопленные непомерным трудом на ниве телевещания. Но, с точки зрения элементарной логики, подобные заявления должны подкрепляться документами, которых у Ангелины либо нет, либо она не хочет их показывать.

— Я, Александр Борисович, с этого момента прослеживаю четкую связь между твоим следственным делом и нашим оперативным, — с некоторой даже важностью заметил Грязнов.

— А что это за дело вам Федоров подсунул? — с трудом сдерживая нетерпение, спросил Турецкий.

— Изучаем факт исчезновения бывшего бандита, а до недавнего времени охранника фирмы «Каскад» Олега Колобова.

— Это уже интересно, — буркнул Турецкий.

— Я рад, что тебе понравилось.

— Что же, будем искать связь между гибелью Иванова, неожиданным исчезновением Олега Колобова и поведением Ангелины, которая действительно ведет себя очень странно. Заодно надо выяснить, что за любовь такая между телекомпанией «Спектр» и фирмой «Каскад» вместе с «Кононгом». Пока, Слава, я за то, чтобы избегать скоропалительных выводов.

— Сергей Колобов всерьез озабочен пропажей брата, — после паузы продолжил Грязнов, мастерски лавируя в потоке автомобилей. — Володя Яковлев его недавно опросил, потом они съездили на квартиру, которую снимал Олег. После он привез Володю в свою фирму и сообщил, что Олегу выдавалось оружие, но он его, как положено, сдал в оружейку. Володя сказал мне, что коллеги Колобова кривились, когда увидели, что он мента привел. Но ему было плевать на это. Такое поведение говорит о том, что это для него настоящая трагедия.

— А может быть, Слава, этого Олега Колобова тихо ушли на тот свет, чтобы не путался под ногами?

Грязнов с минуту помедлил и бодро выпалил:

— Ну что ж, меркуловский птенец, подтверждаешь квалификацию! Этот вариант вполне может иметь место.

Грязнов вырулил на стоянку перед воротами кладбища и, как законопослушный гражданин, припарковал машину на свободное место. Кругом стояли почти одни иномарки.

— «Новые русские» — на старом кладбище, — заметил Турецкий.

— Лично я, Саня, хоть и покрутился в их среде, но до сих пор не перенял привычек и манер «надежды новой России», — с грустной улыбкой сказал Грязнов.

Друзья долго шли по дорожке. Вокруг высилось много дорогостоящих памятников. Да, привилегия быть похороненным на кладбище доступна сейчас далеко не всем смертным, подумал Турецкий. Ему в какой-то момент показалось, что именитые покойники с трудом держат на себе эти мраморные и гранитные глыбы. Точно так же при жизни они ценой неимоверных усилий боролись за свой вес в обществе.

На могиле генерал-майора милиции, бывшей начальницы МУРа Александры Романовой был поставлен скромный памятник.

— Смотри, Слава, — указал Турецкий на букет еще совсем свежих цветов, прислоненный чьей-то благодарной рукой к серому граниту памятника. — Родных у Шуры не осталось, так распорядилась жестокая судьба, таков оказался удел бескомпромиссной Шуры... Наверное, навестил ее могилу кто-то из наших, а может, престарелый урка заглянул — ведь урки уважали ее.

Друзья посидели на скамеечке, помянули Шуру и собрались уходить.

— Кстати, — вспомнил Турецкий. — Тут, на Ваганьковском, недалеко и Юрий Иванов покоится. Зайдем?

— Рассчитываешь, что усопший нашепчет тебе, как папаша принца Гамлета сыну, кто ему такую подлянку с машиной учинил? — с грустной улыбкой спросил Грязнов.

— Нашептать не нашепчет, а все-таки...

Они прошли еще два ряда могил, к тому месту, где кладбищенская ограда была разобрана — кладбище расширяли.

Песок на могиле Юрия Иванова уже начал

темнеть, венки пожухли. Возле земляного холмика стояла женщина в черном платке.

— Жена, что ли? — вполголоса спросил Грязнов.

Турецкий присмотрелся и мотнул головой:

— Нет, это не Ангелина.

— А кто же? Может, любовница?

— Старовата для любовницы.

Женщина встревоженно оглянулась, словно услышала их разговор. Она бросила на них мимолетный взгляд и быстро пошла прочь по боковой аллее.

Глава вторая

1

Аляповато и нагло торчало на Тверской-Ямской здание «Палас-отеля». Около его парадного подъезда парковались великолепные иномарки, которые мозолили глаза не только безлошадным москвичам, но и людям посерьезнее. По ночам все чаще и чаще эти дорогие сверкающие заморские игрушки на колесах стали пропадать. Не все, конечно, а те, что подороже.

Лишь только поступал сигнал, служба ГАИ, как водится, исправно принимала меры: включала систему «Сирена». Когда обнаглевшие воры угоняли автомобили у важных иностранных гостей, к розыску в обязательном порядке подключали уголовный розыск.

Старший лейтенант Никита Бодров получил

задание найти похитителей иномарок и со всем рвением дебютанта принялся за дело. Никита был прирожденный сыскарь, и отсутствие опыта ему успешно заменяла интуиция. Да и в теории он был силен. Ко всем его достоинствам можно было бы приплюсовать и свободу от брачных уз. В отличие от своих старших товарищей Никита не думал на работе о доме. Свою службу он искренне любил и гордился своей принадлежностью к МУРу.

Энтузиазм он считал важнейшим условием успеха любого дела. Вот и на сей раз, несмотря на глубокую ночь, он сам посадил себя в засаду недалеко от припаркованных иномарок. Никита не особенно рассчитывал на быстрый успех, осуществляя, по сути, любительское оперативно-розыскное мероприятие. Но для него это было приятнее, чем, например, сидеть и скучать дома перед телевизором.

Престижный отель — не ночной клуб, не забегаловка. Здесь все серьезно и респектабельно. По этой простой причине Никита не наглел, не лез в ресторан нахрапом, как подгулявший бизнесмен.

Засаду возле этого отеля он устраивал уже в третий раз. Первые два «дежурства» прошли безрезультатно: и Никита ничего подозрительного не заметил, и его самого никто не потревожил. В глубине души он надеялся, что Бог любит троицу и на сей раз что-нибудь да произойдет.

На улице было тихо и безлюдно. Проститутки еще до полуночи перекочевали ближе к «Интуристу». Редкие прохожие, покачиваясь, проходили мимо. В переулке в мусорном баке кто-то шумно рылся: то ли бомж, то ли брошенный хозяевами пес.

Ночь шла на убыль, и Бодрову уже расхотелось спать.

Подкатил роскошный «мерседес». Из него вылез высокий кавказец в длинном пальто. Гордо, по-хозяйски прошел в дверь отеля. Охранник его радостно приветствовал. Никита узнал этого человека. О нем его проинформировал Яковлев. Кавказец поставлял девочек скучающим иностранцам. Хорошо устроился, подумал Никита, провожая взглядом сутенера. Где-где, а в «Паласе» не нарвешься на уголовных беспредельщиков, которые норовят не только не платить, но еще и поглумиться над проститутками и их котом-смотрителем.

Никите надо было как-то войти в контакт с этим человеком, чтобы через него поговорить с его подопечными девочками. Проститутки обязательно должны что-то знать. Бодрову нравилась собственная версия: девушки определяют, какую машину брать, и сообщают об этом угонщикам. Ведь в отеле останавливаются и такие люди, чьи автомобили угонять, как говорится, себе дороже, а не на всех тачках написано, кому они принадлежат.

Высокая стеклянная, но, как казалось, невесомая дверь отеля вновь открылась. На крыльцо вместе с сутенером вышли женщина и охранник. Никита напрягся, гадая, увезет кавказец девушку или нет. Обычно сутенер уезжает под утро, а девочек привозит его ассистент.

Кавказец стал прощаться с девицей, подхватил ее под затянутые в джинсы ягодицы, поднял и смачно поцеловал.

— До завтра! — бросила девица на прощание.

Судя по голосу, она была еще совсем молодая. Никита тихонько пошел за ней. Он не беспокоился, что сутенер или охранник его заметят — оба они быстро скрылись за дверью. То ли их ждала хорошая выпивка, то ли игра на интерес.

Девушка быстро дошла до Тверской и тут буквально столкнулась с двумя подвыпившими парнями.

— О-о, какой лапусик! — радостно воскликнул один из них, загораживая девушке дорогу.

Та хотела обойти нахала, но ему на помощь пришел товарищ.

— Куда же вы, красавица? — жеманно поинтересовался он.

— Домой, — отрезала девица.

— А может, с нами?

— Отстаньте! — громко сказала она.

— Ладно, мы вас проводим до дому, — примиряюще пообещал один.

— Я же вам сказала, что не нуждаюсь в вашей помощи! — срывающимся голосом воскликнула девушка.

— А че ты грубишь? — резко перейдя на «ты», сердито спросил кто-то из них. — Мы к тебе по-человечески!..

— Вот и я вам человеческим языком объясняю, что обойдусь без вас!

— Нет! Ты с нами пойдешь!

— Куда это?

— В клуб «Карусель!»

— «Карусель»? А бабки у вас есть?

— У нас не хватит — ты добавишь.

— Это вы здорово придумали! — притворно восхитилась девушка. — Я вам что, спонсор?

— Ну-ну, кошелка! Небось передком по тыще баксов за смену наколачиваешь!

— Не ваше дело! Ну-ка пустите!..

Оттолкнув одного из парней, девушка хотела было уйти, но оба одновременно схватили ее под руки.

— Пойдешь с нами!

Никита рывком подскочил к троице:

— Эй, ребята!

Парни оглянулись и чуть ослабили хватку.

Девушка, резко повернувшись, освободилась от захвата, но — странное дело — не стала убегать. Она отошла в сторону и остановилась.

Щупловатый, не очень рослый Никита, к тому же одетый довольно простенько, не произвел впечатления на подвыпивших молодых людей.

— Ты откуда взялся, выродок? — с веселым удивлением спросил один.

— Вообще-то это моя девушка, ребята, — спокойно ответил Никита.

— Была твоя — станет наша! — загоготал второй. — Может, и вправду твоя, вишь, стоит, не уходит. Но я думаю, тебе ее не видать!

— Это почему же?

Парень достал из кармана нож-«бабочку» и, крутанув в ладони, раскрыл лезвие.

— Вот сейчас отчикаем у тебя то, за что девки ребят любят, и пойдешь в пидоры!

Что ж, отлично: теперь угроза жизни и здоровью стала явной. Наконец-то буква закона, к которому пока еще трепетно относился Никита, позволяла перейти к активным действиям. Не дожидаясь опасных выпадов, он встречным ударом напряженно выпрямленных ладоней сломал в локте руку, державшую нож. Не останавливаясь, Никита рубанул ребром ладони в кадык второго противника, сбитого с толку неожиданным и пугающим воплем приятеля. После чего быстро подхватил растерянную девушку под руку и увлек в боковую улицу.

— Куда мы? — пролепетала она.

— Куда скажешь. А пока — подальше от них, может, у пареньков приятели неподалеку.

— А кто ты? — спросила девушка.

Он представился: Никита Бодров — брокер Межбанковской валютной биржи. А сам подумал: ой, наверное, не похож я даже на дворника!..

Но девушка, кажется, поверила и тоже представилась:

— Меня Люда зовут. Работаю горничной в «Палас-отеле».

Теперь это так называется, подумал весело Бодров. Он был доволен — третья ночь принесла-таки результат.

2

Утром Меркулов пригласил Турецкого в свой кабинет. На столе дымились две чашки ароматного чая.

— Попьем чайку да поговорим, Саша, — ска-

40

зал Меркулов, придвинув чашку ближе к следователю.

— Что за вопрос, Костя? — прямо спросил Турецкий.

— У нас с тобой сейчас один вопрос: дело Иванова, — улыбнулся Меркулов. — Ты пей чайто, а то остынет.

— Скажи, Костя, генеральный никак не проболтался насчет того, что смутило его в гибели Иванова? — отхлебнув из чашки, спросил Турецкий.

— Я так и знал, что ты мне задашь этот вопрос, и, разумеется, уже подготовил ответ. Ты же знаешь, генеральный впрямую ничего не говорит...

— А вкривую, — хмыкнул следователь, — намеками, недомолвками?

— Вот из этих недомолвок и намеков я составил примерно такую картинку: возглавляемый Ивановым «Спектр» здорово помог Президенту на последних выборах. Хотел этого Президент или нет, но факт есть факт. Странно другое: Президент совсем не интересовался этой телекомпанией, что совершенно нелогично.

— А как же разговоры о том, что «Спектр» более-менее раскрутился только после выборов? — перебил Турецкий.

— Думаю, чиновники таким образом просто подстраховывались, — задумчиво произнес Меркулов.

— Вам наверху виднее, — пожал плечами Турецкий.

— Не ерничай! В ту пору, когда начали поговаривать об операции Президента, он сам очень интересовался, что это за новая телекомпания такая, да кто им денежки дал, да какие у них творческие планы. Вот какие моменты, Саша, проскользнули в моей приватной беседе с генеральным, — хлопнул ладонью по столу Меркулов.

— Но, извини, Костя, это все, как говорится, дела давно минувших дней, — заметил Турецкий.

— Такими фигурами, как Иванов, интересуются лишь тогда, когда ждут от них либо пакости, либо помощи. Все-таки четвертая власть! Мне совершенно ясно, что наверху трагическим случаем с Ивановым весьма озабочены. Но генеральный прокурор не знает, какого результата там ждут от расследования этого, как ты говоришь, гнилого дела. Не знает и волнуется, — сделал вывод Меркулов.

— А хоть какой-нибудь захудаленькой версии он от волнения нам не подкинул? — вновь взял ироничный тон Турецкий.

— Он предполагает, что все дело в деньгах, Саша.

— Генеральный не оригинален. Вдова Ангелина выдала мне такую же беспроигрышную версию и даже кое на кого наступала: подсказала объект для пристального внимания следователей.

— А сам-то ты, Саша, как думаешь, подставляет она своих врагов или в самом деле кого-то подозревает?

— Я склонен думать, что подставляет... Есть факты.

— Ого, как безапелляционно! Поделишься этими фактами? — заинтересовался генерал.

— Отчего же не поделиться? Одно дело делаем. Ангелина подозревает, что ее муж мог пасть жертвой противоречий, возникших у телевизионной компании «Спектр» с концерном «Кононг» и его дочерним предприятием фирмой «Каскад».

— А это еще что за зверь? — насторожился Меркулов.

— Это, Костя, солидные фирмы. Чем только они не занимаются. Хлеб правда, не сеют, не жнут, но торгуют, грузы разные сопровождают, инвестиции вкладывают, лом цветных металлов за границу продают. И все с прибылью, и никакие солнцевские к ним не лезут.

— Отчего же у них так хорошо дела идут? — хмыкнул генерал. — Сейчас у всех море проблем...

— Оттого, Костя, что учредитель этих, скажем так, предприятий — Союз ветеранов ЗГВ. Правительство, естественно, дает им всякие льготы и так далее. Короче говоря, их трудно кому-либо свалить.

— Что они могли не поделить с этой телекомпанией? Хоть что-нибудь тебе об этом известно? — спросил Меркулов.

— К сожалению, пока нет.

— Тогда почему ты думаешь, что вдова Иванова не врет и действительно сводит счеты с этими фирмами? — засомневался Меркулов.

— То, что она сводит счеты, я просто не отрицаю. Утверждать пока рано.

— Кстати, Саша, кем работал этот парень,

43

Олег Колобов, в «Каскаде»? — спросил Меркулов.

— Всего лишь охранником. Экспедировал грузы.

— С грузом пропал? — оживился Меркулов.

— Нет. Просто с выходного не вышел на службу. В общем, сейчас получу досье на Юрия Иванова и начну раскапывать эти фирмы.

— Нужна ли тебе следственная бригада? — осведомился Меркулов.

— Да помощников, Костя, у меня хоть отбавляй. Считай, что уже задействованы Грязнов с Яковлевым. Так что поработаем вместе с муровцами.

Турецкий вернулся в свой кабинет. Из факса торчал лист бумаги — досье на Юрия Иванова. Вначале перечислялись основные вехи пути провинциального таланта. Дальнейшая информация заинтересовала Турецкого. Он узнал, что после выборов инвесторы начали активно сотрудничать со «Спектром». Наиболее крупным кредитором стал концерн «Кононг», возглавляемый Ильясом Тураевым. Незадолго до своей гибели Иванов совместно с мэрией прорабатывал проект перерегистрации телеканала «Спектр» в официальный канал правительства Москвы.

Прочитав документ и отложив его в сторону, Турецкий подумал, что стоит покопаться в провинциальном прошлом погибшего продюсера. Возможно, он поддерживал нормальные отношения со своей первой женой и мог ей рассказать что-нибудь такое, о чем никогда не поведал бы своей столичной супруге Ангелине. Вспомнив впечатление от встречи с Ивановой, Турецкий подумал, что, скорее всего, Ангелина вышла замуж за преуспевающего карьериста, а не за Иванова-человека.

Он позвонил в Наро-Фоминск и попросил узнать адрес матери и первой жены Иванова. Потом решил попить чайку, но не успел. Резко и требовательно зазвонил телефон.

— Привет, старший советник юстиции! Правда, вам пора уже ходить в государственных советниках! — услышал он в трубке знакомый голос Грязнова.

— Здравствуй, дорогой полковник милиции, которому давно пора ходить в генералах, — искренне обрадовался Турецкий звонку друга.

— Как у вас со временем, господин следователь? — спросил Грязнов.

— Смотря что ты можешь предложить, шеф департамента угро, — в том же шутливом тоне ответил следователь.

— Пока могу предложить только одно: подъехал бы ты ко мне, Саня. У нас тут такое происходит, просто мистика и кошмар на улице Вязов.

— Не надо, ради Бога, никакой мистики, Слава. Говори, в чем дело? — отрезал Турецкий.

— К нам пожаловала вдова Иванова. Так как дело ведешь ты, считаю своим долгом доложить обстановку и жду твоих указаний на этот счет.

— Сообщи Ивановой, что по просьбе генерального прокурора я возбудил уголовное дело. С этого момента Ангелина является свидетельницей по делу гибели продюсера Юрия Иванова.

45

Допроси ее сам или поручи это сделать Володе. О результатах сообщи немедленно.

— Слушаюсь, господин «важняк». Рад был слышать твой голос, Саня!

— Взаимно, Слава, — ответил Турецкий и положил трубку.

3

Переговорив с Турецким, начальник МУРа позвонил Яковлеву и сказал:

— Володя, сейчас к тебе придет Ангелина Иванова. Я только что разговаривал с Турецким. Он возбудил уголовное дело. Так что Ангелина теперь — свидетель по делу гибели своего мужа. Проведи официальный допрос свидетельницы по поручению следователя Турецкого. Все понял?

— Так точно, товарищ полковник! — отрапортовал Яковлев.

С первых минут общения Яковлев понял, что перед ним еще та штучка. Ангелина сразу же попыталась очаровать подполковника. Но, поняв, что муровца не проймешь, посерьезнела и уставилась на Яковлева изучающим взглядом. Сыскарь сообщил ей, что возбуждено уголовное дело и она теперь является свидетельницей. Ангелина совершенно спокойно выслушала эту информацию.

— Вы не любите носить военную форму? — еще стараясь сохранить доверительный тон, спросила она.

— Дело не в любви, — отрезал Яковлев и приступил к допросу: — Почему вы явились к нам без повестки? Что побудило вас к этому визиту?

Ангелина кивнула и, помедлив, заговорила:

— Сейчас я все расскажу, — начала она чуть нервным голосом. — Вам сейчас станет понятно, почему я здесь... извините, мне трудно сегодня даются слова... Так вот, три недели назад я своего мужа похоронила. Мне, конечно, помогли, все-таки не простой человек был. А сегодня... я поехала на кладбище цветы поставить и... — Вдова замолчала, вздохнула и поднесла платок к глазам.

Яковлев насмотрелся на всякие проявления эмоций, в том числе и на фальшивые. Но сейчас ему показалось, что вдова искренне расстроена.

— Что случилось? — как можно мягче спросил он.

— Сегодня ночью, по-видимому, его украли, — всхлипнула Ангелина.

— Что? Кого украли? — не понял сыскарь.

— Гроб с телом моего мужа украли! — пояснила вдова.

— С Ваганьковского кладбища украли гроб с покойным?! — еще более удивился Яковлев.

— А какая разница, с какого? — вскинула брови Ангелина.

— Разницы никакой нет, но на престижных кладбищах беспорядка все же поменьше, — уточнил Яковлев, набирая номер телефона Турецкого. Он сообщил следователю о новых обстоятельствах дела. Турецкий принял решение немедленно вместе с Ангелиной съездить на кладбище. Договорились, что Яковлев с Ангелиной заедут за ним в прокуратуру.

— Я на машине. Могу подбросить вас туда и обратно, — предложила Ангелина.

— «Новые русские» в последнее время почему-то думают, что МУР плохо укомплектован техникой, — хмыкнул подполковник. — Но раз предлагает женщина...

Турецкий, Яковлев и Ангелина долго шли мимо рядов могил с дорогими надгробиями. Правда, встречались и совершенно убогие могилки.

— Вы сообщили администрации кладбища о случившемся? — поинтересовался Турецкий, с прищуром взглянув на Ангелину. — Меня просто удивляет, что после такого случая все вокруг так спокойно...

— Нет, я никому об этом не сообщала, кроме вас... — после довольно длинной паузы ответила вдова.

— А что, у вас на это есть особые причины? — продолжал следователь.

— Не хочу всяких сплетен вокруг имени мужа, да и своего. Это, впрочем, несущественная причина, но все же...

— В таком случае незачем было вообще к нам обращаться. Я имею в виду Генпрокуратуру и МУР. Тем более что вы уже после этого происшествия узнали о том, что по делу гибели вашего мужа возбуждено уголовное дело, — заметил Яковлев.

— Удивительно, Ангелина! — чуть ли не вспылил Турецкий. — Неужели вы могли предположить, что МУР, который является подразделением Министерства внутренних дел, станет проводить расследование методами американских частных сыщиков? Словом, вам придется сегодня же написать заявление в Генпрокуратуру на мое имя. Я по нему возбуждаю уголовное дело, и машина заработает. Так что делитесь своими сомнениями и будем вместе думать, как лучше провести расследование.

— Видите ли, за время работы на телевидении муж завел много связей и знакомств. Как всегда бывает, во всяком бизнесе кто-то из знакомых переходит в друзья и надежные партнеры, другие — в стан недоброжелателей. Его при жизни уже публично клеймили, называли и жополизом, и политической проституткой. Многим не давала покоя растущая популярность нашей телекомпании. Если только кто-то из них узнает, что произошло, они же от нас камня на камне не оставят! Они резвее всех будут искать пропавший гроб, чтобы показать его по всем своим каналам. Такая реклама нам не нужна!

— Вас понял, — тоном согласившегося с ее доводами человека сказал Турецкий.

За очередным поворотом неширокой боковой тропинки открылся укромный уголок с четырьмя относительно свежими могилами, одна из которых действительно оказалась разрытой. Земля была разбросана во все стороны.

— Н-да, копали ночью, швыряли куда ни попадя, — заметил Яковлев и спросил: — Гражданка Иванова, а вы когда сюда приехали в первый раз? Сколько было времени?

— Да часов около десяти. А что?

— Что ж, все правильно, работали ночью... — кивнул подполковник.

Он огляделся по сторонам, потрогал толстую

ветку березы, дотянувшуюся почти до самой разоренной могилы, и заметил:

— Здесь кора содрана. Скорей всего, фонарь висел.

Он заметил еще одну особенность, о которой пока не стал распространяться. Когда на свежую могилу нападают обычные мародеры, им совершенно наплевать на атрибуты похоронного обряда: крест, венки, цветы — все выдирается и разбрасывается без всякого почтения. В данном случае некто перед тем, как приступить к земляным работам в столь мрачном месте, снял могильные украшения и аккуратно прислонил их к ограде соседней могилы.

— Судя по кресту, вашего мужа хоронили по христианскому обряду? — полюбопытствовал Турецкий.

— Да, конечно.

— А не было ли, извините за бестактность, при теле каких-нибудь ценностей, дорогих предметов? Были ли на покойном драгоценности?

— Вы хотите сказать, что это грабеж? — ужаснулась Ангелина.

— Как одно из объяснений происшедшего вполне может быть, — кивнул следователь.

— Мне трудно в это поверить, — покачала головой Иванова.

— Ну что вы! При нашей-то жизни. Даже если костюм более-менее пристойный — и то бомжи его могут прибрать к рукам, — заметил Яковлев.

— Вы говорите невозможные вещи! Не думаю, что кто-то обрадовался этой добыче. Все куплено в специализированном магазине, понимаете? Вещи не предназначены для живых!

— Вот еще что хотелось бы у вас спросить, — вмешался в разговор Турецкий. — Имелись ли у покойного золотые коронки?

— Коронки были. Но давно. Потом он фарфор поставил.

— А гроб какой был? Дорогой или попроще? — снова спросил Турецкий.

— Знаете, по большому счету, ему-то все равно, в каком гробу лежать. Правда? Но на похороны пришел такой бомонд, даже вице-мэр присутствовал... мы не могли ударить в грязь лицом! Гроб был высшего качества.

— Ясно. Вы по-прежнему против огласки происшедшего, госпожа Иванова? — спросил Турецкий.

— Да. Я бы не хотела шумихи, — отрезала Ангелина.

— Огласка оглаской, но против официального расследования вы уже возражать не можете, — заметил Турецкий. — Вы должны знать, что за дачу ложных показаний свидетель несет ответственность, предусмотренную уголовным кодексом.

— Все ясно, — буркнула Ангелина. — Поехали отсюда, господа.

4

Водитель «мерседеса», на котором Турецкий, Яковлев и Ангелина приехали на кладбище, завидев подходящих, буквально чуть ли не бросился навстречу своему начальнику.

— Ангелина, Толик уже пятый раз звонил! — воскликнул он.

— Чего ему надо?

— Вроде кто наехал, но мне он ничего не сказал, — искоса взглянув на Яковлева с Турецким, полушепотом сообщил водитель. — По голосу я почувствовал, что очко у него играет...

— Извините, господа, — сказала Ангелина и, достав сотовик, набрала номер. Выслушав Толика, Ангелина раздраженно бросила: —Какая еще баба? Кто ее вообще пропустил в телецентр! Ты что, разучился всякую шваль с порога выпроваживать? Она еще там? Сейчас буду...

Ангелина отключила связь и, повернувшись к Турецкому, сказала:

— Прошу извинить меня, господа. Срочно надо ехать на студию. Могу подбросить к метро...

— Не беспокойтесь, — улыбнулся Турецкий. — Нам не к спеху. Доберемся сами. Завтра созвонимся.

— Конечно! — уже садясь в машину, бросила Иванова.

Когда «мерседес» тронулся с места, Турецкий взял Яковлева под руку и, кивнув на стоящий рядом «опель-аксана», спросил:

— Володя, дорогой, мы во что бы то ни стало должны прибыть вовремя на свидание Ангелины с этой «бабой»!

— Понял! — уже дергая дверцу «опеля» со стороны водителя, ответил Яковлев. Дверца оказалась открытой. Через секунду они уже сидели в салоне, и Яковлев, достав маленькую, как булавка, отмычку, стал включать зажигание. В это время из строения, примыкающего к ограде кладбища, вышел мужик в армейском камуфлированном бушлате и заорал:

— Э, блин, вам чего надо от моей тачки?!

— Ключи! — крикнул ему через открытое окно Яковлев.

— Ну, блин! — взвизгнул мужик и скрылся в помещении.

Двигатель завелся, когда трое охранников уже бежали к машине. Коробка переключения передач оказалась незаблокированной, и Яковлев резко тронулся с места, на большой скорости вписываясь в поток мчащихся по улице автомобилей.

— Только не просите меня, Александр Борисович, чтобы я ни при каких обстоятельствах не передавал опыт, которым иногда приходится пользоваться нашему брату в экстремальных обстоятельствах, — улыбнулся подполковник Турецкому.

— Успеем, Володя? — вместо ответа коротко спросил следователь.

— Смотря к чему... Взрыв посмотреть успеем обязательно...

Яковлев выруливал такими закоулками, что оставалось лишь два варианта: либо безнадежно заблудиться, либо опередить самого черта.

— Дедушка бабушку опередил! — заметил Яковлев, подруливая к «мерседесу» Ангелины. Предъявив удостоверения, они быстро договорились на центральном входе с охранниками, прихватив с собой одного из них, чтобы показал дорогу в огромном шоу-лабиринте.

Коридор, по которому вел их охранник, вскоре уперся в широкую дверь с табличкой «ТК «Спектр». Посторонним вход воспрещен!»

Между коридором и входом в студию оказался небольшой холл. В нем расположились пара кресел и журнальный столик с пепельницами. В одном из кресел сидела женщина и сосредоточенно смотрела на закрытую дверь.

Если бы Турецкий и Яковлев остались в холле, встреча, возможно, не состоялась бы. А войди они в недра офиса — неизвестно какой еще сюрприз бы их ожидал. Яковлев нашел выход. Кроме офисной в холле имелось еще две двери, ведущих в закуток уборщицы и на лоджию. Дверь на длинную лоджию, к счастью, была не заперта. Туда и повлек Яковлев следователя. Ждать пришлось недолго. В холле появилась энергично шагающая Иванова. Сидящая в кресле женщина резко встала ей навстречу.

Яковлев приоткрыл дверь, чтобы лучше было слышно разговор.

— Ты кого похоронила, сука?! — взвизгнула незнакомка. Не дожидаясь ответа, она вцепилась растерявшейся Ангелине в волосы. Иванова безуспешно пыталась вырваться. — Ты кого похоронила?! — пуще прежнего завопила незнакомка.

Яковлев с Турецким выскочили в холл.

— Нехилый очняк получился! — громко сказал Яковлев, пытаясь влезть между женщинами. Турецкий, в свою очередь, схватил незнакомку за плечи и попытался оттащить ее от Ангелины. На шум из офиса выбежали двое парней и тоже стали разнимать женщин. Вчетвером кое-как удалось растащить дерущихся.

— Гражданочки! — сказал, отдуваясь, Яковлев. — Пройдемте в какой-нибудь кабинетик и там спокойно доспорим.

— Давайте лучше на завтра перенесем разбирательство,— тяжело дыша и поправляя волосы, попросила Ангелина. — Видите, она не в себе!..

— Я тебе сейчас покажу, кто не в себе! — незнакомка вновь приняла угрожающую позу.

Иванова была крайне раздосадована — и не только тем, что эта незнакомка задала ей трепку. Более огорчило ее появление здесь настырных ищеек.

Однако ей пришлось впустить незваных гостей в офис. Все четверо расположились в кабинете, который занимал в свое время Юрий Иванов. Женщин рассадили по разным углам. Яковлев сел между ними, а Турецкий занял директорское место, представился и строго спросил у незнакомки:

— Фамилия? Имя? Отчество?

— Иванова Валентина Сергеевна, — с готовностью ответила та.

— Так вы родственники?

— Чем таких родственников иметь, лучше на необитаемом острове жить! Я первая Юркина жена.

— Ясно, — кивнул Турецкий, многозначительно взглянув на Яковлева. — Наверное, вы до сих пор за что-то обижены на своего бывшего супруга. Вот даже траур не носите...

— По живому человеку траур носить —

грех, — отрезала бывшая жена и вновь злобно взглянула на свою соперницу.

— Что значит — по живому человеку? — спросил Турецкий. — Прошу объяснить, что вы имеете в виду?

— А чего здесь непонятного. Я эту стерву по-хорошему просила похоронить Юрку у нас. Ведь мать его в Москву не наездится. И свекровь сама ее об этом же просила. Стара она уже. Куда ей до столицы ехать... Но эта дрянь не согласилась! А я ее предупреждала!..

— То есть вы хотите сказать, что покойного из могилы вырыли вы или кто-то другой, но по вашей просьбе?

— Да, а что? — насторожилась Валентина Иванова.

— А то, что есть статья 244 Уголовного кодекса: надругательство над телами умерших и местами их захоронения преследуются законом, — сухо уточнил Турецкий.

— Да не занимались мы никаким осквернени-ем. Просто аккуратно выкопали и увезли, — несколько растерянно пробормотала Валентина Иванова.

— Как вам это удалось осуществить? — продолжал Турецкий.

— Коммерческая тайна! Однако в копеечку это нам влетело, — вновь задиристо выпалила похитительница.

— Значит, вы признаете, что похищение гроба с покойным Юрием Ивановым — это ваших рук дело? — строго перебил ее следователь, сурово взглянув на нее при этом.

56

— А что же, признаю! Она, сучка, на похороны не позвала.

— Неправда! Я посылала телеграмму! — вспыхнула Ангелина.

— Ага! Послала, когда уже Юрку закопали! Я поначалу не поняла, думала, что ты с горя очумела... А вообще-то я собиралась заявление в милицию подать, — продолжала Валентина Иванова. — Не знаю, кого ты, дрянь эдакая, похоронила, но в гробу-то не Юрка! Его мать чуть с ума от горя не сошла, а сегодня и не знает, отчего с ума сходить! В гробу-то не Юрка! Чужой человек в гробу оказался!

— Да что вы там увидеть могли?! — с визгом, по-деревенски, выкрикнула Ангелина. — Он же обгорелый весь!

— Не надо! Я, может, и дура по сравнению с тобой, только материнское сердце не обманешь! — не унималась Валентина.

— Где сейчас гроб с покойным? — спросил Турецкий.

— Так в нашем морге, под охраной. Дело темное, — всхлипнула Валентина.

Турецкий вышел из-за стола, минуты три молча походил по кабинету и сказал, обращаясь к Яковлеву:

— Я попрошу вас, товарищ подполковник, сообщить на кладбище, что угнанная автомашина обнаружена брошенной и в исправном состоянии недалеко от Останкинского телецентра и далее помочь мне и этим двум женщинам добраться до моего кабинета.

— Как! На сегодня этот кошмар еще не кончился?! — взмолилась Ангелина.

— Это называется следствие, гражданка Иванова, — сухо проинформировал ее Турецкий.

Глава третья

1

В кабинете Турецкого Валентина подробно повторила свои показания. Ангелина, сделав оскорбленное лицо, упорно молчала. Она только мельком заметила, что телекомпания «Спектр» не оставит без внимания столь наглое самоуправство со стороны милиции и прокуратуры. Валентина Иванова была готова помочь следствию, но, к сожалению, знала она мало. Только повторяла: в гробу не Юрка, а Ангелина — сука.

Турецкий принял решение продолжить допрос Ангелины после того, как побывает в Наро-Фоминске и выяснит, кому же принадлежит тело покойного, извлеченное из сгоревшей машины.

По его просьбе Яковлев связался с нарофоминской милицией и получил оттуда подтверждение слов Валентины. Коллеги из провинции были весьма озадачены свалившимся на них, словно с неба, гробом с неизвестно чьими останками. Яковлев пообещал, что они вскоре подъедут со следователем Турецким. За что нарофоминцы его искренне поблагодарили.

Перед тем как ехать в Нару, Турецкий решил

поговорить с Грязновым. Он приехал к нему в МУР, и они уединились в кабинете.

— Ну что, «важняк», опять влип в дело? — хмуро спросил начальник МУРа.

— Похоже на то, — согласился Турецкий. — А ты что про все это думаешь, Слава?

— Да ничего хорошего! Ко всему еще и псы Ангелины будут по пятам с видеокамерами шастать и через эфир лажать нас на всю столицу.

— А тебя это все еще задевает? — улыбнулся Турецкий.

— Да о чем ты говоришь, Саня! — отмахнулся Грязнов.

— Собственно, Слава, я приехал попросить тебя об одной важной детали: дело действительно сложное, и я прошу тебя и Володю — никаких экспромтов! Каждый ваш шаг мы должны обсуждать вместе!

— Понял, Саня.

— И еще. Хочу, чтобы в Нару ты поехал со мной.

— Нет проблем, — с готовностью отозвался полковник.

В это время зазвонил телефон. Грязнов поднял трубку и молча выслушал сообщение. Положил трубку и поднял глаза на Турецкого.

— Ну началось. Федоров вызывает, — сообщил он.

— Юрка? — спросил Турецкий, хитро улыбнувшись.

— В данном конкретном случае не Юрка, а начальник Главного управления уголовного розыска МВД, — подчеркнул Грязнов.

— Я поеду с тобой, — вставил следователь.

— Саня, я не мальчик, — отмахнулся Грязнов. — А потом, это не твое ведомство, а мое.

— Дело не в тебе. В моем присутствии он не будет тебя отчитывать.

— Ну что ж, понятно. А то я, Саня, наивный, думал ты о другом заботишься.

— О тебе, Слава, позаботится Совет ветеранов МУРа!

Федоров был явно раздосадован, увидев, что вслед за Грязновым в кабинет входит Турецкий.

— Александр Борисович, я всегда рад вас видеть, но только не сейчас! — сухо заметил генерал-лейтенант милиции.

— В ваших словах, Юра, заложено логическое противоречие, — парировал Турецкий.

— Это лишь потому, что в жизни вообще немного логики и здравого смысла! — буркнул Федоров.

— А закон обязан все это упорядочить, — продолжал Турецкий как ни в чем не бывало.

Федоров поморщился.

— Впрочем, какая разница! Судя по всему, вам, Турецкий, тоже не миновать ковра у генерального. Уже трезвонят сверху, снизу и с боков, спрашивают, за что МУР арестовал известную тележурналистку Иванову!

— Она не арестована и даже не задержана, — уточнил Грязнов.

— Как? — удивился Федоров.

— Она уже давно дома. Я допросил ее как

свидетельницу по делу Юрия Иванова и отпустил, как говорится, с миром, — поддержал друга Турецкий.

— А в чем вообще дело? — потерев лысеющую голову, спросил Федоров. — Чего они всполошились?

Турецкий спокойно и обстоятельно рассказал Федорову все, что стало известно следствию на сегодняшний день, а также заметил: если окажется, что похоронен был не знаменитый продюсер, а кто-нибудь другой, то это промашка нарофоминского следователя, который или по неопытности, или из соображений перестраховки наделал массу ошибок в самом начале.

На этом разговор закончился.

В коридоре Грязнов с ироничной улыбкой заметил:

— Знаешь, Саня, мне показалось, что Федоров несколько расстроился, узнав, что под крестиком-то вырисовывается отнюдь не знаменитый покойник.

— Возможно, — неопределенно ответил Турецкий. — Однако завтра все прояснится.

На пороге прозекторской Турецкий и Грязнов невольно задержали дыхание, предполагая, что в нос сейчас ударит неприятный запах разлагающегося тела. Запах был, но не такой сильный, как они ожидали.

В сопровождении врача они подошли к массивному, богато отделанному гробу и заглянули в его чрево.

— Ну и какие выводы? — обратился Турецкий к врачу.

— Выводы есть, — оживился врач. Он развернул папку с бумагами и продолжал: — Вот медицинская карта Юрия Иванова. Мы сравнили все, что можно сопоставить.

— Да-да, давайте, — придвинулся к нему Турецкий.

— В медицинской карте Иванова имеется запись, что в возрасте двенадцати лет у него был перелом голени. Закрытый. Наличие характерных следов еще не установили, но есть другое: в верхней челюсти у Иванова должны быть золотые коронки. Он ставил их еще здесь, в стоматологической поликлинике. Так вот, у того, который лежит в гробу, на месте коронок обычные здоровые зубы...

Ожидая результатов вскрытия, Турецкий с Грязновым вышли в приемный покой. Там сидела Валентина Иванова.

— Это мы со свекровью во всем виноваты, — медленно и негромко произнесла она.

— В чем? — спросил Турецкий.

— Юрка всегда хотел прославиться, стать звездой, кумиром телезрителей. А мать его да я, мы бабы простые, живем по принципу: лучше синица в руках, чем журавль в небе. Он человек порядочный. Когда дочь родилась, терпел, здесь работал, хотя у него тогда уже были выгодные предложения. Потом, конечно, не выдержал. А когда у него все хорошо пошло, эта стерва, Ангелина, его подцепила. Дрянь дрянью, хотя баба эффектная. Словом, присосалась к нему. Славы с ним хлебнула, потом бабки давай!

— Вы что-нибудь конкретно знаете о делах Ангелины? — спросил Турецкий.

— Нет. Он со мной и раньше не делился, знал, что не оценю, а последнее время и подавно.

— После развода приезжал к вам?

— Конечно! Мать ведь рядом живет, и к дочери наведывался.

— Давно был последний раз?

— Недели три прошло, — немного подумав, вспомнила Иванова. — Привез Ленке куклу, продуктов мне и матери, но все созванивался с кем-то, все чего-то выяснял. Я еще спросила: что суетишься, должников вылавливаешь? А он так непонятно говорит: а неизвестно еще, кто кому должен. С тем и уехал.

— Скажите честно, зачем вы его выкопали? Ведь оштрафуют вас в лучшем случае! — вставил Грязнов.

— Мне денег не жалко! — заявила Иванова. — Согласна и заплатить, если узнаю, что в гробу не Юрка и что сучку эту засадите!

— Скажите, его вторая жена объяснила вам, почему сообщила о смерти так поздно, после похорон? — поинтересовался Турецкий.

— Она объяснит! Провякала что-то типа того, что он долго пролежал в морге, пока, мол, труп идентифицировали, пока по номеру машины узнавали, кто хозяин...

— Не очень убедительно...

— Да! — подхватила вслед за следователем Валентина.

Турецкий продолжал:

— ...особенно если учесть, что авария произошла на территории Наро-Фоминского района, и здесь, в этом здании, труп должен был лежать сразу после аварии...

Пришел судмедэксперт, уже без фартука и с вымытыми руками.

— Повреждений, зафиксированных в медкарте Иванова, на трупе не обнаружено, — начал он. — Да и возраст не тот. Иванову, как известно, было сорок с небольшим. У нас же — тело молодого мужчины — не старше тридцати лет. Все повреждения, как-то: ушиб грудной клетки, травмы головы и ожоги верхней части тела — нанесены после наступления смерти этого пока не установленного мужчины. И, наконец, мы установили причину его смерти: молодой человек умер от механической асфиксии, то есть был задушен, — подытожил судмедэксперт.

Турецкий и Грязнов переглянулись, и начальник МУРа, подойдя к напряженной до предела Валентине Ивановой, сказал:

— Видите, я ошибся — не будет вам даже штрафа.

— Значит, так, — задумчиво произнес Турецкий. — Такая медицинская экспертиза должна была быть проведена сразу после катастрофы, она проведена не была, но медицинское заключение о смерти-то должно быть! Я хочу видеть это медицинское заключение! Как можно так халатно относиться к своим обязанностям, капитан, — с укоризной взглянул следователь на нарофоминского коллегу, с мрачным видом сидевшего все это время в приемном покое и не подававшего голос.

— Так ведь вдова сразу опознала труп, и медицинское заключение у нее, — развел руками незадачливый капитан Жуков. — Потом, и погибший и она — такие знаменитые люди...

— Ладно, мы постараемся разобраться, что это за люди, — оборвал его Турецкий. — А вам, капитан, советую сменить профессию. У нас и без вас неразберихи хватает.

3

После того как Турецкий убедился, что в гробу оказался не продюсер Юрий Иванов, а некто неизвестный, он возбудил по этому факту еще одно уголовное дело. Он понимал, что Ангелина, если она замешана в этом деле, не представит ему никакого свидетельства о смерти своего мужа. В лучшем случае она скажет, что где-то потеряла его в траурные дни. Посему он попросил Грязнова посетить учреждение, занятое фиксацией рождений, браков и смертей.

Полная дама, выдавшая недавно свидетельство о смерти Юрия Иванова, встретила Грязнова любезно, но вспомнила немного. Ничего не оставалось, как потрясти местную ГАИ.

Гаишники Наро-Фоминска ничем, пожалуй, не отличаются от своих собратьев в иных городах и губерниях. Так же стоят на дорогах, в большей или меньшей степени скоррумпировавшись с дорожным рэкетом и прочей криминальной швалью, и исповедуют принцип: докопаться можно до телеграфного столба. Они с удовольствием выслушивают униженную лесть незадачливых автолюбителей и автопрофессионалов. Вот и теперь в дежурной части какой-то потный мужик в спортивном костюме пытался что-то доказать, в чем-то убедить, а скорее всего, упросить стража дорог. Работающий с ним лейтенант смотрел на него строго и требовательно.

Специально для гостя из Москвы вызвали из дома бывшего в отгуле капитана Митрохина, который в тот злополучный день выезжал на место происшествия. Капитан волновался: вдруг муровский полковник посчитает его действия неправильными и настучит местному начальству. Тогда Митрохину долго еще не быть майором.

Грязнов почувствовал настроение офицера ГАИ, но не стал его успокаивать. Пусть мужик поволнуется. Судя по его фигуре и лицу, служба для этого служаки не была богата стрессами.

— Такое дело, капитан, в машине, которую ты осматривал двадцать дней назад, был совсем не тот человек, что проходит по бумагам.

— А кто? — испуганно спросил Митрохин.

— Если бы я это знал, ты бы со мной не познакомился. А уж коли встретились, будь добр, вспомни все, что сможешь.

Капитан прерывисто вздохнул.

— Можно закурить?

— Бог с тобой, капитан! Ты же не на допросе!

Он благодарно кивнул, достал «LM», закурил и пустил струю голубоватого дыма.

— Понимаете, дело вечером было, уже смеркалось. Нам позвонил в дежурную часть какой-то человек, не представился, сказал только, что автолюбитель и что на участке дороги недалеко от Макеевки горит легковушка. Я у него спросил: пострадавшие есть? Он говорит: не видно ни снаружи, ни внутри. Выехали мы с недоверием — на этом месте сроду крупных аварий не бывало. Однако увидели, что действительно горит, да еще как! Бак уже рванул. Сначала была версия, что машину угнали, а потом подожгли какие-то бездельники. Ну мы огонь потушили, все посмотрели: как будто версия подтверждается — в салоне пусто, никаких людей. Да, когда приехали, на месте пожара парня встретили, стоял, смотрел, огнем любовался. Когда потушили, он не ушел. Я тогда за него взялся. Спрашиваю: видел что-нибудь? Он говорит: не все, прибежал, когда уже огонь поднялся. Короче, по его словам, когда он прибежал, то увидел, что возле горящей машины, не рядом, конечно, неподалеку, стоит легковушка с красными крестами, «медпомощь», значит. И двое мужиков затаскивают в нее обгоревшего человека, одежда которого еще местами дымилась. Они будто бы крикнули парню, чтобы тот не подходил к машине, пока не прогорит бензин, и умчались.

— Куда, не сказал?

— Нет. Но вскоре нам позвонил из дома отдыха начальник медчасти и сказал, что они подобрали на месте аварии обгоревшего мужчину и привезли к себе, но тот по дороге скончался. И спросил, не знаем ли мы, кто хозяин автомобиля, чтоб можно было написать заключение о смерти.

Когда он позвонил, мы были еще на месте аварии. Пока приехали, пока пропустили машину через компьютер на предмет угона... Это все потребовало времени. Потом выяснили, что по угнанным автомобиль не числится, а принадлежит Иванову Юрию Степановичу. Позвонили ему домой. Жена ответила, что должен вот-вот приехать, днем звонил. Я не стал говорить ей про аварию, мало ли что, вдруг не он за рулем был, не муж. Посоветовал ей позвонить в санаторий, в дом отдыха этот, начмеду. А после, утром, я сам начмеду позвонил. Тот мне рассказал, что приезжала женщина из Москвы, опознала тело. За рулем, дескать, хозяин был, Иванов Юрий, вот начмед и составил заключение о смерти, так как вдова очень просила не разводить волокиту. Признаться, товарищ полковник, я не стал перепроверять эти данные, знаете, начнешь копать, выроешь еще что-то непотребное. А еще когда узнал, кем этот Иванов был, ведь и передачи смотрел!.. В общем, сошло гладко, и славу Богу.

— Ну хорошо. А какое же заключение как специалист ты нарисовал о причине аварии?

— А все сошлось одно к одному!

— Что — все?

— Значит, так. Автомобиль сошел с трассы на повороте. Такое редко, но случается. Видно, скорость была приличная, потому что летел через чистое место метров двадцать до дерева и неплохо так в него долбанулся. Предположение такое: водитель за рулем курил. В передней части салона, рядом с коробкой передач, обнаружена обгоревшая и местами подплавленная металлическая канистра, предположительно из-под бензина. От удара сигарета выпала изо рта, попала на канистру — и вот...

— Не очень убедительно, — покачал головой Грязнов.

— Теперь-то уж конечно! — понуро согласился капитан.

— Ты очень поможешь себе, если вспомнишь имя, фамилию и желательно адрес парня-свидетеля и начальника медчасти.

Митрохин оживился:

— Так че вспоминать! У меня все записано.

Через минуту в записной книжке полковника появились свежие записи: дом отдыха такой-то, Виктор Григорьевич Чиж, Алексей Александрович Шатохин и его московский адрес.

— А что этот Шатохин на месте аварии делал, ежели москвич? — спросил напоследок Грязнов.

— Сказал, что дача у его родителей в том районе находится.

4

Восемнадцатилетний Алексей Шатохин работал продавцом в частном магазине «Вавилон». Туда по поручению Грязнова и направился подполковник Яковлев после обеда. На входе в яркий, пестрый и даже многолюдный торговый зал его встретил рослый охранник.

— Мне бы с Алешей Шатохиным поговорить, — обратился к нему Яковлев.

— А вы ему кто будете? — поинтересовался охранник.

— Пока никто, — простодушно ответил сыскарь.

— Не понял? — напрягся парень.

— По делу я, мне с ним поговорить надо, — повысил голос Яковлев.

— Что за дело?

— Уголовное, — исчерпав весь запас своего терпения, рявкнул Яковлев и сунул под нос охраннику муровское удостоверение.

У парня моментально поубавилось спеси. Он попросил гостя подождать и скрылся за дверью с надписью «Служебный вход».

«Ишь, засуетился, — беззлобно подумал Яковлев, — как в старые добрые времена».

Шатохин вышел к нему минут через пять. Судя по его озабоченному виду, руководство торговой точки устроило парню экспресс-допрос на предмет того, где и каким образом младший продавец мог попасть в сферу внимания уголовного розыска.

— Здравствуйте. Что случилось?

— Подполковник Яковлев, — представился муровец. — Да вы не волнуйтесь, разговор пойдет о той аварии в Наро-Фоминском районе, где вы зафиксированы в качестве свидетеля...

— А-а! — с нескрываемым облегчением протянул Шатохин. — Вы разрешите, я скажу директору, в чем дело?

Яковлев кивнул.

Шатохин вернулся в приподнятом настроении.

70

— Наверное, вы хотели бы побеседовать в более подходящей обстановке? — спросил он.

— Да, пожалуй, — пробормотал подполковник, невольно подстраиваясь под изысканный стиль разговора начитанного молодого человека.

Алексей привел его в небольшую уютную кофейню, как оказалось, принадлежащую фирме «Вавилон». Усадил в укромном уголке, быстро заказал кофе и, слегка наклонив голову, произнес:

— Слушаю вас.

— У меня такое впечатление, Алексей Александрович, что вы учились где-то... отнюдь не на продавца, — начал Яковлев.

— Да? Так заметно? — Шатохин улыбнулся. — Конечно, я учился и сейчас учусь, правда, заочно. А работаю продавцом потому, что стипендия маленькая.

— Что ж, все понятно. Так вот, хотелось бы, Алексей, чтобы вы вспомнили в мельчайших подробностях тот вечер, когда обнаружили возле Макеевки горящую автомашину.

Алексей наморщил лоб и начал рассказывать. Речь его текла неторопливо, гладко и даже, казалось, заученно. Рассказ Шатохина практически не отличался от того, что вчера поведал Грязнову капитан Митрохин. Оно, может, и неплохо, если бы не одно «но»: Яковлев не верил Шатохину.

— Хорошо, Алексей. В принципе ничего нового я не услышал. Но давайте кое-что уточним, — перебил он рассказчика.

Шатохин молча кивнул и пожал плечами.

— Когда вы узнали о пожаре на дороге? Где

это было? Что именно вы увидели на месте происшествия?

— Понял. Значит, так. Был я на даче отца, профессора Александра Шатохина, приводил дом в порядок перед наступлением морозов. От дачи до дороги расстояние с полкилометра. Я услышал отдаленный взрыв и вспышку, зарево такое... Ну и побежал. Через несколько минут был на месте. Времени было... около шести вечера. Там уже стояла эта «медпомощь» и двое мужчин волокли к ней человека.

— По дороге не проезжали машины в это время?

— Нет. Ни одной.

— Вы уверены?

Шатохин подумал, покачал головой:

— Не знаю. Я во всяком случае не заметил.

— Вы невнимательны, Алексей. По данным поста ГАИ, на этом участке трассы за период с семнадцати тридцати до восемнадцати тридцати по дороге проехало в обе стороны более двухсот легковых автомобилей. Вы полагаете, что они все старательно объезжали место аварии? — улыбнулся Яковлев.

— Ничего я не предполагаю! Рассказываю, что видел.

— Далее. Я располагаю сведениями, что дача, о которой вы говорите, не принадлежит профессору Шатохину. Ее владелец работник телевидения Ангелина Иванова.

Алексей чуть заметно улыбнулся.

— Здесь нет противоречия. Эта женщина — моя мать.

Тут уже удивился Яковлев.

— Вот как! Что ж, извините за нескромный вопрос, вы живете с матерью или с отцом?

— Естественно, с папой.

— Почему — естественно?

— Потому что и ему и мне претит наличие в доме постоянной похабной телевизионной тусовки. К тому же мать бросила отца ради этого кривляки.

— Вам не нравился Иванов?

— Он не понравился бы мне в любом случае!

— Да, я вас понял. Вы не узнали машину нового мужа вашей мамы? — допытывался Яковлев.

— Нет, конечно. Она была вся в огне.

— Как вы полагаете, почему ваша мама так легко переносит утрату мужа?

Шатохин несколько растерянно посмотрел на подполковника.

— С чего вы взяли?

— Общался с ней...

— Послушайте, что же все-таки случилось? Мы разговариваем уже черт знает сколько времени, мне давно пора на работу, а вы так и не объяснили, в чем дело. Почему уголовный розыск занимается обычной, рядовой аварией?

— Потому и занимается, что авария не обычная.

— Да? — ухмыльнулся Шатохин.

— Так вот, Алексей Александрович, — спокойно продолжал Яковлев, — под видом ненавистного вам Юрия Иванова ваша мама похоронила другого человека.

Молодой человек, подчиняясь эмоциям,

мгновенно изменился в лице. Из вызывающе на-
глого оно превратилось в испуганно-недоверчивое.

— В машине был другой человек? — удивился
Шатохин.

— Да. Сегодня это окончательно установили.

— А кто он?

— Пока неизвестно. Но мы знаем другое: человек, сгоревший в машине мужа вашей мамы,
сначала был задушен.

— Что с мамой? — встревожился Шатохин.

— Ваша мама, как вы можете догадаться, находится у нас, но она не задержана, не волнуйтесь. Согласитесь, что кое-что надо прояснить. Я,
например, очень надеюсь, что вы стали жертвой
обмана так же, как и ваша мать.

Алексей, покусывая губы, молчал. Потом,
придя в себя, заговорил:

— Понимаете, она ничего мне не объяснила.
Только позвонила домой. Она была на грани ис-
терики и сказала, что я должен ей помочь, иначе
все пойдет прахом... или что-то в этом роде. Ее
речь была достаточно бессвязной. Но главное я
понял: мне срочно надо было выехать на дачу и
там ждать ее дальнейших указаний.

— От кого должны были исходить эти указания? — поинтересовался Яковлев.

— От нее, конечно. Там есть телефон.

— Хорошо. А во сколько был телефонный
звонок? — спросил Яковлев.

— Часов около двух. У меня был выходной.
Отец в это время находился на службе, так что
нашего разговора никто не слышал.

— Хорошо. Дальше! — кивнул муровец.

— Я приехал на пустую дачу в пятом часу. Примерно через полчаса приехала мама. Она была на своей машине, — продолжал Алексей.

— Марка?

— Красный «пежо» — спортивная модель.

— Не опускайте подробностей, — попросил Яковлев.

— Она сказала, что только я могу ее спасти. Для этого мне надо лишь выбежать на дорогу, на которой будет гореть автомобиль. Дождаться возле него гаишников и сказать то, что я и сказал.

— У вас ничего не вызвало удивления или сомнения?

Алексей посмотрел на Яковлева затравленным взглядом.

— Ничего! Я... я подумал, что мама убила его и хочет замести следы...

— У нее были причины для этого?

— У нее, может, и не было, а у меня были.

— Вы бы, Алексей, не ошиблись в объекте, случись такая оказия. Ваша мама, впрочем, тоже. А начмед Чиж Виктор Григорьевич вам известен?

— Только заочно. Мама его иногда вспоминала в разговоре. Вроде как приятель ее. Скажите, что теперь будет? — сорвавшимся голосом спросил парень.

— С кем?

— Со мной и мамой?

— С вами, Алексей, скорее всего, ничего. Полчаса уйдет на запись ваших показаний, а потом пойдете работать. И постарайтесь никуда не уезжать, вдруг понадобитесь, — поставил Яковлев точку в разговоре и стал заполнять протокол допроса свидетеля.

До поры до времени Яковлев решил не пугать Виктора Григорьевича Чижа своим муровским удостоверением. Поэтому, подкатив на своем «мерседесе» к запрятанному в сосновом бору дому отдыха, он вошел в кабинет начмеда походкой не то «нового русского», не то опытного зека.

— Вы будете Чиж? — спросил он, надвигаясь на удивленного хозяина кабинета.

Пока Чиж соображал, что произошло, Яковлев его разглядел. Доктор был тучноват и вальяжен, как все пристроившиеся на непыльные, хорошо оплачиваемые работы.

По реакции начмеда подполковник также заметил, что не впечатлил его.

— А в чем, собственно, дело? — нахмурился хозяин кабинета.

— В том, что говорить я буду только с ним, — отрезал муровец.

— Но, согласитесь, это же кабинет начмеда! — слегка улыбнулся Чиж.

— Мало ли кто иногда сидит в кресле начальника, — ухмыльнулся в ответ Яковлев.

— Но это не серьезно...

— Я к тебе не геморрой лечить пришел! — заметил Яковлев. — У меня к тебе не медицинское дело. Мне надо по-срочному связаться с Юркой.

— С кем? — удивленно вскинул брови Чиж.

— Да брось ты, в самом деле, понты кидать! — сплюнул муровец, играя под блатняка.

— Подождите-подождите! Вы уверены, что явились по адресу? — засуетился начмед.

— Уже не уверен. Мне Чиж нужен. А ты кто?

— Ладно, пошутил — и свободен, — помахал Чиж рукой.

— Не тыкай! Дело срочное. Ангелину знаешь?

— Какую Ангелину?

— Иванову, бывшую Шатохину. А девичью фамилию не спросил — недосуг было. Ну? — напирал Яковлев.

— Прежде чем я отвечу, хотел бы знать, с кем имею честь...

— Со мной. Я работаю с малым Ангелины в одном магазине. У него как раз смена, а я сменился. Колей зовут.

— А фамилия у тебя есть, Коля?

Опытный сыскарь, пока торчал в магазине в ожидании Алексея, успел прочитать на нагрудной бирке охранника его анкетные данные и теперь пользовался ими как родными.

— Конечно, есть. Максимов.

— Ну и почему ты здесь поднял такой шум?

— Потому что Ангелина просила меня связаться с ее мужем.

— Что ты городишь? Его похоронили недавно.

— Да знаю! — отмахнулся Яковлев. — Ты же небось и бумагу выписал.

— Какую бумагу? — вполне натурально изумился Чиж. — Ты смотри не заговаривайся, а то пристрою по знакомству в дурбольничку — и будешь счастливый ходить, слюни по стенам развешивать!

— Знаю, что бумажки уже нет, — согласился муровец.

— Слушай, кто ты такой, что все знаешь? Ну-ка посиди отдохни, я телефонный звонок сделаю, — по-настоящему занервничал Чиж.

Яковлев не знал, куда будет звонить начмед, но догадывался, что тот хочет проверить, есть ли на белом свете такой человек — Коля Максимов.

— Алло? «Вавилон»? У вас работает Николай Максимов? — не сводя глаз с гостя, спросил он в трубку. Услышав положительный ответ, Чиж положил трубку и взглянул на Яковлева уже спокойнее.

— Ну убедил. Есть такой дядя. И что дальше? Мне, признаться, в голову не могло прийти, что Ангелина может иметь дело с таким контингентом! — криво улыбнулся он, окинув муровца брезгливым взглядом.

— Что, очень ограниченный? — насмешливо спросил Яковлев.

— Ого! — Чиж вновь удивленно вздернул брови. — Да мы, оказывается, чувство юмора имеем!

— Ты меня за дурачка не держи! — оборвал его подполковник. — Позвони лучше Ангелине в фирму и попроси ее к телефону.

— Сам и позвони, — грубо отмахнулся Виктор Григорьевич.

— Нет, это тебе надо позвонить, дорогой, чтобы потом поменьше идиотских вопросов задавал, — ехидно заметил Яковлев.

— Ладно, я тебе верю. Что ты хотел передать

Иванову, — вдруг пошел на откровенный разговор Чиж.

Яковлев не торопился с информацией. Он минуты три с преувеличенным вниманием рассматривал небольшие акварели на стенах кабинета.

— Так что ты хотел передать Иванову? — переспросил начмед, явно выходя из себя.

— То я ему сам и передам, — четко выговаривая каждое слово, сказал Яковлев, побледневшему доктору. И через секунду уже добродушно добавил: — Я узнавал у своих ребят в милиции, в чем дело. Оказывается, две милиции в работе: московская и нарофоминская. Москвичи ищут, кто гроб с телом покойного Иванова стырил. Не читал, что ли, в «Московском комсомольце»?

Чиж выругался, вздохнул и спросил:

— Еще что?

— Нарофоминские гаишники заново осматривают все на месте происшествия.

— А что же не так сделали? — громко спросил Чиж.

— Не тот Юрка человек, не того масштаба, чтобы тихонько его закопали — и вопросов не возникло. Болтают, что будто сам Президент им интересовался.

— Ну это вряд ли, — не поверил Виктор Григорьевич. — И что теперь Ангелина хочет?

— Посоветоваться, как теперь вести себя.

— Она не арестована?

— Сплюнь три раза!

— Ладно, дело непростое. Позвони мне завтра к вечеру, вот карточка.

— Не затягиваешь, Григорьевич? — с сомнением спросил Яковлев.

— А по-твоему, Юрка у меня под столом сидит! Терпи. Нет, все же одного не пойму: какой нечистый свел тебя с Ангелиной. Она же от такого контингента шарахается как от огня.

— Укатали сивку, — неопределенно ответил муровец. — У нее и спросишь при случае. Ну пока, алкозельцер!

— Иди ты!..

И Яковлев пошел, радуясь и еще не веря в такую удачу.

6

Грязнов медленно закурил сигарету и пустил струйку дыма в сторону от сидящей напротив Ангелины. Он любил в себе джентльмена и позволял себе жесты, которые так нравятся женщинам. Он не ошибся. Ангелина слегка улыбнулась и тоже закурила. Грязнов знал уже достаточно о собеседнице, поэтому обращаться к Ивановой с особенным пиететом не было необходимости. Тем не менее...

— Милая дама, наверное, вы уже знаете, что Московский уголовный розыск имеет к вам бубновый интерес? — как можно добродушней спросил он.

— Что за жаргон? — с вызовом бросила Ангелина, мгновенно посуровев.

— Это общеупотребительный жаргон в том социальном слое, куда вам скоро дорога.

— То есть? — заволновалась Ангелина, нервно затягиваясь сигаретой.

— Ладно. Давайте так, — продолжал Грязнов. — Вы известный в телевизионных кругах деятель. Значит, вам на руку любые скандалы, кроме тех, которые связаны с Уголовным кодексом. Так?

— Допустим, — буркнула Ангелина.

— Пока еще на папке не написано «Дело А. Н. Ивановой», у вас есть возможность все рассказать и фигурировать в качестве свидетеля, — проинформировал Грязнов.

— Свидетелем чего? — сделала непонимающие глаза Ангелина.

— Убийства, дорогая моя, — уточнил Грязнов.

— И кто жертва? — быстро спросила женщина.

Грязнов с хрустом потянулся и со вздохом произнес:

— Если я скажу, что ваш муж, вы мне поверите?

— Н-не знаю... — слегка смутилась Ангелина.

— На вашем месте я бы поверил, — посоветовал Грязнов.

— Почему?

— Потому что в том гробу, извините, не ваш муж, а совершенно посторонний мужчина. Или не посторонний?

Ангелина тяжело задышала и отвернулась к окну.

Грязнов терпеливо ждал.

Иванова оторвала взгляд от окна и посмотрела исподлобья.

— Послушай, сыскарь, все было тихо, спокойно, согласовано. Что ты лезешь? Что тебе надо? У вас же есть бумага, что похоронен именно Юра? А если не Юра, то где доказательства?

— Увы, гражданка Иванова, предъявлять доказательства положено обвиняемому, а вы пока свидетель, который подозревается...

— В чем?

— Ну как в чем? В убийстве, — сухо уточнил Грязнов.

— В убийстве кого? — вздернула брови Ангелина.

— В убийстве пока не установленного следствием лица. Давайте, дорогая, не будем темнить. Вы лучше меня знаете, что похоронили не мужа. Я допускаю, что потерпевший нанес вам какой-то ущерб. Но, будьте добры, изложите, так сказать, преамбулу: кто вас обидел, за что и на какую сумму?

— Ничего не знаю, — буркнула Ангелина, с вызовом взглянув на муровца.

— Так не бывает. Скажите лучше, что знаете мало, и эту малость изложите, — спокойно посоветовал Грязнов.

— Послушай, начальник, зачем ты копаешь эту историю? Думаешь на ней карьеру построить?

— Не уверен, — улыбнулся Грязнов, с любопытством отмечая про себя, как Ангелина на глазах из интеллигентной женщины превращается в уголовную маруху.

— Так вот и не обгоняй! Дело это тебе не по зубам, хоть ты в МУРе и самый главный, — зло добавила она.

— Какое дело? — не понял Грязнов.

— Дело Юрия Иванова.

— А что, уже есть такое дело? — будто несказанно удивившись, произнес Грязнов.

— А что же вы там стряпаете?

— Не мы — Генеральная прокуратура. Там ведут дело по факту гибели гражданина Иванова. — Грязнов заметил, что при упоминании прокуратуры Иванова посерьезнела или, быть может, испугалась.

— Послушайте, как вас зовут?

— Это еще зачем?

— Для нормального диалога.

— Зовут меня в общем-то Слава.

— А по отчеству?

— Иванович.

— Вячеслав Иванович, помогите!

Вопль, извергнувшийся из аккуратно подведенных помадой губ, был настолько неожиданным, что Грязнов невольно вздрогнул.

— Прежде чем я пообещаю вам помочь, вы должны кое-что мне рассказать. Неужели неясно? — собравшись с духом, вполне официально заявил полковник.

— Мой муж стал жертвой политических интриг, — начала Ангелина.

— Вы уверены?

— А вы что, не видели его передач, посвященных выборам?

— Если честно, не видел. Но ведь это когда было-то?!

— Вот и напрасно. Именно тогда вокруг его персоны началась нечистая игра.

— Это почему же? Ведь ваши победили!

— Какие там, к черту, наши! Кому надо, тот и победил!

— Ваш муж, по-моему, прекрасно знал, кому что надо, поэтому и попал в струю.

— Попавшие в струю не мечутся в поисках спонсоров. Другое дело, что после выборов спонсоры стали добрее и покладистее.

— Хорошо. Очень хорошо. Но почему же возникла такая двусмысленная ситуация? Мужа вы как бы похоронили. В гробу оказался другой человек. Вы понимаете, что в данной ситуации и вас, и вашего супруга нельзя не заподозрить в убийстве этого другого человека?

— Ничего не понимаю!

— Напрасно. Следствие установило, что не ваш супруг был положен в гроб. Сейчас выясняют, кто же там лежит. Вы не хотите помочь следствию?

— Не хочу.

— Напрасно. Ваш сын нам уже помог.

Лицо Ангелины Ивановой изменилось до неузнаваемости. Она вся напряглась, одновременно веря муровцу и не веря ему. Но слово «сын» стало для нее роковым.

— С чего ты взял, что у меня есть сын? — хрипло спросила она.

— Тебе протокол допроса показать? — с улыбкой поинтересовался Грязнов.

— Не надо... Пойми меня, опер, это не вина моя. Это беда моя.

— Ну-ну! — приободрил ее Грязнов.

— Не понукай, не запряг еще. Послушай, у тебя контора не прослушивается?

— А что, есть что сказать?

— Всегда есть — что. Не всегда есть — кому.

— Перед ментами не исповедуются, Ангелина, — улыбнулся Грязнов.

— А я тебя не на исповедь зову, — лукаво стрельнула она глазами. — Здесь я говорить не могу.

— А где можешь? — насторожился Грязнов.

— Приглашаю тебя к себе в гости. Там и поговорим о деле.

Грязнов не причислял себя к очень уж неугомонным бабникам. Но пропускал далеко не всякую юбку. Присмотревшись к Ангелине, он нашел ее вполне привлекательной женщиной. Не проходи она по делу, Грязнов вполне мог бы с ней немного пофлиртовать. В данной ситуации ничего не мешало ему подыграть дамочке, по крайней мере у него появилась возможность без санкции на обыск побывать у Ивановых дома.

— Не хотите ли вы меня скомпрометировать? — как бы между делом, вновь перейдя на «вы», поинтересовался Грязнов.

— Бог с тобой, Вячеслав Иванович! Я с твоей помощью хочу Юрку спасти и репутацию нашей фирмы. Вот только не знаю, кого надо спасать в первую очередь...

Все-таки Грязнов решил подстраховаться. Хорошенькое будет дельце, если начальник МУРа засветится в связях с подозреваемой в убийстве. Он позвонил Турецкому, но следователя не оказалось на месте. Ангелина смотрела на полковника зазывно. И он даже почувствовал в ее взгляде некоторое презрение: мол, заметался мент. Еще с минуту поколебавшись, Грязнов крякнул и решительно сказал: — Хорошо, вечером буду, но не сегодня. Жди меня завтра в семь...

Глава четвертая

1

Никита Бодров пригласил Люду Семенову в кафе. Ему не терпелось напроситься в отель, но он сдержался — сейчас она вполне может отказать, знакомы ведь без году неделя.

У девушки сегодня был выходной. Да и Никита, договариваясь о свидании, сослался на то же: мол, у него выдался на редкость свободный денек. В кафе они пришли в середине дня, поэтому с местами проблем не было. Никита выбрал укромное местечко в углу, за высоким раскидистым деревом в декоративной кадке.

— Шампанского? — спросил он, щелкнув пальцами.

— Что хотите, но только легкое. Водка сразу с ног свалит!

— А если под хорошую закусочку?

— Нет-нет, ни в коем случае.

— Хорошо, — согласился Никита.

Официант принес заказанные напитки и фрукты. Никита наполнил бокалы.

— Давайте за знакомство?

— Давайте.

— Скажите, Люда, вам нравится ваша работа?

— Почему вас это интересует? Хотите предложить другую?

— В общем, нет, но мне кажется, что в вашей работе есть плохие и хорошие стороны...

— Как во всякой другой, — пожав плечами, сказала она.

— Возможно. Но, однако, трудиться горничной в «Паласе» и, например, в Доме колхозника — это, наверное, разные вещи?

— Не знаю, — улыбнулась она, — не имела возможности сравнивать.

— То есть у вас нет никакой иерархии?

— В каком смысле?

— Ну, скажем, начигать с трехзвездочного отеля и за усердие, выслугу лет подниматься все выше и выше.

— Нет, я с таким не сталкивалась. Когда пришла устраиваться, то уже знала, что к претенденткам два основных требования: внешность и знание языков. Хотя бы английского. Но я знаю и немецкий. Собственно, это мой второй родной язык.

— Ого! — не сдержал восхищенного возгласа Никита и удивленно вытаращил глаза на девицу. — Второй родной... Это как? — полюбопытствовал он.

— Очень просто: отец — офицер, служил в Германии, в Западной группе войск. Потом приехал в отпуск в Москву, женился на моей маме. Когда я родилась, он забрал нас с собой в Дрезден. Вот там я до семи лет и общалась с немецкими девочками. После к русскому привыкать пришлось.

— Вот это да! — вновь совершенно искренне восхитился Никита. — За это стоит выпить...

— Да что вы, Никита, это же самый легкий способ усвоить чужой язык, — улыбнулась Людмила. Но неподдельный восторг ухажера ей был приятен.

— Самый да не самый, — уточнил Никита. — Меня вот, к примеру, хоть всю жизнь в Африке продержи, толку не будет никакого...

Людмилу эта фраза привела в полный восторг. Она смеялась до слез. Наверное, она в этот момент представила Никиту в набедренной повязке под жарким солнцем Африки.

— Ну с этим все понятно. Но ведь пристают? — резко перевел разговор в другое русло Никита.

— Кто?

— Постояльцы.

— Да нет... Вам-то зачем об этом знать?

— Не знаю, но мне было бы приятно, если бы к вам не приставали.

— Да-да, — Людмила рассмеялась, — помню, видела, как вам было неприятно!.. Видите ли, Никита, горничная — это, попросту говоря, уборщица. Мое дело — прибирать за постояльцами. А они бывают всякие. Так что предлагают иногда, чего скрывать.

— Не думали поменять работу?

— На что?

— У вас же и внешность, и знание языков. Могли бы переводчицей или секретаршей работать в солидной фирме. Попробуйте.

— Ну, во-первых, не буду пробовать, потому

что не дружу с компьютером. Во-вторых, разные предложения и там будут поступать, но отказаться будет сложнее, особенно если слюной закипит сам патрон.

— Да, Людмила, в ваших словах есть резон...

— Рада слышать! — снова засмеялась Людмила. — Расскажите лучше, Никита, о своей работе. Горничные существуют в стране не одну сотню лет, а вот брокеров тут сроду не водилось.

— Ну-у, — замялся Никита. — Рассказывать об этом — дело неблагодарное. Всего делов-то — вовремя перекупить и вовремя перепродать. Это когда сотни две таких, как я, суетятся в большом зале, может показаться, что именно там кипит жизнь.

— А заработки как?

— От выработки. Бывает густо, бывает пусто. Я еще не очень опытный спец, поэтому раз на раз не приходится. Я ведь этому **не учился**...

— Вы думаете, я училась **люксовые** номера чистить? Нужда заставила. Я институт иностранных языков заканчивала, приличного места при распределении не нашлось, все мужики и блатные дочки захватили, учительницей в школу меня калачом не **заманишь**. Вот и пошла туда. Так ведь тоже по знакомству, по рекомендации.

— А кто вас рекомендовал? Тот парень?

— Какой?

Людмила несколько насторожилась.

— Который тогда прощался с вами, в тот вечер, когда мы в первый раз встретились...

— А-а, ну что вы! Это Ваграм. Числится слесарем, но сами видели, что он похож скорее на директора компании «Лукойл».

— Левый бизнес? Девочки?

— Да, — с вызовом ответила Людмила. — Ко мне он относится хорошо. По-другому и не может быть, потому что в некоторых вопросах он от меня зависит. К тому же ничего не имею против бизнеса девочек. Сама насиделась без денег, так что если вас что-то шокирует...

— Нет-нет, Люда, что вы! Просто... ну как бы вам сказать, чтоб... мне кажется, я целуюсь не хуже!

— Ах вот в чем дело! Не переживайте, Никита, у него ко мне исключительно дружеские чувства.

— А есть человек, у которого другие чувства?

— Не знаю. Во всяком случае, мне он пока не известен. Я подозреваю, Никита, что вы ненавязчиво, но неуклюже пытаетесь выяснить, нет ли у меня дружка, так?

— Да.

— Ну так нет у меня сейчас дружка, хотя был, и не один. Не задерживаются почему-то. Наверное, характер у меня плохой и завышенные требования...

— К кошельку?

— К душе, к характеру. Кошелек, если голова есть, дело наживное.

— Если позволите, попытаю тоже счастья, а?

Бодров не чувствовал угрызений совести, когда говорил эти слова. Ему действительно хотелось пообщаться с девушкой не по долгу службы, а по велению сердца или если не сердца, то чего-то другого, с не меньшей силой заставляю-

90

щего мужчину засматриваться на проходящих мимо милых дам.

— Что ж, Никита, вы мне отнюдь не противны. Опять же, проявили рыцарскую смелость...

Он наполнил бокалы, чтобы выпить по этому поводу.

— Вы, Никита, мне кажется, тоже не брокером родились и не на продавца воздуха учились.

— Да. По образованию я юрист, но, к сожалению, учился не по тому профилю, который нынче в ходу. У меня предложение.

— Какое?

— Давай...те попробуем перейти на «ты».

— Давай.

— Знаешь, Люда, было бы здорово, если бы та наша встреча оказалась действительно случайной...

— А что, это не так?

— Не совсем. То есть с тобой-то я встретился совершенно неожиданно для себя, но пришел к отелю не случайно.

— Интересно!

— Да нет, не слишком. Скорее, банально. Видишь ли, у моего приятеля неподалеку от отеля угнали тачку, хороший дутый «мерс». Он в него почти все свои бабки вбухал. Ну не мог жить человек без такой игрушки. Сейчас в отчаянии, рвет на голове остатки волос. А у нас среди брокеров много всякой информации бродит. И серьезной, и на уровне сплетен и бредней. Вот он и услышал, что будто бы в «Палас-отеле» не то штаб, не то постоянная стрелка бригады, которая по автомобилям тут в округе основная. Я и пришел, идиот, к отелю, думал, что-то замечу. Но не жалею!

Людмила помолчала.

— Я тоже кое-что слышала, но так, несущественно. Могу помочь только одним: сведу с Ваграмом, если, конечно, ты милицию на хвосте не притащишь.

— Да упаси Бог! — воскликнул Никита.

— Хорошо, верю. С Ваграмом встретишься. Но не завтра, хорошее дело быстро не делается.

После кафе Никита предложил Людмиле прогуляться по Москве. Они пошли по Тверскому бульвару.

— Я сейчас подумал, Люда, — кашлянув для солидности, сказал Никита, — что, наверное, проигрываю в сравнении с твоими прежними ухажерами. Роман с грузинским мужчиной — это море цветов, куча красивых слов и прочее... Словом, роковые страсти. Женщины это любят...

— Да никакой мне Ваграм не ухажер, — рассмеялась Людмила, — у нас с ним дело общее, и не более того.

Как-то само собой получилось, что Никита оказался вечером в уютной двухкомнатной квартире на Сретенке. На полу валялись шкуры двух медведей, стены были увешаны декоративным холодным оружием. Особенно Никите понравился двуручный тевтонский меч. Он долго крутил его в руках, представляя себя средневековым рыцарем, а Люда глядела на него и покатывалась со смеху.

— Зачем ты собираешь это оружие? — спросил он. — Это же чисто мужское увлечение.

— Неужели не догадался? Это же должно выдавать мою суперсексуальность, — кокетливо выставив вперед ножку, ответила она. — А вообще-то все это оружие папа коллекционировал.

Никита прислонил меч к стене и одним прыжком преодолел расстояние до медвежьей шкуры, на которой в призывной позе стояла Людмила. Он упал перед ней на колени и стал целовать... Потом все происходило, как в сладком сне: он упивался ароматом ее волос и наслаждался трепетом юного тела. Перед его глазами, словно в бреду, расплывались пурпурные клинья ее платья...

Никита уснул тут же, на медвежьей шкуре. Утром, когда он открыл глаза, Людмила уже стояла над ним в том самом платье, в котором он ее увидел в первый раз у «Паласа».

— Ну что, тевтонский рыцарь, выспался? — весело спросила она.

Никита резко встал, но, видимо, выглядел несколько помятым, потому что Люда с ироничной улыбкой и некоторым сарказмом в голосе сказала ему:

— Ну вот что, Никита, мне скоро уходить, я дома никого не оставляю. Давай быстренько приводи себя в порядок и — вперед!

Никита чуть не ляпнул: есть, товарищ генерал! Да уж, не к месту был бы такой юмор. Прикусив язык, он промямлил:

— Я и не собирался оставаться. Сейчас, я мигом.

Проходя в ванную, он обратил внимание на фотографию, висевшую на стене. На фоне Берлинской стены были запечатлены улыбающиеся военные: генерал, полковник, майор и два капитана.

Не дожидаясь вопроса, Людмила объяснила:

— Полковник — это мой папа, а рядом его друзья по службе в Германии.

— Ага, ясно, — кивнул Никита и поспешил в ванную.

На улице Никита спросил:

— Люда, у тебя потрясная судьба: два родных языка, Германия... отец — полковник. А где твой отец сейчас?

— Папа погиб в прошлом году. Работал в одной фирме, которая продает на Запад, кажется, лом цветных металлов. Он сопровождал фуру с этими отходами, и на границе с Польшей на них напали бандиты. Обстреляли из автоматов. Видимо, думали, что в фуре какая-то дорогостоящая аппаратура или вещи. Сволочи...

— Прости, Люда. Бандюги совсем оборзели. — Он кашлянул и как можно безразличнее спросил: — Люда, а что за фирма такая, на которую бывшие полковники в качестве экспедиторов вкалывают?

— Да таких фирм сейчас хоть пруд пруди, не только полковники, но и генералы вкалывают. Деньги важнее погон! — грустно улыбнулась девушка.

— А фирма, где твой отец работал, как называется? — вновь задал вопрос Никита.

— «Каскад», — сказала Людмила.

Никита чуть не споткнулся. Вот так удача!

Бодров представил, с каким удивлением и одобрением посмотрит на него Владимир Михайлович Яковлев, а потом и Грязнов, когда получат от него такую информацию. Никита решил приберечь «бомбу» на конец доклада о пустячных автомобильных делишках. Не просто сказать, а произнести по слогам: «Кас-кад»!

— Что с тобой, Никита? — хихикнула девушка.

— Извини, солнышко... — Никита поцеловал Людмилу в щеку. Люда остановила левака и помахала Никите рукой, крикнув, чтобы он позвонил ей вечером или зашел за ней в «Палас».

— Как у тебя дела в «Палас-отеле»? — сразу же поинтересовался Яковлев, когда Никита вошел к нему в кабинет.

— Медленно идут дела, но, кажется, верно, товарищ подполковник. Людмила пообещала свести меня с Ваграмом. Но есть и еще одна пустяковина...

— Что еще за пустяковина? — нахмурился Яковлев, почувствовав, что молодой коллега темнит.

— Дело в том, Владимир Михайлович, что, исполняя служебный долг, я оказался в квартире Людмилы и обнаружил на стене фотоснимок, на котором на фоне Берлинской стены запечатлены несколько наших военных из ЗГВ: генерал, полковник, майор и два капитана. Полковник — это родной папочка Люды. Он погиб в прошлом году на границе с Польшей, сопровождая фуру, груженную ломом цветных металлов. А работал этот полковник запаса в фирме «Кас-кад»! — Название фирмы Никита произнес, как и задумал, по слогам. Но эффект от его сообщения был для него совершенно неожиданным. Вместо того чтобы вскочить с кресла и воскликнуть «Не может быть!», Яковлев отвел взгляд в сторону и стал разглядывать картинку на стене своего кабинета. Никита с недоумением ждал, что за этим последует.

— Так-так, Никита, говоришь, исполняя долг, оказался в квартире красивой девицы, — переведя взгляд на Никиту, начал Яковлев. — А в постели-то побывал?

— Никак нет, товарищ подполковник, — отрапортовал Никита.

— Так что ж ты... — удивленно вздернув брови, начал было Яковлев.

— Я спал на полу, на шкуре белого медведя, товарищ подполковник.

— Ну это другое дело, — улыбнулся Яковлев, — а то я уж подумал, что молодое поколение сыскарей с девками сладить не может. «Каскад», говоришь... Это замечательно. А ниточка, значит, аж в Германию потянулась.

— Семенов в Дрездене служил, там и Людмила с ним до семи лет жила. Немецкий — ее второй родной язык. Не пойму только, на кой черт ей этот «Палас» сдался. Горничной работает!

— А про генерала-то почему не спросил, кто такой?

— Да еще успею, товарищ подполковник, — отчеканил Никита.

— Она, говоришь, на работу поехала, — в раздумье произнес Владимир Михайлович и, сняв трубку, набрал номер по внутреннему.

— Привет, Миша, зайди на секундочку, дело есть, — попросил он кого-то на том конце провода.

Вскоре в кабинет зашел капитан Михаил Шумилин.

— В чем проблема, славяне? — спросил он, улыбаясь.

— Все в том же: как в дом без ключей попасть.

— Да это проще пареной репы, — еще шире улыбнулся Шумилин, — я сейчас за портфелем схожу и — поехали...

Пока Миша ходил за портфелем, Яковлев объяснил Никите, что Шумилин лучше всякого домушника замки отмычками открывает.

Осмотрев квартиру на Сретенке, подполковник одобрительно подмигнул Никите, мол, неплохо провел время в такой обстановке. Потом подошел к старому, штучной работы письменному столу и бесцеремонно стал рыться в ящиках. Никита в это время с вожделением взирал на медвежью шкуру, которая напоминала ему о бурно проведенной ночи.

Яковлев разложил на столе какие-то листы и стал щелкать фотоаппаратом. Он сфотографировал и групповой снимок, про который говорил Никита.

— Что за сочинения? — спросил Бодров, кивнув на листы бумаги.

— Немецкие тексты и вот, видишь, — Яковлев ткнул пальцем в один из листков, — над печатным немецким текстом идет русский перевод, сверху авторучкой написано. Понял?

— Конечно, понял, господин подполковник. Люда без немецкого жить не может. Второй родной, как говорится...

— Ни хрена ты не понял, Никита, — ухмыльнулся Яковлев. — Переводчица твоя Людмила, а никакая не горничная! Теперь понял?

Никита только руками развел и протянул:

— Да-а-а!

— Вот тебе и «да». Ну да ладно, поехали, — распорядился Яковлев.

По дороге он мысленно выстроил план дальнейших действий. На фотоснимке он узнал Сергея Колобова, директора фирмы «Каскад». Надо было срочно выяснить, кто этот генерал и офицеры, стоящие рядом с отцом Людмилы, полковником Семеновым. А также получить информацию об обстоятельствах гибели Семенова на польской границе. Ну и, конечно, постараться нащупать связь этого события с делом Иванова. Пока эту связь он видел только в том, что Семенов работал в фирме «Каскад», которая, в свою очередь, имела связь с телекомпанией «Спектр», возглавляемой Юрием Ивановым.

К концу дня выяснилось, что генерал на снимке — это и ныне служащий в Генштабе генерал Борис Авдеев. А полковник запаса Семенов погиб, сопровождая фуру с ломом цветных металлов через Польшу в Германию. Прошлой осенью на подъезде к польской границе фура была обстреляна. Водитель, экспедитор и охранники погибли. Все ящики с ломом цветных металлов были перевернуты, но не тронуты. Видимо, налетчики ожидали найти что-то более для них интересное. В штабе пограничной службы была информация: боевиков, напавших на фуру Семенова, обнаружили и попытались взять. В перестрелке со спецназовцами был убит один из налетчиков. Остальным удалось уйти. Рядом с убитым валялся миниатюрный автомат точно такой же системы, как у охраны Президента — АКС-74 У.

— Мой молодой друг, — обратился Яковлев к Бодрову, отложив в сторону лист с информацией, — тебе не кажется, что на этом «Каскаде» лежит печать смерти? Только недавно мы узнали о существовании этой фирмы, а уже знаем о двух таинственных смертях. Возможно, таинственное исчезновение Иванова и тот, кого похоронили вместо него, — это звенья цепочки одного преступления...

— Все надо проверить следственно-оперативным путем, — с готовностью ответил Никита.

— Молодец, — улыбнулся Яковлев. — А теперь пошли к Грязнову докладывать.

Внимательно выслушав своего зама, Грязнов сказал:

— Я склоняюсь к мысли, что мы фиксируем подпольную войну между мафиозными кланами, но, конечно, уровнем повыше, чем, как любит выражаться один наш общий друг, между парнями в цепях, перстнях и с пальцами веером. Здесь мы можем столько нарыть, что и вся следственная часть Генпрокуратуры не увезет... Но не будем пока торопиться в гости к этому генералу, а сходим в гости к очень привлекательной женщине — Ангелине Ивановой. Я решил, так сказать, поддержать почин старшего лейтенанта Бодрова. Тебе, Никита, Людмила понравилась? — с лукавинкой взглянул он на молодого опера.

— Во девка, Вячеслав Иванович! — расплылся Никита в улыбке.

— Но в отличие от Никиты я, прежде чем сделать такой пусть и приятный, но ответственный шаг, посоветуюсь с глубоко нами уважаемым следователем. Интересно, что он мне на это скажет.

Улыбка слетела с лица Бодрова, и он с грустью сказал:

— Понял, товарищ полковник, но ведь Людмила не подследственная.

— Сегодня нет, но кто поручится, что она не станет таковой завтра, — заметил Яковлев.

— Вот, Володя правильно тебе говорит, — уже набирая номер телефона Турецкого, заметил Грязнов.

Передав следователю оперативную информацию, полученную от Яковлева и Бодрова, начальник МУРа мечтательно произнес:

— Знаешь, Саня, а меня подследственная Ангелина Иванова сегодня вечером в гости пригласила. Полагаю, что ей сейчас надо довести спектакль с исчезновением Иванова до логического завершения. Эта дура решила затащить меня в постель, потом всучить сластолюбивому менту информацию, которую он заглотит. Но эти работники средств массовой информации и не подозревают, оказывается, что мы тоже можем придумывать хлесткие заголовки, которые почтет за честь напечатать даже «МК». Например, «Начальник МУРа в постели с подозреваемой в убийстве!» или «МУР на мару променял!». Грязнов рассмеялся собственным остротам и замолчал, внимательно слушая друга. Через некоторое время он сказал в трубку: —До встречи, Саня, — и, подмигнув своим подчиненным, продолжил: — Итак, господа офицеры, как я ни отлынивал от этого визита, а ехать все же придется, но поеду я к Ангелине вместе с Турецким. В интересах следствия просто необходимо осмотреть квартиру таинственно исчезнувшего гражданина Иванова.

Бодров пожал плечами и вздохнул так, будто эта тирада Грязнова была обращена лично к нему: мол, набирайся, Никита, ума-разума.

2

После службы Турецкий на своей машине заехал за Грязновым, и они помчались к Ангелине. Грязнов сыпал остротами по этому поводу. Следователь, слушая его, сдержанно улыбнулся.

— О тебе, мой дорогой шеф МУРа, ходят легенды, будто ты ни одной юбки не пропускаешь, а сегодня я убедился в их нелепости, — вставил Турецкий, добродушно хмыкнув.

— Ну почему же, — картинно обиделся Грязнов.

— А потому! — под стать ему изрек Турецкий и остановил машину возле цветочного киоска. — Какой же ты, Слава, бабник, если едешь на свидание к женщине и про цветы не вспомнил?

— Точно, Саня, не дадим нашим душам очерстветь! — воскликнул Грязнов, хлопнув себя по левой стороне груди.

Ангелина, увидев на пороге Грязнова и Турецкого с тремя красными гвоздиками в руках, произнесла с нескрываемой досадой:

— Господин Грязнов, вы и на свидание с женщиной, как на дело, с товарищем приходите.

— Что поделаешь, Ангелина, работа у нас такая, — протягивая ей цветы, сказал Турецкий.

— Ну проходите, — несколько оттаяла Ангелина. Было заметно, что она мгновенно перестроилась: приняла ситуацию такой, как она есть, и приготовилась извлечь из нее хоть какую-то для себя пользу.

Хозяйка пригласила пришедших в гостиную и усадила за длинный стол, за которым спокойно могли бы уместиться человек двадцать. Гостиная благоухала закусками, винами и дорогими духами.

Ангелина была в роскошном вишневого цвета платье с более чем скромным вырезом. Изгибаясь, как сиамская кошка, она уселась за стол напротив Турецкого и Грязнова и, вздохнув, сказала:

— Угощайтесь, господа начальники. Может, когда передачку принесете...

— Что так грустно? Господин Иванов, как выясняется в ходе следствия, жив-здоров, — мягко заметил Турецкий.

— Юра-то, может, и жив, да вот другой мертв. И вы это мокрое дело желаете на нас с Юрой повесить.

— Это наш долг. Особенно если это ваших рук дело. А чьих-то других лапок я пока не усматриваю, — продолжал Турецкий.

— Вот и зря не усматриваете, — встрепенулась Ангелина. — Да уж давайте выпьем, что ли, за этот неординарный допрос, — с ироничной улыбкой добавила она и подняла бокал с вином.

Грязнов, отхлебнув вина, задумчиво произнес:

— Не говорите загадками, Ангелина. Мы вас понимаем: не повезло, раскрылся ваш фокус с подметными похоронами. Теперь вы думаете, как с наименьшими потерями выйти из положения. Не зря на прошлом допросе вы хотели убедить меня, что без Иванова телеканал сдохнет...

— Если не перекупит какой-нибудь способный человек, — перебила его Ангелина.

— Тогда какой вам был смысл хоронить Иванова, если без него вы ноль без палочки? — вставил Турецкий.

Ангелина надолго замолчала и вдруг резко, с вызовом бросила:

— Зачем вы приехали ко мне? Ведь вы, как я поняла, уже имеете достаточно оснований для моего ареста? Знаете, что Юра жив и что я послала сына на трассу...

— Успокойтесь, Ангелина, — оборвал ее истерику Турецкий. — Вы будете арестованы, если выяснится ваша причастность к убийству того, кто оказался в гробу под именем вашего мужа. Если вы к этому причастны, то советую вам чистосердечно во всем признаться. Это облегчит ваше положение... Потом... следствию все более становится ясно, что исчезновение вашего мужа — это реакция на более важные события, нежели какой-нибудь, пусть даже солидный, личный денежный интерес...

— Угадали! — оживилась Ангелина. — Юра действительно жив и прячется от своих спонсоров.

— Что так? Набрал кредитов и не расплатился вовремя? — спросил Грязнов.

— Да нет. Подобная проблема решается просто: продают имущество и тэ дэ. Юрка мой задолжал политически.

— Кому же? — спросил Турецкий.

— Концерну «Кононг».

— Изложите схему подробнее, — попросил следователь.

Ангелина нервно закурила и, бросив взгляд на Турецкого, чуть ли не выкрикнула:

— Какая, к черту, схема! Они дают бабки, «Спектр» раскручивается, приобретает значительное влияние на общественность и расплачивается политическим лоббированием.

— Так-так. И что же господин Иванов? Не захотел или не смог расплатиться этим самым лоббированием? — вставил Грязнов.

— А как тут сможешь, когда обстановка вокруг Президента постоянно меняется, ситуация давно непредсказуемая. А тем, кто сейчас командует парадом в Кремле, теперь нет дела до того, что и кому обещал какой-то телевизионный продюсеришко, хотя именно он в свое время обеспечил им еще несколько лет безраздельной власти в стране! — с пафосом завершила Ангелина.

— Почему ваш муж не попытался объяснить ситуацию своим спонсорам? — спросил Турецкий.

— Ну почему же не пытался? Еще как пытался. Он ведь честно на них работал. Когда его заходы в Кремль остались без ответа, Юра поехал в «Кононг» и попытался объяснить, что, пока Президент снова не возьмет все в свои руки, ни он, ни кто другой ничего для них не смогут сделать, — снизив тон, объяснила Ангелина.

— А что он должен был сделать, вы не в курсе? — прямо поинтересовался Грязнов.

— Неужели непонятно? — сделала Ангелина удивленные глаза. — Юрка должен был тащить их людей на ключевые посты в правительстве, в Совете безопасности. Наконец они возжелали и своего премьера. Чтобы их человек всегда рядом с Президентом находился. Но все пошло прахом: Юрины «должники» на его просьбы реагировали вяло, мямлили, что пока ничего не могут сделать. В результате вскоре все желаемые «Кононгом» посты заняли совсем другие люди. Юрку после этого и приговорили. Они предложили объявить в одной из передач, что Иванов будто бы получил огромную взятку за то, что во время избирательной кампании поддерживал Президента, а совсем недавно за взятку же способствовал выдвижению одного из нынешних вице-премьеров. В частности, помог провести избирательную кампанию в провинции, откуда этот вице-премьер явился в Кремль. Так сказать, обеспечил ему тылы. Все это, естественно, означало бы лишь одно: капут каналу «Спектр». В противном случае его грозились просто убить.

— Может, блефовали? — спросил Грязнов.

— Нет. Угроза была серьезной. — Ангелина достала сигарету и закурила. После довольно продолжительной паузы она срывающимся голосом сказала: — Для начала они собаку нашу застрелили. Как раз после того разговора, когда прозвучала угроза, Юра, приехав домой, нашел убитого пса прямо в своем кабинете. Вот тогда мы поняли, что с нами не шутят!..

— Какие-нибудь встречи у вашего мужа с руководством «Каскада» и «Кононга» при вас проходили? — спросил Турецкий.

— Только с директором концерна «Кононг» Тураевым. Он даже пару раз в гостях у нас был. Но в основном Юра общался в ним по телефону. В последнее время отношения были натянутые.

— Вы не хотите назвать Тураева одним из инициаторов наезда на вашего мужа? — допытывался Турецкий.

Ангелина пристально поглядела на следователя, будто прикидывала, как правильно ответить.

— Я этого не исключаю, но думаю, что на Юру наехали люди повыше рангом... Тураев может играть здесь лишь какую-то четко определенную роль.

— Ваш муж коллекционирует холодное оружие? — кивнул Турецкий на стену.

— Да, эти два меча ему друг какой-то подарил. Не помню уж и кто. К знаменитостям все в друзья норовят... Вот добрую половину дорогого барахла, что вы видите в нашем доме, нанесли доброхоты.

— А вам фамилия Семенов ни о чем не говорит? — вдруг вклинился в разговор Грязнов.

Ангелина дернулась, словно злая кошка, которую попытались вдруг погладить.

— Семенов... А кто он, собственно говоря?

— Работник фирмы «Каскад». Погиб прошлой осенью. Очень любил коллекционировать холодное оружие, — отчеканил Грязнов.

Поняв, что Ангелина более не намерена ничего сообщать, следователь и муровец откланялись.

В машине они поделились впечатлениями.

— Ангелина тянет время, Слава. Она пытается пустить нас по пути, на котором она и ее муж окажутся игрушками в руках всевластных преступников. Она даже наивно полагает, что, намекнув на принадлежность этих преступников к власть имущим, она охладит наш пыл, — ухмыльнулся Турецкий.

— Да, она знает много, если не все, и положение ее в общем-то незавидное. Меня удивляет, как ее еще не убрали...

— Вот-вот, Слава. Значит, она в этой опасной игре кому-то еще нужна. Даже несмотря на то, что она уже под следствием...

— Недолго ей осталось ходить на свободе, но таких и в тюрьме достают, — задумчиво произнес Грязнов.

— Намекаешь, что надо Ангелину для ее же

блага изолировать? — спросил Турецкий и сам же ответил: — Нет, Слава, и на этот раз от буквы закона мы с тобой отступать не будем. Арестуем только после выяснения обстоятельств гибели того человека, которого похоронили вместо Иванова. А все это время постоянно с ней работать. Позаботься, чтобы за ее домом установили наблюдение.

3

Заместитель начальника МУРа подполковник Яковлев не представлял свою жизнь без телевизора. На массивном сейфе в его кабинете тихо и беспрестанно мерцал экран маленького «Фотона».

Подполковник включал его, приходя на работу, и выключал в момент ухода со службы. Словом, «Фотон» отдыхал только по ночам, и то не всегда...

Пристрастие Яковлева к телевизору породило массу всяких анекдотов в кругу его коллег и друзей. Грязнов подозревал, что его друг — большой ребенок, и всячески старался помочь ему преодолеть затянувшееся детство. Сам начальник МУРа терпеть не мог телевизоры, а яковлевский «Фотон» он просто возненавидел. Подполковник это знал, но все равно забывал выключать телевизор, когда Грязнов по делу иногда заходил в его кабинет. Вообще-то «Фотон» находился в кабинете зама еще и потому, что сыграл определенную роль в раскрытии одного весьма запутанного преступления.

Несколько лет назад искали крупного мошенника, взявшего под фиктивные договора крупные кредиты в нескольких столичных банках. Про мошенника все было известно: в какой одежде ходит, под какой фамилией и даже где проживал. Но разыскать его не могли. Причем было известно, что из Москвы он никуда не уезжал. Вокзалы и аэропорты были перекрыты. Он мог выскользнуть из столицы, разве что сделав пластическую операцию.

Проверяли все притоны, где он мог быть. Поговаривали, что есть у этого Остапа сообщница, но толком никто ничего сказать не мог. Остап принципиально трудился в одиночку.

Сыскари уже придумывали всякие формулировки-оправдания. Помог «Фотон». Яковлев по обыкновению сидел за столом и время от времени поглядывал на экран. Транслировали эстрадный концерт. Камера оператора выхватывала из зала лица зрителей. Вдруг Яковлев увидел почти восторженное лицо Остапа. Муровец тут же, никому не сказав ни слова, помчался в концертный зал. Как человек нечуждый культуры, он позволил Остапу дослушать песню, но прежде наручниками приковал его запястье к своему.

Теперь, если кто хотел подшутить над пялящимся в телевизор подполковником, он просто спрашивал загадочным полушепотом: «А кто в розыске?»

Сегодня утро было обычным. Яковлев врубил «Фотон» и, сев за стол, стал разбирать бумаги. На экране какой-то специалист от космонавтики эмоционально восклицал:

— Что такое, господа! От космического корабля, извините, гайки отваливаются, а мы твердим: все нормально! Что нормального-то, господа!

Яковлев удивленно поднял брови. Как-то он действительно не очень расстроился, узнав об аварии на нашем космическом корабле, и даже плохое самочувствие капитана корабля его не потревожило. Прав этот парень, подумал Яковлев, что-то в нас сдвинулось.

Зазвонил телефон. Яковлев поднял трубку и услышал голос Федорова. Генерал-лейтенант весьма сухо поприветствовал его и спросил:

— Куда твой шеф делся? Все телефоны оборвал, но не могу его достать со вчерашнего вечера. Неужели ты не знаешь, где он может быть?

— Только что был тут и сказал, что поедет минут на пятнадцать в прокуратуру к Турецкому.

— Знаю я их пятнадцать минут! Ладно, прими человека, который к Грязнову придет!

— Слушаюсь! — сказал Яковлев и с грустью посмотрел на экран телевизора.

Вскоре раздался стук в дверь и в кабинет вошел Сергей Колобов.

— Здравствуйте Владимир Михайлович, — поприветствовал он подполковника.

— А я-то думаю, что за человек к нам пожалует, а это опять вы, Сергей Васильевич, — добродушно приветствовал его Яковлев. — Не нашли еще своего брата?

— К сожалению, нет, — нахмурился Колобов. — Поэтому я снова здесь. Я прочитал в «Московском комсомольце» статью о происшедшем на Ваганьковском кладбище. Честно говоря, я не очень в это верю — кому в наше время надо гробы выкапывать? Чертовщина какая-то!

— А если, например, сатанисты? — спросил Яковлев.

— Так Иванов же вроде ни разу про них ничего не снимал...

— Вот этого я не знаю, — пожал плечами подполковник.

— Нет, не снимал, — убежденно заявил Колобов. Он посмотрел на часы. — Послушайте, может, я не дождусь Грязнова. Не поможете ли вы мне?

— Смотря в чем.

— Видите ли, вчера, кажется, по радио и на ТВ просили помочь установить личность мужчины, убитого примерно месяц назад...

— Да, такое практикуется. А что? — спросил Яковлев.

— Некоторые приметы очень похожи на приметы моего брата...

— Я не советовал бы вам сильно обнадеживаться... хотя, извините, здесь это слово не совсем уместно, — заметил подполковник.

— Я понимаю и не обнадеживаю себя излишне. Не все-таки кое-что... Вот послушайте...

Колобов, по всей вероятности, успел записать сообщение на магнитофон, а затем переписал некоторые моменты в блокнот. Теперь он зачитал глуховатым голосом заинтересовавшие его приметы.

Уже с первых слов Колобова сыскарь сидел как на иголках. Дело в том, что гость говорил о приметах мужчины, обнаруженного в гробу, в котором, как раньше утверждалось, будто бы был захоронен Юрий Иванов.

Яковлев попросил Колобова подождать в приемной шефа, а сам сразу же позвонил Грязнову на пейджер.

4

В Наро-Фоминск поехали Турецкий, Грязнов, Яковлев, Колобов и два специалиста из московского бюро судмедэкспертиз. Местный судмедэксперт встретил московских гостей, улыбаясь и заглядывая в глаза.

— Что, выяснили, кого в гробик сунули? — настороженно спросил он.

Турецкий быстро оглянулся на Колобова и сухо сказал:

— Пока ничего сказать не могу, надо разобраться.

Медик торопливо засеменил за москвичами, торопливо объясняя на ходу:

— Мы тоже у себя объявили по радио и по кабельному телевидению. Пока никто не откликнулся. А тело хранить все труднее. Знаете, эти перемещения, перепады температур, все сказывается.

— Ничего, мы достаточно оснащены, чтобы и на этой стадии эффективно провести экспертизу, — успокоил его московский коллега.

Все вошли в помещение, уставленное металлическими столами. Колобов закашлялся.

Жутковато было смотреть на осмоленный

сверху и синюшный ниже пояса труп. Но Колобов решительно подошел к краю стола и стал всматриваться в изуродованную огнем плоть.

— Можно его перевернуть? — обратился он к судмедэкспертам.

Те натянули резиновые перчатки и с помощью угрюмого, пахнущего водкой санитара перевернули труп. С мягким, омерзительным шлепком мертвое тело легло спиной вверх. Теперь стали видны черные трупные пятна на спине мертвеца.

Колобов наклонился, чтобы лучше видеть, но теперь уже приложил белоснежный носовой платок к лицу. Некоторое время присматривался, затем поднял глаза на стоящего наготове судмедэксперта.

— Вы не могли бы мне помочь? — попросил он.

— Да. В чем дело?

— Подскажите, нет ли в этом месте родимого пятна...

Длинный крепкий палец Колобова навис в нескольких сантиметрах от трупного пятна в том месте, где спина плавно переходит в ягодицу.

Медик послушно наклонился над телом, потрогал пальцами указанное место, подавил, потыкал.

— Вполне вероятно, — сказал он, торопливо отступая от стола. — Очень даже похоже, что пятно есть. Не помните, какая была величина пятна?

— Да с пятак, наверное.

— Тогда определенно пятно там имеется.

Колобов посмотрел на Грязнова, промолвил медленно и как будто растерянно:

— У него от рождения на этом месте родимое пятно было.

Грязнов кивнул, позвал местного милиционера и распорядился:

— Найдите понятых. Будем оформлять опознание.

Колобов подошел к Яковлеву и негромко спросил:

— Скажите, может быть, сохранились какие-нибудь личные вещи, одежда?

— Какие могут быть личные вещи у обгоревшего человека, которого уже хоронили?! Постарайтесь вспомнить индивидуальные особенности, что-нибудь, кроме родинки, например, переломы, может, какие были в детстве, — вздохнул Яковлев.

— Боже мой! — воскликнул Сергей Колобов, хлопнув себя ладонью по лбу. — Вспомнил, конечно, был перелом, но не в детстве, а когда брат ко мне в Германию приезжал в отпуск. У него был перелом указательного пальца на правой или левой руке, точно не помню.

— Это мы сейчас установим, — сказал доктор и кивнул своим помощникам.

Пока определяли, был ли перелом, Сергей Колобов рассказал муровцам, как Олег сломал палец.

— Я его в первый день повозил по магазинам, — вспоминал Колобов, — накупил всякого барахла и, зная, что он большой любитель «Битлов», подарил ему особенный брелок. Поднесешь его к губам, свистнешь и — звучит одна из битловских мелодий. Он с этим брелоком целый день, как ребенок, играл. Вечером, возвращаясь из бара, подъехали к дому, брат вылез из машины и рукой, в которой продолжал сжимать свой любимый брелок, как-то неловко захлопнул дверцу. Видимо, цепочка от брелока зацепилась за что-то, и брат прищемил палец. Так он весь отпуск и проходил с шиной на указательном пальце.

— Да, любовь к рок-музыке драматична, — глубокомысленно изрек Грязнов.

Вскоре судмедэксперты подтвердили, что на правой руке покойного указательный палец имеет следы сросшегося открытого перелома.

— Все. Можете оформлять протокол. Я уверен: это Олег. Я хорошо помню — тогда, в Германии... — Сергей Колобов замолчал и опустил голову. Видно было, как он сильно страдает.

Работники морга засуетились.

— А этого Иванова нашли? — спросил вдруг посуровевший Колобов. — А впрочем, неважно. Я его сам найду! — отрезал он.

На улице Яковлев обратился к Колобову:

— Извините, Сергей Васильевич, что в такой трудный для вас момент лезу с вопросами, но...

— Да что вы, спрашивайте, я отвечу на все ваши вопросы.

— Вы с покойным Константином Семеновым в Германии подружились?

Колобов удивленно взглянул на сыскаря. Он явно не ожидал такого вопроса.

— Так-так, товарищ подполковник, вам уже и про Семенова все известно. Ну да здесь никакой тайны нет. Что значит — подружились? Он был командиром полка, а я у него в подчиненных ходил. Потом, на гражданке, по иронии судьбы, он стал моим подчиненным — почти в том же качестве, в каком я у него был в армии. Жаль его. Хороший был мужик, честный, деловой, надежный. Погиб случайно. Бандиты, которых сейчас полно на наших магистралях, думали, что в фуре дорогостоящий ходовой товар везут. Перестреляли всех. А в фургон сунулись — там, кроме ящиков с кусками металла, ничего нет. Так глупо получилось. Жаль Константина. А что вас, собственно, Владимир Михайлович, заинтересовало в этом деле?

— Да знаете, Сергей Васильевич, те, как вы говорите, бандиты не очень-то на бандитов смахивают, хотя бы по экипировке и вооружению. Автоматики-то у них были той же системы, что и у охраны Президента. Стало быть, можно предположить, что владельцы этих автоматиков из Москвы на польскую границу приехали вашу фуру подкараулить. Потом, бой со спецназовцами они вели уж слишком грамотно для обычных бандитов: ушли, потеряв лишь одного боевика. Вот такие пироги. Вы бывший военный. Как это обстоятельство тогда вас не насторожило?

— Ну о чем вы говорите, Владимир Михайлович! Сейчас в бандиты и профессиональные военные, и спортсмены идут. Так что трудно судить...

Яковлев улыбнулся.

— Но все равно автоматики-то наши, московские. У обычных бандитов таких не могло быть.

При такой жизни, может, через годок и появятся, но сейчас...

Колобов сделал вымученную гримасу и со вздохом спросил:

— Говорите уж прямо, что вы здесь усматриваете. А то я начну мямлить, а вы мне все больше не верить.

— Прямо так прямо. В этой фуре ведь мог быть какой-то другой груз, кроме кусков меди.

— А-а, вот оно что! — облегченно вздохнул Колобов. — Нет, Семенов, как я уже говорил, был честным офицером, а потом честным сотрудником моей фирмы. Левый груз он бы никогда не взял.

До этого молчавший и внимательно вслушивающийся в разговор Грязнов заметил:

— Хочется верить, что все российские офицеры честны, но вот недавно один немецкий журналист опубликовал статейку, а наша телекомпания, кстати «Спектр», ее прокомментировала. Так вот, один небезызвестный бывший начальник охраны Президента, по утверждению немецкого журналиста, «одалживал» своих людей у Службы безопасности Президента мафиозным синдикатам для охраны. Вот как! Диву даешься, откуда у немцев такая информация?

— Ей-богу, не знаю, что вам на это и ответить, — развел руками Колобов.

— Я к тому, Сергей Васильевич, что понятие честности в наше время в разных кругах общества трактуется по-разному, — философски изрек Грязнов.

— Успокойтесь, господа! — вступил в разговор Турецкий. — Нам пришлось жить в смутное время. Есть издержки, но далеко не все скурвились. Смею утверждать, что достаточно еще честных профессионалов, для которых существуют и законы морали.

В это время подошли московские судмедэксперты, сообщившие, что в результате сравнения данных судмедэкспертизы с медицинской картой Олега Колобова они сделали официальное заключение, подтверждающее факт: труп принадлежит именно Олегу Колобову.

— О чем задумался, Саня? — спросил Грязнов друга.

— О том, что сразу же по возвращении в Москву вцеплюсь в мадам Иванову мертвой хваткой. На сей раз мы явимся к ней без цветочков. Необходимо провести обыск в квартире. Арестовать ее или нет, покажет допрос... Сколько времени потеряли из-за этих нарофоминских... — в сердцах добавил следователь.

— Как бы еще московские не обнаружились, — озабоченно заключил Грязнов.

5

Но немедленно вцепиться в Ангелину Турецкому не удалось. Ее не оказалось ни дома, ни на службе. Грязнов пообещал другу в течение дня разыскать Иванову и доставить в кабинет следователя для допроса. Полдня он потратил на опрос сотрудников «Спектра», прежде чем узнал ее предположительное местонахождение. Он нашел подследственную в косметическом салоне «У Мери».

Ангелина сидела в кресле перед огромным зеркалом, а над ее головой колдовала мастер в хрустящем от крахмала халате.

Грязнов сунулся в женский зал, но дорогу ему преградила высокая блондинка со строгим, начальственным лицом.

— Вы куда, молодой человек? — сухо спросила она.

— Спасибо, конечно, за комплимент. Я к той дамочке, — полковник кивнул на Ангелину.

— Вам придется подождать, — спокойно ответила блондинка.

— Извините, гражданочка, но я не могу и не имею права ждать!

Он сунул оторопевшей блондинке муровское удостоверение и, ловко обогнув ее, подошел к Ангелине.

Иванова в шапке мыльной пены и с толстым слоем крема на лице неподвижно восседала в кресле.

Грязнов взял стул и подсел рядом.

— Ну вы прямо робот на колесах из таблеток аспирин-упса! — взял он шутливый тон.

— Что тебе надо? — грубо оборвала его Ангелина.

— А ты разве не знаешь? — притворно удивился он. — Тогда стройтесь, Ангелина!

— Что это значит?

— Это значит — встать и вытянуть ручки для заключения их в наручники, — также весело уточнил Грязнов.

— Что?! — выдохнула Ангелина.

— А то, что в этом деле, кроме вас, мадам, наручники надевать не на кого. По заключению судмедэкспертизы в гробу оказался мужчина по фамилии Колобов. Спеша к вам, я опережаю его решительного брата-близнеца от силы на полчаса. От того, кто первым найдет живого настоящего Юрия Иванова, зависит многое. Так что быстренько освобождай голову от пены и следуй за мной.

— Куда? — растерянно пробормотала Ангелина.

— В кабинет к Турецкому, — отрезал муровец.

— Сейчас, — раздалось из-под толщи крема и пены. — Подождите меня в предбаннике. Я быстро...

— Нет, мадам, — улыбнулся Грязнов. — От вас я с этой минуты ни на шаг не отойду. Во всяком случае, сегодня. Если вам не терпится сделать предупреждающий звонок начмеду Чижу, то вы вполне сможете это сделать из кабинета следователя.

Ангелина зло фыркнула и отдернула руку от сумочки, где лежал сотовый телефон.

В кабинет Турецкого Грязнов доставил мадам Иванову еще мокренькой.

— Гражданка Иванова, вы подозреваетесь в соучастии в убийстве Олега Колобова. Также вы должны нам разъяснить, что случилось с вашим мужем. Как выяснилось в ходе следствия, к его исчезновению вы имеете прямое отношение, — сурово начал Турецкий.

— Юра живой! — испуганно воскликнула Иванова.

— Тогда немедленно сообщите, где он скрывается, — наседал следователь.

— Но я этого действительно не знаю, — приходя в себя, тихо проговорила Ангелина. — Я же говорила, что его судьба после всего, что произошло, меня совершенно не интересует.

— Ты настоящая миледи из «Трех мушкетеров», — хмыкнул Грязнов. — Скажи хоть, что твой муженек собирался делать после, так сказать, собственной смерти?

— Он собирался сделать пластическую операцию и отвалить за границу.

— Насовсем? — спросил Турецкий.

— Как получится. Во всяком случае, если бы все прошло удачно, то на Западе у нас появился бы классный партнер, — мечтательно сощурилась Ангелина.

— У кого — у вас? — не понял следователь.

— У телекомпании «Спектр», разумеется.

— На телекомпанию вы со своим мужем давно наплевали, — вновь прервал ее Турецкий. — Я беседовал с вашими операторами и уяснил, что интересы коллектива телекомпании и ваши давно разошлись. Например, мне стало известно, что за месяц до своего исчезновения ваш муж ездил в командировку в Германию. Он взял с собой видеоаппаратуру, предназначенную для ведения скрытой съемки. Он даже консультировался на этот счет у своих сведущих коллег, так как у самого опыта не было, а свидетели ему были не нужны. Я также узнал, что никакого

121

сногсшибательного видеоматериала телекомпания не получила. А сам продюсер после возвращения из Германии, по словам сослуживцев, стал нервным, раздражительным и почти не появлялся на работе.

Турецкий сделал паузу и резко спросил:

— Что за видеокассету привез ваш муж из Германии?

Ангелина после этих слов «важняка» побледнела и зло уставилась ему в глаза.

— Это вопрос к Юрке, а не ко мне! — взвизгнула она. — Он своими тайнами со мной не делился!

— Вы же только что обмолвились, что у вас на Западе мог появиться классный партнер, — не обращая внимание на ее истеричные выпады, продолжал Турецкий. — Вы сказали «у вас», а «не у него одного». Значит, вы тоже знали, за что вас может полюбить Запад. Не за эту ли кассету? Не эта ли кассета явилась причиной всех последних трагических событий, начиная с псевдопохорон Юрия Иванова?

— Оставьте меня в покое! — продолжала изображать истерику Ангелина. — Найдете Юрку, он вам все расскажет. Лучше, чтобы вы его нашли. Но если не вы, как мне сказал Грязнов, тогда его найдет Колобов. Так что хоть пеньком сову, хоть сову о пенек. Иванову, скорее всего, труба! Он сам во всем виноват. Вот пускай сам и расхлебывает. Я действительно не знаю, где Юрка, но я вам дам телефон человека, который вас к нему проводит.

Она продиктовала телефон начмеда нарофоминского дома отдыха Виктора Григорьевича Чижа.

Грязнов сделал вид, что не знает этого телефона, и записал его в свой блокнот.

— Значит, вы не хотите помочь следствию разобраться в данной криминальной ситуации? — строго спросил Турецкий.

— Куда уж больше помогать, даже на Юрку вас вывела! — запальчиво воскликнула Ангелина.

— Вы делаете большую ошибку, мадам, — поставил точку следователь.

— Что, я уже арестована? — с тревогой в голосе спросила Иванова.

— Пока нет, но это дело времени,— бросил Турецкий.

Когда за Ангелиной захлопнулась дверь кабинета, Грязнов спросил:

— Пусть помечется? Я правильно тебя понял, Саня?

— Да, Слава, ты всегда меня правильно понимаешь, поэтому годы идут, а наша дружба не ржавеет, — улыбнулся Турецкий.

Тем временем Ангелина, сев в машину, достала сотовик и, набрав нужный номер, нервно заговорила:

— Людочка, это тебя Ангелина беспокоит. Лапунь, передай, пожалуйста, дяде Боре, что к Юре направляются незваные гости, от которых ни ему, ни хозяину дома радости не будет. Обнимаю тебя, лапунь.

Турецкого вызвал к себе начальник отдела по надзору за расследованием особо важных дел Павлищев. Турецкий пытался позвонить Меркулову, но секретарша сказала, что тот на совещании у генпрокурора.

Следователь вошел в кабинет начальника отдела, пытаясь по издавна укоренившейся привычке определить, за что сейчас будет получать накачку. Самым «гнилым» из текущих дел он считал дело Юрия Иванова. Но тут, кажется, пока не за что было ни ругать, ни хвалить.

— Присаживайтесь, Александр Борисович, — после дружеского рукопожатия пригласил Павлищев.

Вид у него был озабоченный, но тон дружелюбный.

— Я получил ваше сообщение о новых фактах, появившихся в деле руководителя телекомпании «Спектр». Доложил их генеральному. Тот, естественно, выше...

— Там конечно же недовольны? — спросил Турецкий.

— Да нет, не то чтобы они гневались. Но изрядно озадачены.

— В этом они не оригинальны, — заметил следователь.

— Генеральный просил меня уточнить у вас, насколько точно установлено, что на кладбище похоронен не Иванов, а другой человек.

— В этом вопросе у нас стопроцентная уверенность, — сказал Турецкий. — Это подтверждается заключением судебно-медицинской экспертизы.

— А кто же тогда похоронен под фамилией продюсера? — спросил Павлищев.

— В гробу оказалось тело охранника фирмы «Каскад» Олега Колобова. Это также подтверждено судмедэкспертами. Я абсолютно уверен, что со дня на день в результате оперативно-розыскных мероприятий, которые я поручил руководству МУРа, этот Юрий Иванов будет найден живым или мертвым, — заверил Турецкий.

Начальник отдела вздохнул:

— К сожалению, в правительстве мнения и запросы меняются часто и неожиданно. Им совершенно наплевать, как тяжело мы работаем, чего нам стоит раскрывать преступления в современных сложных условиях.

— Неужели вы хотите сказать, что Кремлю уже совсем неинтересно, что стряслось с Ивановым?

— Вероятнее всего, да.

— В таком случае замять дело никому не удастся. Вы же знаете, что пресса в атакующей стойке.

— Знаю-знаю! — раздраженно перебил Павлищев. — На меня уже наезжал генеральный, думал, что от нас в прессу утечка пошла. На вас, между прочим, намекал. Помнит, что публицистикой баловались.

— Не мой жанр, — покачал головой Турецкий. — Для меня интереснее анализ, а не горячий факт.

— Не оправдывайтесь, Александр Борисович, знаю, что не вы. И даже не милиция. У «Московского комсомольца» система такая: покупают информацию у кого угодно, хоть у бомжа. Главное, чтоб она подтвердилась. Вот какой-то могильщик и решил заработать на пузырь.

— И чего теперь хотят наши очень важные заказчики?

— Тишины и умолчания. Это что касается уже имеющейся информации.

— И на поисках новой они не настаивают?

— Нет.

— Баба с возу — кобыле легче. Мне не очень и хотелось вникать в это темное дело. С парнями в цепях, перстнях и с пальцами веером работать проще.

— Вы правы. Но я еще не все сказал... — продолжал Павлищев.

Турецкий насторожился.

— Видите ли, Александр Борисович, я так и не понял, что от нас теперь требуется. Активный поиск не приветствуется, но и сворачивать дело не рекомендуют.

— Как его теперь свернешь? У нас, извините, установленный покойничек, причем умерший насильственной смертью. Пусть хоть сам премьер-министр не рекомендует мне заниматься этим делом, но закон не дозволяет приостановить следствие. Мы обязаны найти убийцу, даже если этот убийца уважаемый господин Иванов.

— Да-да, я полностью с вами согласен, — торопливо сказал Павлищев. — Только давайте не будем пока афишировать успехи следствия.

— Никогда к этому не стремился.

...Минут через десять после того, как начальник отдела по надзору отпустил Турецкого, он смог зайти к Меркулову. Заместитель генерального прокурора неспешно заваривал чай.

— Ну как на ковре, Костя? — спросил Турецкий.

Тот усмехнулся:

— То же самое хотел у тебя узнать.

— Да ну! Идиотская ситуация. В кои-то веки начальство предложило не копаться в грязном политическом белье, так по закону подлости проклятый долг не позволяет!

— Да уж, бедному жениться — ночь коротка!

— Что же мне теперь делать, посоветуй, старший товарищ!

— А что бы ты, интересно, сказал, если бы я посоветовал тебе довести это дело до конца, несмотря на реакцию сверху? Иными словами найти убийцу Олега Колобова и отыскать Юрия Иванова.

— А я бы сказал, что в тебе не ошибся, Костя! — улыбнулся Турецкий. — На Грязнова с Яковлевым их департамент может надавить, но их уже не остановишь. Вот посмотришь, что они нароют! — с гордостью сказал о друзьях Турецкий.

— Ну-ну, хлебни чайку и успокойся. Что есть — то и нароют, — задумчиво произнес Меркулов. — А впрочем, я очень рад, что вижу перед собой прежнего Турецкого. Надо сказать, кое-кто из нашего брата приуныл. Оно и есть с чего: сегодня не знаешь, откуда удар в спину ждать. А ты вот как в 91-м радовался, так и сейчас добренький.

— А знаешь, Костя, я не больно-то радовался. Вернее, недолго радость моя длилась, но я профессионал...

— Все верно, — кивнул Меркулов. — Свобода явилась к нам нагая, но годы шли, и эта святая ее нагота на наших глазах превратилась в стриптиз, а вот материальное — в икону.

— И тут я могу похвастаться тебе, Костя, что никогда не стремился, чтобы общество уважало меня прямо пропорционально моему благосостоянию. А что творится в правительстве? Что в Думе? Чем они — члены правительства и депутаты — сейчас принципиально отличаются от всех тех, кого мы поперли из Кремля в 91-м? Россиянину далеко не безразлично, какими моральными качествами обладают наши министры и думцы с губернаторами. Так вот, я тоже не исключение из этого общего российского правила. Поэтому, Костя, моя бодрость, повторяю, качество чисто профессиональное. Я ведь отчетливо понимаю, что на моем поприще добиться благосостояния можно только одним: брать на лапу, в шляпу, в карман, кого-то покрывать и так далее.

— Вот найдется этот Иванов, я стрясу с него в твою пользу за причиненный моральный ущерб, — рассмеялся Меркулов.

— Ладно-ладно, — отмахнулся Турецкий. — Расскажи лучше, о чем у тебя была беседа с генеральным?

— Кроме всего прочего обсудили последние газетные сообщения о деле Юрия Иванова...

— Мне уж тут пеняли, — вставил Турецкий.

— Я тебе не пеняю. Только могу сообщить, к какому выводу мы пришли.

— Вот за это спасибо, — поблагодарил прокурора следователь.

— Так вот, — продолжал Меркулов, — господа, которые попросили прокуратуру поинтересоваться этим делом, вдруг резко изменили свои намерения. Возможно, это связано с появлением новых людей в окружении Президента. Во всяком случае, заказчиков теперь совершенно не интересует, найдете вы Юрия Иванова или нет. Мы же, в связи со вновь открывшимися обстоятельствами, решили довести расследование этого дела до конца независимо от мнения верхов и в конце концов передать его в суд.

— Если позволят, — улыбнулся Турецкий.

— А мы и спрашивать не будем, — в таком же тоне ответил «важняку» Меркулов.

7

Выходя из кабинета начальника МУРа, Яковлев увидел болтающего с секретаршей Бодрова.

— Если у тебя срочных дел нет, зайди ко мне, поговорим, — бросил он Никите на ходу.

— Вроде бы нет, товарищ подполковник, — уже догоняя его, с надеждой в голосе пробормотал Никита. — Да, точно, никаких срочных дел у меня нет!

В кабинете Яковлев сообщил, что хочет взять его с собой на одно мероприятие.

— Всегда с удовольствием, — живо согласился Никита. — А кого брать будем?

— Большого человека: Юрия Степановича Иванова. Того самого, из гробика. Только имей в виду: мы едем туда инкогнито. Я, например, работник торгового дома «Вавилон» и зовут меня Коля Максимов. Тебе я советую сменить пока лишь профессию, а имя оставь свое.

— Если буду студентом, пойдет?

— Будь студентом, но только не юрфака, — согласился Яковлев. — Ладно, вырабатывай торгово-закупочное выражение лица, как студент торгового техникума. Поедем на моем «форде».

Следом за «фордом» к Наро-Фоминску мчался джип с оперативной группой. Оперативники по плану операции должны были находиться незамеченными недалеко от Яковлева и Бодрова. Получив сигнал тревоги, они немедленно должны были оказаться рядом с шефом.

Природа утратила уже свое многоцветье. Окружающий санаторий осенний лес выглядел серо и уныло. В корпусах лечебно-профилактического учреждения было пустынно, но начальник медицинской части доктор Чиж тем не менее был на месте.

Яковлев постучал в дверь два раза, после чего, не дожидаясь приглашения, вошел в кабинет. Следом проскользнул Никита.

— Привет, Витек!

Доктор взглянул, присмотрелся, узнал.

— Здравствуй. А это кто?

— Дружок мой. Никита. Прошу любить и жаловать.

— Зачем привел?

— На всякий случай.

— Какой еще случай?! Здесь тебе не бандиты!

— Это еще вопрос! Тебе Ангелина звонила?

— Да.

— Она сказала тебе, что чухаться некогда?

— Ну-у в общем...

— Давай поехали! Время дорого.

— Вы на машине?

— Тебе без разницы, поедем на твоей. Наша здесь подождет.

— Такое впечатление, что вы чего-то опасаетесь.

— А че, не надо?

— Кого? Мы же интеллигентные люди! — забеспокоился Чиж.

— Это точно! Какого-то бедолагу аккуратно замочили! До сих пор ментура голову ломает, кого в ящик спрятали.

— Юра никого не убивал! — возразил доктор.

— А кто? Ангелина? — спросил Никита.

— Тьфу ты! Давайте уж лучше поедем! — махнул рукой Чиж.

Он решительно встал из-за стола, подошел к шкафу и начал одеваться.

— Вот это правильно! — одобрил его действия Яковлев.

Хотя во дворе административного корпуса стояла личная автомашина доктора, Виктор Григорьевич открыл дверцу микроавтобуса защитного цвета с красной надписью на боку «Медпомощь». Поймав удивленный взгляд Никиты, он счел нужным объяснить свой выбор:

— Ехать не очень далеко, но по бездорожью...

— Все правильно, Витек! — поддержал его Яковлев. — Своя тачка ближе к телу.

Когда потихоньку выехали за ворота и, не торопясь, поехали лесной дорогой, Чиж заметил:

— Я, конечно, отвезу вас на встречу с Юрием Степановичем, но, откровенно говоря, ни он, ни я не понимаем, зачем Ангелине это нужно?

— Скажи-ка, алкозельцер... — начал было Яковлев.

Но доктор перебил:

— Послушай, Коля, я понимаю, что ты воспитывался не в Гарварде, но лучше зови меня Витькой!..

Муровец виновато развел руками:

— Как скажете, мил человек! А все же ответь, не ты ли Юрке морду должен перекраивать?

— То есть?

— Да ладно тебе! Ангелина говорила за пластическую операцию. Ну?

— А, это. Нет. Я терапевт. Аля договаривалась со специалистом высокого класса... Однако же много она вам разболтала! — покачал он головой.

— А мы ей люди не посторонние.

— Вот как?

— Конечно! Не ты же ему будешь делать документы, командировку и отправлять за кордон!

— Не я, — улыбаясь, согласился Чиж.

Извилистая, грязная дорога, словно набухшими жилами, пронизанная тут и там толстыми корнями деревьев, вспучившими утрамбованную почву, — словом, тряская и утомительная дорога вывела к тихой лесной речушке. Возле берега на неширокой поляне был сооружен неприхотливый уголок отдыха: стол со вкопанными вместо стульев деревянными чурками, навес от дождя и специально оборудованное костровище.

Доктор вырулил к столу, заглушил мотор и сказал:

— Приехали.

— Уже? — не понял Яковлев. — Он, прямо как партизан, в землянке живет?

— Почему? Он в другом месте обитает. А сюда должен на велосипеде приехать.

— Когда? — только и спросил Яковлев.

Чиж посмотрел на часы:

— Мы с запасом прибыли. Минут через десять появится.

— Видал, Никита, как нам не доверяют, — сказал Яковлев. — Ну ладно, мы тоже можем понты покидать. Вот придет он за своими бумагами, а мы начнем ломаться и выделываться!..

— Вы в бутылку не лезьте, ребята, — посоветовал Чиж. — Не так легко и просто у него жизнь складывалась, чтоб он всем сразу доверял.

— Однако деньжонок сколотил? — заметил Никита.

— Не знаю, не считал. Только не поверю, если мне скажут, что заработать сейчас легко.

— И не верь, — согласился Яковлев.

Прошло десять минут, затем еще десять. Иванов не появлялся.

Яковлев украдкой посматривал на доктора: нет ли подвоха? Если бы это было так, доктор, как человек неискушенный, наверное, не смог бы достаточно натурально сыграть удивление такой безалаберностью товарища.

Виктор Чиж выглядел явно раздосадованным. Он то и дело посматривал на часы, всматривался в участок дороги, от моста уходящий в чащу, кривил губы, явно сдерживал какие-то слова, готовые сорваться с языка.

— Что-то не торопится господин Иванов, — буркнул Никита. — Может, не надо ему ничего от нас?

— Откуда я знаю? — отозвался Чиж. — Это было его условие — здесь встречу провести.

— Так ты, значит, не знаешь, где его берлога?

— Почему не знаю? Он на моей территории отсиживается.

— Так поехали посмотрим, что случилось!

— А что может случиться? Здесь заповедная территория. Ни колхозов, ни фермеров, ни сел.

— Так чего ему бояться? — подключился к разговору Яковлев.

— В общем-то нечего.

— Н-да...

Яковлев достал сигарету и зажигалку...

И тут после осенней, глухой тишины леса они услышали странный звук — не то гул, не то приглушенный рев двигателя. Звук доносился с другого берега реки.

— Что бы это значило? — спросил Никита.

Чиж молчал, а Яковлев обронил:

— Никак господин Иванов тусовочную дискотеку организовал!

Никита с готовностью улыбнулся, но шутку не поддержал:

— Это мотор, то... — Бодров осекся на секунду, затем добавил: — Точно — мотор!

— Какой мотор? — удивился Чиж.

— Думаю хорошей, мощной тачки, — предположил Никита.

— Откуда она тут? — удивился Чиж.

— Ну-ка поехали! — не допускающим возражений тоном распорядился Яковлев.

Доктор счел за лучшее послушаться.

Яковлев и Никита быстро залезли в салон, и Чиж аккуратно тронул автомобиль с места. Они осторожно проехали деревянный, видавший виды мостик, снова поползли по лесной дороге. Мощные сосны нависали крепкими ветвями над дорогой, словно грозили незваным гостям.

— Из той берлоги, куда едем, еще дорога есть? — спросил Яковлев.

— Да, — кивнул Чиж.

— Плохо!

— Почему?

— Потому что наш мотор тоже слышно далеко, хоть и не такой он мощный. Могут уйти... Той дорогой далеко можно убраться?

Чиж наморщил лоб, вспоминая, потом доложил:

— Километров пятнадцать до лесничества. Оттуда еще двадцать до Митяева, а там начинается асфальт.

— Все понятно. Жми, дорогой доктор! Представь, что едешь к умирающему, типун на грешный мой язык! — своеобразно приказал Яковлев поторопиться.

— Вот именно! — проворчал Чиж, но скорости все же прибавил, отчего еще больше затрясло.

Впереди показался просвет, и машина выехала на небольшую площадку, которая заканчивалась невысоким, почти декоративным заборчиком. За ним стоял добротный деревянный дом.

— В этом, значит, схроне Юрий Иванов и обитает? — спросил Яковлев.

— В этом.

— А если бы не он, то кто бы здесь гостил?

— Обычный охотничий домик, — неохотно объяснил Чиж. — Приезжают люди из района, отдыхают...

— Может, они и были, да наткнулись на одичавшего... или как это... одичавшую телезвезду и вон подались?

— Не дай Бог!

— А я думаю, что для Иванова это было бы лучше всего.

Яковлев осторожно выскользнул из машины, подошел к калитке, присел на корточки, затем привстал, но, согнувшись, глаза в землю, прошел вдоль дороги, уходящей мимо ограды перпендикулярно той колее, которой они сюда приехали. Потом вернулся, открыл калитку, вошел, присмотрелся к выложенной тротуарной плиткой дорожке.

Не менее двадцати минут ждали его в машине Никита и доктор. Наконец подполковник подошел к ним и без обычного художественного вступления начал:

— Пойдем-ка аккуратно со мной Бодров. Для тебя найдется работка. А вы пока оставайтесь здесь, но не вздумайте уезжать. Обычный охотничий домик, говорите? А крови столько — зачем?

И он показал отпрянувшему начмеду испачканные бурой кровью пальцы...

Глава пятая

1

Окровавленный труп Юрия Степановича Иванова висел вниз головой посреди комнаты. Виселицей послужил крюк для люстры. Разбитая люстра валялась возле камина. Виктор Чиж увидел труп несчастного последним и отреагировал достаточно сдержанно, как врач. Он потянулся было к нему, стараясь не наступать на студенистые комки уже свернувшейся и потемневшей крови на паласе.

— Никита, достань блокнот и запиши, что я тебе продиктую, — сказал Яковлев.

Составили что-то вроде протокола осмотра места происшествия. Отметили, что смерть Юрия Иванова наступила от удара ножом в сердце. Но кроме того, у него были отрублены кисти рук и отрезаны уши. Когда было совершено это кошмарное действо — при жизни Юрия или уже после его смерти — было пока неясно. Слово здесь было за судебно-медицинской экспертизой.

По жестокой иронии судьбы изуродованное тело человека висело в охотничьем домике, в комнате, предназначенной для отдыха охотников, где, возле камина, под водочку и закуску из дичи они любили проводить время. Теперь здесь, словно неразделанная туша кабана, висел труп человека, который никогда не любил охоту.

Заметив, что доктор протянул было руку к столу, Яковлев предупредил:

— Ничего, пожалуйста, здесь не трогайте! И вообще, старайтесь меньше ходить по комнате — затопчете следы!

— Да вам-то что? — удивился Чиж. — Вы сейчас отсюда свалите подальше, а мне расхлебывать все это!

— Не свалим, а вы вот лучше скажите, что Ангелина по телефону сказала, кроме того, что мы в гости едем? И знайте, что ваше откровение в первую очередь сейчас важно для вас.

Чиж с большим удивлением и даже раздражением взглянул на Яковлева и выкрикнул:

— У меня и так неприятности, а вы...

Яковлев смерил его взглядом и произнес:

— Насчет неприятностей не сомневаюсь, а вот насчет нас ошибаетесь маленько — будем здесь с вами до победы. Мы двое. А вот Никита возьмет машину и поедет в вашу резиденцию, чтобы позвонить по телефону и вызвать оперативно-следственную бригаду.

— Послушай, зачем тебе это надо? — проникновенно спросил Чиж и даже взял Яковлева под локоток. — Никто не знает, что он здесь, давай тихонько вывезем в лес, а?

— Своего приятеля?

— Да какой он мне приятель?! Так, пару дел вместе провернули...

— Каких дел?

— А какая разница?

— Интересно, какие могут быть общие дела у телевизионщика с доктором, если он, конечно, не венеролог.

— Он был продюсер — это раз. Во-вторых, не всегда работал на телевидении.

— Ну ясно. Никита, возьми у доктора ключи от машины.

— Зачем это? — нервничал Чиж.

— Он поедет туда, куда я сказал, — сурово взглянул на него Яковлев.

— Смотрите, вам же хуже...

— Это уж точно, — согласился Яковлев. — Получим по полной программе за то, что недосмотрели.

— От кого? — отдавая Никите ключи от автомашины, вяло поинтересовался Чиж.

— От Турецкого Александра Борисовича.

— Что, пахан ваш? — съязвил было доктор.

— Почти угадал. Следователь по особо важным делам.

Чиж присвистнул.

— А вы тогда кто?

— МУР, — четко выговорил Никита.

— МУ-уР?.. — не веря своим ушам, прошептал доктор.

— Да-да, и мычать совсем необязательно, — бросил Никита.

— Я хочу сделать заявление! — выкрикнул Чиж.

— Прямо сейчас? — улыбнулся Яковлев.

— А что?

— Нет, я, конечно, ценю ваше искреннее желание сотрудничать с органами, Виктор Григорьевич, но позвольте пока совершить необходимые оперативные и следственные действия, — с ироничной улыбкой ответил Яковлев.

Затем он вышел в соседнюю комнату, по сотовику связался с оперативной группой, приказал им максимально приблизиться к охотничьему домику и смотреть в оба, потому что в доме обнаружен труп.

— Ну что, я помчался, Владимир Михайлович? — спросил Никита, когда Яковлев вернулся.

— Давай, Никита, пусть Турецкий немедленно выезжает на место преступления вместе с оперативно-следственной бригадой, здесь и свидетеля допросит.

Когда Никита вышел, Чиж торопливо заговорил:

— Понимаете, я был вынужден делать все, что скажет мне Иванов. Он буквально взял меня за горло. Я понимаю, что, конечно, должен был обратиться в милицию, а не помогать ему!..

— Погодите-ка, — перебил его Яковлев. — Несколько поздновато вы взялись лепить из него монстра. Он мертв, а с вами все благополучно. Поэтому пока прошу вас выйти... хотя нет.

Яковлев бегло, но внимательно осмотрел комнату и приказал:

— Возьмите стульчик и сядьте возле камина. Можете разговаривать, петь песни, но только не вставайте с места, пока не позволю. Все ясно? А вообще-то я бы посоветовал вам не песни петь, а внутренне подготовиться к разговору со следователем. Советую правдиво и четко рассказать ему все, что вы знаете в связи с этими событиями.

— Несомненно! — с готовностью кивнул Чиж и застыл на стуле.

— Вот и хорошо, — буркнул муровец.

Яковлев понимал, что прячущийся человек, а именно таковым был бедняга Иванов, даже в лесу не будет себя вести неосторожно. Поэтому совсем необязателен факт, что незваные гости застали его именно в этой комнате...

Так где же он прятался, когда пришли по его душу?

Чем хороши государственные учреждения, даже если имеют легкомысленное предназначение? Тем, что завхоз или управляющий делами неукоснительно выполняет требования всяческих инспекций, в том числе и пожарной. Именно по ее требованию на нарядной стене скромно висел лист бумаги под стеклом. А на листке — план эвакуации на случай пожара. На первом этаже — каминный зал, кухня, сауна, два санузла и кладовые. На втором несколько комнат для ночлега, точнее — восемь, по четыре с каждой стороны коридора.

— Виктор Григорьевич, какие ключи имелись у Иванова? Вы дали ему полную связку? — поинтересовался Яковлев.

— Нет, конечно. Я дал ключи от входной двери, от кухни, от душевой, она между сауной и туалетами, от комнаты, которую он выбрал... Все, пожалуй.

— А здесь почему открыто?

— Гостиная не закрывается. Зачем, если люди собираются сюда только есть, пить и общаться?

— Понятно. Так какую комнату он выбрал?

— Четвертую.

Яковлев посмотрел на план. Что ж, все правильно: угловая, два окна, одно выходит к парадному крыльцу, другое в сторону леса.

Подполковник еще раз осмотрел гостиную, хотя его начинало понемногу мутить от запаха крови. Нет, по всей видимости, здесь произошел последний акт трагедии — подвешивание остывающего тела под потолок. Далеко не всякий человек — баран, спокойно ожидающий мясника с ножом. Слабо или сильно, но он должен отбиваться от наступающей смерти. Гостиная выглядела вполне пристойно. Ни разбросанной и сломанной мебели, ни битой посуды, она, хоть и запятнанная кровью, осталась на столе и в старинном с застекленными дверцами буфете.

Пройдясь еще раз по гостиной, Яковлев заглянул в камин. На застарелой белесой золе, погрузившись в нее на четверть, лежали отрубленные кисти, а рядом отрезанные уши.

— Виктор Григорьевич, попрошу вас ничего не трогать пока, — вновь предостерег он доктора от лишних действий.

Тот молча кивнул.

Муровец поднялся по деревянной лестнице на второй этаж. Здесь все было похоже на типичную гостиницу: длинный сумрачный коридор с фикусом в конце и дверями по бокам. Яковлев осторожно пошел по коридору, трогая по очереди ручки дверей. Врач не соврал, номера были заперты. Все, кроме четвертого.

Он вошел в комнату, обставленную с безликостью казенного жилища. Вот полутораспальная кровать, небрежно прикрытая одеялом. Юрий Иванов явно не привык поддерживать порядок. На столе — стакан и пустая бутылка из-под водки. Рядом с ней — банка тушенки, опустошенная наполовину. Из банки торчала вилка. На кресло была небрежно брошена кожаная куртка. Наверное, выходил на прогулку, воздухом подышать. Интересно, где его прихватили палачи? — думал-гадал Владимир Михайлович. Относительный порядок в жилище, отсутствие явных следов борьбы могли свидетельствовать о том, что Иванова либо застали врасплох, либо нейтрализовали вне дома, либо это были его знакомые, к которым он вышел сам.

Яковлев спустился вниз, вышел на крыльцо и решил осмотреть прилегающую к дорожке жухлую траву, усыпанную опавшими листьями. Следы на скользкой земле были, но очень уж нечеткие. Сделать слепок было почти невозможно. Наверху, в комнате Иванова, он изучил обувь погибшего, поэтому размер и рисунок протектора подошвы ему был известен.

Он долго всматривался в сдобренную влагой землю. Но в быстро наступающих сумерках не удавалось обнаружить что-то существенное, какой-нибудь более-менее отчетливый отпечаток следа ноги человека, пригодный для идентификации. Пришлось вернуться в дом.

— Виктор Григорьевич, здесь есть фонарь? — спросил он.

— Да, должен быть на кухне.

Большой синий фонарь действительно нашелся на столе вместе с кухонной утварью.

Желтый луч высветил неровные углубления следов. В принципе можно было допустить, что конфигурация и расположение следов свидетельствуют о прогулке Юрия Иванова по узкому кругу возле крыльца. Присмотревшись, Яковлев заметил, что один след содержит в углублении не только смятые и растертые листья: в перемешанной грязи виднелся твердый квадратик. Он поднял его. Корочки какие-то. Очистил рукой обложку — международное водительское удостоверение. Раскрыл, увидел фотокарточку чубатого парня и прочитал: «Соловьев Сергей Иосифович».

2

Когда Яковлев вернулся в гостиную, Чиж, скорбно вздохнув, предложил:

— Может, снимем его? Жутко! Все это раздражает.

— Еще бы! Вы же небось не патологоанатом? — пытался острить Яковлев.

— Да что вы, Владимир Михайлович! Я всего лишь терапевт с небольшим опытом врача-диетолога.

— Как вы думаете, доктор, покойный не уничтожил все запасы кофе в этом доме?

— Полагаю, что нет. Он все больше на спиртное налегал.

Чиж поднялся со стула и пошел на кухню. Яковлев последовал за ним.

Они вошли в просторную кухню, на которой свободно могли заниматься готовкой три хозяйки. В углу стоял небольшой квадратный стол, накрытый клеенкой. За ним, вероятно, отдыхала и питалась прислуга, когда в доме отдыхали важные гости. Яковлев сел за стол. Чиж быстро и умело сварил кофе.

— Может, коньячку? — робко поинтересовался он.

Яковлев, как говорится, не заставил себя долго уговаривать. Через минуту на столе появился графинчик с коньяком и две рюмки.

— Ишь ты, не все покойный высосал, — отметил Яковлев.

— Да ему бы жизни не хватило, — с гордостью вставил доктор. — Здесь приличные запасы всего... В лучших традициях времен застоя...

— Ну что ж, помянем вашего друга, — поднял Яковлев рюмку.

— Какой там друг, — засуетился Чиж.

После рюмки коньяку Чиж немного пришел в себя. Разговорился. Решил даже польстить подполковнику:

— Ну вы, конечно, здорово меня провели, Владимир Михайлович!

— Пустяки, — отмахнулся Яковлев. — Ничего особенного. С кем поведешься, от того и наберешься... А контингент у нас весьма специфический. Редко вот так с интеллигентным человеком пообщаться удается.

— Спасибо за комплимент! Но я сейчас более думаю о том, за что Юрия убили. Как вы считаете, Владимир Михайлович?

— Думаю, за то, что прятался. Но, извините меня, я представляю нашу беседу на эту тему несколько по-другому... Пока это ни в коем случае не допрос, потому что я не веду, как видите, протокол. Но разговаривать будем так: я спрашиваю, вы рассказываете. Согласны?

— Куда ж денешься? — кивнул Чиж.

— Зачем так трагично? Ко всей этой истории, я предполагаю, вы имеете косвенное отношение. И все же советую сказать все, что знаете. Это в ваших интересах, потому что тот, кто отправил Иванова на тот свет, прекрасно знает, у кого бедняга прятался...

— Вы хотите сказать!.. — всполошился Чиж.

— Пока ничего. Ведь мы даже не знаем, что вынудило его прятаться, причем не продувшегося ларечника, а всерьез, с инсценировкой собственной гибели. Понимаете? Если его нашли здесь, значит, знают очень много, в том числе и о вашей роли в этой истории.

— Вы думаете, они захотят и меня?..

— Кто знает? Может быть, ваше счастье в том, что вы сейчас здесь, а не в своем кабинете.

Чиж посмотрел на подполковника сумасшедшим взглядом, после чего взял графинчик и, плеснув себе в чашку из-под кофе коньяку, осушил ее одним глотком.

— Не нервничайте, Виктор Григорьевич. Для

вас реальная опасность существует только до тех пор, пока о вашем участии в судьбе Иванова знаете только вы и убийцы. Когда вы расскажете все, то станете неинтересны противной стороне.

— Да, я понял...

Чиж нервно потер ладонями виски, вздохнул и сказал:

— Понимаете, очень трудно собраться с мыслями, чтобы связно рассказать. Лучше задавайте вопросы, а я буду отвечать.

— Как угодно. Тогда вопрос первый: вы знаете, кого Иванов положил в машину вместо себя?

— Точно не могу сказать. Мне объяснили так, что этот человек пришел, чтобы убить Юру.

— Кто из супругов вышел на вас с просьбой о помощи?

— Ангелина.

— Вы друг семьи?

— В некоторой степени.

— Точнее, пожалуйста.

— Ну Ангелину я знал еще до ее второго замужества.

— Какие у вас были отношения?

— Это важно?

— Когда мы имеем в наличии два убийства, важно все!

— Да, я понял. Одно время Ангелина была моей интимной подругой. Я, помнится, помогал ей в лечении...

— Чем же она страдала?

— Да нет, ничего серьезного, по части венерологии, — криво улыбнулся Чиж.

— У вас не было трений на почве ревности?

147

— С кем? С Ивановым? Да что вы! Он же не дурак, знал, с кем имеет дело, и что, кроме собственных способностей, помогло ему подняться в телебизнесе!

— Поддержка Ангелины? — спросил Яковлев.

— Кто же еще мог ему помочь! А я всегда был вхож к ним.

— Кто связался с вами в тот день и как это было?

— Позвонила Ангелина. Точно не припомню, но в первой половине дня, можно сказать, утром. Сказала, что стряслась беда и требуется срочно моя помощь. Я, естественно, подумал, что кто-то из них заболел, спрашиваю: что случилось? Она говорит: приезжай, не спрашивай, не телефонный, мол, разговор. Ладно, приехал. Сейчас, знаете, посвободней, отдыхающих немного, не обязательно каждую отлучку с начальником согласовывать. Поехал...

— На дачу?

— Нет. В город, на квартиру.

— Хорошо. Дальше.

— Приехал, значит. Они меня встретили оба, подавленные какие-то. Юра сразу предложил водки, но Ангелина не позволила, обозвала его дураком, а меня отвела в сторонку и говорит: надо сделать медицинское заключение о скоропостижной смерти. Я, помню, даже отшатнулся: кому, спрашиваю. Она: на мужа выписывай. Я, знаете, детективы на ночь люблю смотреть. Ну, думаю, решила благоверного убрать, а меня в сообщники тащит. Говорю: ты что? Лучше разведись с ним, тебе тем более не впервой. А она

148

смеется, но таким жутковатым смехом, и отвечает: я, мол, вдовство предпочитаю, оно теперь в моде. Потом отвела меня на кухню, дала выпить и говорит: дело такое, Витя, к нам приперся вымогатель, большие деньги с нас требовал, а Юрка с испугу его убил. Я оторопел: как это с испугу? А так, говорит, оглушил да задушил. Я, откровенно говоря, засмеялся, не поверил. Тогда она, железная женщина, берет меня за руку и ведет в спальню. На кровати голый детина, в самом деле задушенный. А Юра судорожно всхлипывает и стаскивает с него носки, единственное, что еще из одежды на покойничке имелось. Что это ты делаешь, спрашиваю, а сам думаю, как бы отсюда убраться, пока не влип. А он отвечает: вот хочу в свое переодеть, чтоб тебе легче было опознавать. Я говорю: вы на преступление меня толкаете! А он смеется: по сравнению с нами ты — ангелок! Всего и делов тебе — трусы мои узнать да запонки и все остальное. Я пытался втолковать ему, что лучше сообщить в милицию. С президентским кумиром они не станут связываться. Но они ничего не слушали. Так что пришлось мне принять их условия...

Чиж снова горестно вздохнул и плеснул себе еще коньяка.

— В назначенное время, — продолжал он, — я должен был быть на заранее оговоренном участке шоссе. Там Ангелина должна была мне сообщить, что делать дальше.

— У меня была мысль, что вас втемную использовали, — перебил его Яковлев, — а вы, оказывается, все знали. Теперь только активная помощь следствию может смягчить вашу участь как соучастника преступления, — добавил подполковник.

— Понимаю, — вздохнул Чиж и продолжил свой печальный рассказ: — Значит, так. В условленном месте они меня уже поджидали. Оба сидели в «пежо» красного цвета, которую Юра подарил Ангелине. Она сказала мне, что километрах в двух впереди горит машина, которая когда-то принадлежала Иванову. В ней будет обгоревший труп. Я должен идентифицировать этот труп как тело Юрия Иванова, а также выписать соответствующую медицинскую справку о смерти. Когда я приехал на место происшествия, возле горящей машины Иванова суетился какой-то парень. Водитель стоящего неподалеку грузовика тушил легковушку своим огнетушителем. Я тоже подсуетился: достал баллончик. Потушили, принялись вытаскивать из салона обгоревший труп водителя. А потом приехали гаишники. Я им представился и высказал свое мнение по поводу причины смерти. Они все записали и уехали, а я с покойником — следом.

— Вы на «скорой» ехали? — поинтересовался Яковлев.

— Да, я почти всегда на ней езжу. Гаишники реже пристают, медпомощь все-таки.

— Все понятно. И после этого никто вас, кроме меня, больше не побеспокоил? — вновь прервал его Яковлев.

— Как бы не так! В тот же вечер мне звонила Ангелина и попросила спрятать на некоторое время ее мужа в этом охотничьем доме.

— И вы все бросили и помчались выполнять распоряжение бывшей любовницы? — осуждающе произнес Яковлев.

— Так чего уж? Все верно. Бросился. Ночью и поселили его здесь без документов, — не обратив внимание на тон подполковника, выпалил Чиж. Ему уже было не до тонкостей. Он почувствовал, что влип в историю.

— Он не боялся, что приедут какие-нибудь шашлычники и засекут его здесь? — продолжал свой допрос Яковлев.

— Нет, бояться было нечего. С некоторых пор дом потерял свое значение. Начальство ездит в места покруче.

— Они не оговаривали заранее, на какое время он здесь останется?

— Конкретно нет. Но Ангелина намекнула, что не дольше, чем на месяц, а потом он уедет за границу. Тогда же я узнал о его намерении сделать пластическую операцию.

— Вы должны были найти врача?

— Упаси Бог! И так влип по уши! Она сама искала, если пыталась это делать, конечно.

— А что, есть сомнения?

— Ничем конкретно не подкрепленные, но имеются. Такое впечатление, что она предоставила Иванову возможность лично выпутываться из ситуации.

— Как же он мог это сделать, сидя в глуши без телефона?

Чиж пожал плечами.

— Он пытался меня сделать посредником, но я согласился сделать лишь парочку звонков.

— Кому?

— Врачу, который должен был сделать пластическую операцию. Посредничал, так сказать.

— Послушайте, Виктор Григорьевич, почему вы так безотказно делали все, что прикажет вам Ангелина? Судя по вашим словам, трепетное чувство между вами не сохранилось. Так в чем причина?

— Дело в том, что я в свое время попался на удочку одному аферисту. Сам дурак. Он предложил одну сделку. Сейчас уже неважно, какую, дело прошлое. Просто, как многие сейчас делают, сделка должна была принести пользу как дому отдыха, так и нам. Выдал я ему на коммерческую операцию семь тысяч долларов. С тех пор так его и видели. Хорошо, Ангелина помогла — пять штук одолжила. Я свои бабки доложил и вернул все, а так бы — суд... Владимир Михайлович, я все как на духу рассказал. Будет ли мне какое-нибудь снисхождение? Ведь, считай, под принуждением все делал...

— Помолчите минутку! — перебил его Яковлев.

— Что такое?

— Мне кажется, машина едет...

3

Чиж замолчал и тоже прислушался.

— Может, ваш молодой коллега возвращается? — предположил он.

Яковлев покачал головой.

— Он вернулся бы с караваном, с оперативной группой, со следователем прокуратуры впереди на лихом коне. А там идет одна машина, хотя и неслабая. Здесь есть запасные выходы?

— Да-да, — быстро закивал всполошенный доктор. — Прямо отсюда, через кладовую, выход на хоздвор и к гаражам.

— Я настоятельно рекомендую вам, Виктор Григорьевич, взять с собой курточку и, не щадя ее, преодолеть забор с задней стороны охотничьего домика, а дальше на ваше усмотрение: хотите — идите на базу пешком, нет — ждите, когда позову обратно. Если, конечно, мне повезет...

— Но... — хотел что-то сказать Чиж и осекся.

— Поторопитесь, Виктор Григорьевич, иначе будет поздно. Вы сами нашли на свою задницу эти приключения, никто не виноват.

— Вы думаете...

— Я думаю, что лучше перебдеть, чем недобдеть. Если это ваш собутыльник из районной администрации, я подам вам сигнал. А пока поторопитесь. И не вздумайте прятаться в доме — найдут!

На всякий случай Яковлев продиктовал Чижу телефоны Турецкого и Грязнова.

— В случае чего обязательно звоните по этим телефонам! — предупредил он.

Доктор не заставил себя долго упрашивать. Попрощавшись, он скрылся за невзрачной боковой дверью.

«Вот черт! — выругался про себя Яковлев. — Надо было его сразу сдать оперативной группе, но, с другой стороны, вдруг территория возле

153

домика находится под наблюдением...» С такими мыслями он вынул из кармана сотовик и хотел связаться с оперативной группой, чтобы предупредить о новой ситуации. Яковлев знал, что без его приказа оперативники к домику не поехали бы. Стало быть, идет неизвестная машина. В трубке раздались короткие гудки. Яковлев тут же повторил набор номера. Опять короткие гудки...

— Что они там, с ума сошли! — вслух проворчал сыскарь и вновь набрал номер. Вновь короткие гудки... Яковлев сунул сотовик в карман.

Звук мотора становился все отчетливее. В доме оставаться больше было нельзя. Яковлев быстро вышел из дома. Огляделся. У стены, за которой находилась кухня, стоял большой железный ящик для хранения газовых баллонов. За этим ящиком он и спрятался. Попытался еще раз связаться с оперативниками, но тщетно. В какой-то момент он поймал себя на мысли, что было бы хорошо, если бы подъехали какие-нибудь местные начальники. Но уповать на это было глупо, и сыскарь направил свои мысли в другое русло.

Опыт подсказывал ему, что если убийцы — люди аккуратные и осторожные, то они обязательно должны вернуться, чтобы забрать улику, то есть то самое международное водительское удостоверение, которое он уже отправил с Никитой в город. А если они надумают еще и забрать с собой тело убитого Иванова, тем более им надо помешать. Могло быть и так, что убийц спугнул он сам с Чижом и Бодровым, подъехав к дому на «скорой помощи». Звук двигателя слышно здесь далеко. В таком случае муровцы все это время находились под наблюдением. Те, неизвестные, ждали, что последует дальше. Хорошо, что Никита отъехал на «скорой помощи»... Но Яковлев с этого момента переживал за судьбу Никиты, да и оперативников, с которыми вдруг прервалась связь.

Яковлев был уверен, что он не сделал ни одной ошибки, значит, напрашивался только один вывод: МУРу противостоит могучий, хорошо организованный противник.

Приглушенно урча, к дому подкатил массивный джип и остановился напротив калитки. Свет в салоне не зажигали, и Яковлев не мог определить, сколько в салоне человек. Муровец ласково погладил свой пистолет и приготовился к трудному противостоянию.

Яковлев в этот момент вспомнил, что забыл погасить свет в комнате, где висел труп Иванова. Оставалось только гадать, что подумают по этому поводу незваные гости.

Еще через минуту из джипа вышел вооруженный автоматом парень. Следом показался еще один, тоже с автоматом. Они оба делали точные неторопливые движения, что выдавало в них опытных боевиков.

Войдя во двор, парни разделились. Один пошел прямо, к парадному входу, другой — в обход, как раз в сторону ящика, за которым прятался Яковлев. Тот, который направился в дом, поднявшись на крыльцо, окликнул своего товарища:

— Серый, я пройдусь по комнатам! Посматривай, чтоб никто не выскочил!

— Ладно, — коротко ответил Серый.

Яковлев догадался, что перед ним хозяин потерянного водительского удостоверения. Прижавшись щекой к холодному железу, подполковник ждал. Серый поравнялся с ним и остановился. Если бы бандит хоть чуть-чуть повернул голову вправо, их глаза бы встретились. Но Серый выказал удивительную беспечность: он закинул автомат на спину и стал расстегивать ширинку.

Какое-то мгновение Яковлев еще колебался. Мелькнула мысль: позволить парням осмотреть дом и убраться восвояси. Документы засвечены, поэтому никуда они не денутся, голубчики.

Пока Серый справлял нужду, сыскарь порассуждал еще какое-то мгновение. Если они захотят забрать труп, то обязательно надо ввязываться в драку. Да и второй сейчас обнаружит, что в доме, кроме них, недавно кто-то побывал. Там и коньяк недопитый остался, и кофе еще теплый.

Яковлев решил действовать. Серый справил нужду и решил закурить. В момент, когда вспыхнул огонек зажигалки, Яковлев в два прыжка преодолел расстояние до бандита и резко ударил его рукояткой пистолета по затылку. Он плавно опустил Серого на землю и, убедившись, что только оглушил его, а не убил, взял автомат и посмотрел на окна дома. В этот момент в одном из них загорелся свет. Значит, второй еще обследовал дом. Муровец решил проверить, нет ли в джипе еще кого-нибудь. Он прокрался вдоль заборчика к месту, где стоял автомобиль, и бросил в него камушек. Из джипа никто не высунулся. Держа автомат наготове, сыскарь, уже не прячась, подошел к машине и, заглянув в салон, направился обратно.

В этот момент раздался одиночный автоматный выстрел, сопровождаемый вспышкой пламени. Яковлев моментально упал ничком на жухлую траву и откатился в сторону.

— Реакция хорошая! Теперь метни ко мне ближе автоматик и отдохни пару минут, — раздался голос невидимого стрелка. — Ну, быстро!..

4

Турецкий терпеливо ждал от Грязнова результатов поездки Яковлева, Бодрова и оперативной группы к сообщнику Ангелины доктору Чижу.

Ему порядком надоела запутанная история с Юрием Ивановым. Коль скоро нити этого преступления потянулись вверх, результаты следственно-оперативных мероприятий окажутся для определенных лиц нежелательными. Начнется давление на следователя через своих людей в Генпрокуратуре, МВД и других государственных структурах.

Следователь пытался понять, что́ мог задолжать бывшим военным из фирмы «Каскад» и «Кононг» знаменитый телевизионный продюсер. Расследование показало, что и телекомпания «Спектр», и фирма «Каскад», и концерн «Кононг» в экономическом плане существуют стабильно, без потрясений. Значит, здесь — не проблема финансирования, а что-то другое. Опять он вспомнил о таинственной видеокассете, которую скрытой камерой отснял Иванов в Германии. Он поймал себя на мысли, что с момента, как он узнал о существовании этой видеокассеты, в расследовании дела Иванова появилась новая нить.

За окном смеркалось. У рядовых чиновников заканчивался рабочий день. Турецкий позвонил жене и пообещал, что если ничего не случится, то сегодня он будет вовремя. Затем позвонил Грязнову.

— Не объявились наши друзья, Слава? — напряженным голосом спросил он.

— Нет, Саня, пока никаких новостей, и друзей наших тоже нет.

— Может, что случилось? — буркнул следователь. — Давно уже ничего с ними не случалось!

— С тобой, между прочим, тоже давно ничего не случалось, дорогой Саня, — добродушно парировал муровец.

— Понял, исправлюсь! — рассмеялся Турецкий и добавил: — Слушай, я сегодня задержусь, так что можешь заехать ко мне на чай.

— Спасибо, Саня, минут через сорок буду, — согласился Грязнов.

Турецкий положил трубку и с великой неохотой придвинул к себе тощую прозрачную папочку, в которой лежала вырезка из газеты. К вырезке была подколота маленькая сопроводиловка. На ней рукой генерального прокурора было начертано: «Турецкому. Прошу дать Ваши предложения». Генеральный знал, что Турецкий когда-то сотрудничал с газетой, и таким образом решил его подковырнуть.

В статье молодая журналистка бичевала работников СИЗО за то, что они берут взятки, проявляют грубость к родственникам подследственных и т. д. и т. п. Генеральный хотел, чтобы Турецкий отозвался на эту статью в прессе, пощелкал журналистку по носу, опроверг выводы неопытной правдоискательницы, а в конце своей статьи или комментария привел бы примеры героических будней сыскных служб МВД РФ. Следователь вздохнул, взял авторучку и написал чуть ниже резолюции генерального: «Предлагаю рассмотреть проблему на коллегии Генпрокуратуры». Турецкий знал, что за такое мелкое хулиганство ему последует немедленный втык. Правда, он будет похожим более на старушечье нытье, чем на взыскание.

Зазвонил телефон. Раздался голос начальника Главного управления уголовного розыска МВД Федорова:

— Привет, Турецкий! Ты меня стоя слушаешь или сидя? — поинтересовался он.

— Сидя. А что? — напрягся следователь.

— Это очень хорошо. Если б ты сейчас стоял, то после моей информации упал бы. Никуда не уходи. Сейчас к тебе Грязнов с Бодровым придут.

— Ну? — едва не вскочил со стула Турецкий. — А Яковлев Володя где?

— Яковлев с Бодровым поперлись к Иванову. Автограф, наверное, решили взять... Вот один молодой вернулся...

— Что значит — поперлись! — резко возразил

159

Турецкий. — Они поехали туда по моему заданию в сопровождении оперативной группы.

— Ладно-ладно, не кипятись, — посерьезнев, проворчал Федоров. — Словом, они сейчас к тебе придут, разберись с ними, а потом позвонишь мне. — Федоров резко положил трубку.

Турецкий еще с полминуты сидел с трубкой возле уха, слушая короткие гудки. Он был весьма озабочен и тревожной информацией, и суровым тоном Федорова.

Грязнов с Никитой буквально влетели в кабинет следователя.

— Можно? — уже на середине кабинета пробормотал Никита.

Турецкий только рукой махнул: мол, садитесь, рассказывайте. Никита нравился Турецкому, радовало еще не успевшее покрыться налетом неизбежного профессионального цинизма лицо молодого опера. Он немного напоминал ему Грязнова в молодости.

— Чай будете, сыскари? — спросил Турецкий.

— Со слякоти не помешает, — кивнул Грязнов. — Только, может, сначала поговорим. Какой, к черту, чай...

— Ну ладно, чай подождет, — согласился следователь. — Выкладывайте свою оглушительную новость.

Грязнов дал знак Никите, и тот начал:

— Юрия Иванова убили!

— Вот, извините, спасибо! Когда? — воскликнул Турецкий.

— Сегодня во второй половине дня, — уточнил Бодров. — Когда мы вошли в охотничий домик, кровь на полу была еще студенистой.

Никита подробно пересказал старшему следователю по особо важным делам все события, в которых он с Яковлевым сегодня участвовал.

— Значит, в этом охотничьем домике остались Яковлев и доктор Чиж под прикрытием оперативной группы? — спросил Турецкий.

— Да. И еще труп Юрия Иванова, — уточнил Никита.

— Так! Немедленно выезжаем на место преступления! Берем с собой следственную оперативную бригаду и — вперед!

— Я уже распорядился, чтобы на место выехала дежурная бригада из областного управления, — успокоил друга Грязнов. — Сейчас и мы помчимся.

Турецкий соединился по внутреннему телефону с Меркуловым и сообщил ему об убийстве Юрия Иванова. Не успел он положить трубку, как раздался звонок.

— Слушаю... Я должен немедленно выезжать на место преступления... ну хорошо... — Турецкий бросил трубку. — Нас с Меркуловым генеральный вызывает. Это ненадолго. Ждите меня.

Александр Борисович поправил галстук и вышел из кабинета.

Когда Турецкий и Меркулов зашли в кабинет, генеральный прокурор разговаривал с Федоровым. Вошедшие заняли места напротив, и генеральный, как говорится, сразу взял быка за рога.

— Вы должны были найти Иванова живым, — начал он. — Но лично я вас ни в чем не обвиняю и, более того, убежден, что от вас в данной ситуации мало что зависело. Розыском должно было заниматься МВД. Если бы мы этого Иванова нашли, а потом потеряли — другое дело. Там, наверху, — генеральный поднял глаза к потолку, — там будут считать, что именно правоохранительные органы виновны в гибели знаменитого продюсера. Значит, нам надо быть готовыми к ответам на вопросы: кто убил Иванова? каковы мотивы этого убийства? — Генеральный замолчал, вопросительно взглянув на Турецкого.

— Имеются две основные версии, — сказал Александр Борисович. — Согласно одной, которую выдвинула вдова убитого Ангелина Иванова, убийство ее мужа могло быть расплатой за некие его материальные обязательства перед концерном «Кононг» и, возможно, более конкретно, перед дочерним предприятием этого концерна фирмой «Каскад», возглавляемой братом убитого ранее Олега Колобова Сергеем Колобовым. И по «Каскаду», и в целом по концерну «Кононг» ведется оперативная разработка. Пока установлено, что фирмы эти весьма солидные. В учредителях у них Союз ветеранов ЗГВ.

— Час от часу не легче! — воскликнул генеральный.

— Да уж! — хмуро и лаконично поддержал его Меркулов.

— Вторая версия яснее и вероятнее, — продолжал Турецкий, не обращая внимания на эмоции высокого начальства. — Юрия Иванова убила его собственная жена Ангелина, то есть заказала убийство.

— Имелись на то причины? — спросил генеральный.

— В таких семьях причин хватает... — неопределенно ответил Турецкий. — Мотивы проверяются. Сейчас я ответить на этот вопрос еще не в состоянии.

На этом совещание закончилось. Федоров еще остался у генерального, а Турецкий с Меркуловым вышли и вместе прошли по коридору.

— Ты заметил, Саша, что Федоров при генеральном с нами в молчанку играет? — спросил Меркулов.

— Я, Костя, этому давно не удивляюсь. Он предпочитает быть согласным только с мнением руководства, то есть своего министра. Собственно говоря, генеральный высказал их общее с Федоровым мнение.

Турецкий попрощался с Меркуловым и вернулся к муровцам, готовым к выезду на место преступления.

— Ну как генеральный отреагировал на новость? — спросил Грязнов.

— Он озабочен убийством Иванова, — ответил Турецкий и, взглянув на часы, добавил: — Но об этом поговорим по дороге. Надо немедленно выезжать.

Вновь зазвонил телефон. Следователь взял трубку:

— Да. Турецкий. Я вас внимательно слушаю.

Он несколько минут вслушивался в то, что ему сообщали. Потом сказал:

— Какие приняли меры? Хорошо... продолжайте поиски.

163

Турецкий положил трубку и молча стал ходить по кабинету.

— Что еще? — не выдержал Грязнов.

— Худшее, Слава, из того, что можно было предположить. Звонили из Наро-Фоминска. Два часа назад в местное отделение милиции позвонил доктор Чиж и сообщил, что в охотничьем домике в экстремальную ситуацию попал сотрудник МУРа. Туда немедленно выехала оперативная группа. Но они не обнаружили в доме ни Яковлева, ни трупа Иванова. Оперативники зафиксировали только множество следов свернувшейся крови, следов людей, иномарки, одну стреляную гильзу от АКСа. Метрах в трехстах от дома на просеке обнаружен джип. В нем пятеро связанных оперативников. Они подверглись неожиданному нападению неизвестных, были обезоружены и связаны. Оружие их валялось возле джипа. Вот какие дела, Слава!

— Мне надо было там остаться! — в отчаянии воскликнул Никита.

— Ты должен был выполнять приказ, — одернул его Грязнов. — Наши действия, Саня? — перевел он взгляд на Турецкого.

— Выезжаем на место преступления. Надо перезвонить нарофоминским, чтобы они взяли под стражу этого доктора Чижа.

Турецкий с муровцами прибыл на место преступления в одиннадцать вечера. Там вовсю уже работала дежурная оперативно-следственная бригада. Судмедэксперты взяли анализ крови жертвы. Специалисты произвели идентификацию следов людей и автомобильных колес как возле охотничьего дома, так и на просеке, где было совершено нападение на оперативную группу из столицы.

Везде были следы ботинок, в которых ходят спецназовцы. По описанию плененных оперативников, напавшие на них люди были при полном камуфляже, в черных масках, с короткоствольными автоматами. Взяли их, как понял Турецкий, элементарно: двое оперативников вышли до ветра, а назад к джипу возвратилось два совсем других человека...

Получив эту информацию, Турецкий вспомнил намеки Ангелины на то, что в этой игре задействованы слишком существенные фигуры. Лишний раз вспомнил и про повышенное внимание к расследованию этого дела верхов. Следователь также сделал вывод, что операция сорвалась по вине оперативной группы, состоящей из молодых неопытных оперов. Как сосунки, позволили себя связать. То, что их оставили в живых и не забрали оружие, свидетельствовало о том, что это были не обычные бандиты, а представители хорошо организованного боевого соединения. Главное сейчас, решил следователь, найти Яковлева и допросить доктора Чижа.

Турецкий подошел к старшему оперативной группы, печально сидевшему на стуле. Он резко поднялся навстречу.

— Не дергайся, дорогой, — успокоил его Турецкий. — Ответь-ка мне лучше вот на какой вопрос: захватившие вас боевики о чем-нибудь говорили между собой, прежде чем скрутить вас и заклеить рты пластырем?

— Говорили, но буквально несколько слов: один, посветив фонариком на мое удостоверение, сказал: «Ого! МУР!» А другой: «Этого нам только не хватало!»

— Так-так, — задумчиво проговорил Турецкий. — Скорее всего, ребятки, это и спасло вам жизни. Значит, с МУРом связываться не входило в их планы. Это хорошо. Может, и Володе Яковлеву повезет...

— А сколько их было? — вновь обратился он к старшему группы.

— Не меньше десяти.

— А звуки машины вам не были слышны перед нападением?

— Нет. Никаких звуков мы не слышали.

Турецкий наконец смог воссоздать в уме картину сегодняшних событий. За гостями из Москвы следили от самого дома отдыха, где Яковлев и Бодров встретились с доктором Чижом. О приезде незваных гостей они знали заранее. Эту информацию они могли получить только от Ангелины. Если Яковлев останется жив, а доктор Чиж, как показали последние события, готов помочь следствию, то убийства Иванова и Олега Колобова будут раскрыты в ближайшие дни. Но останется таинственная видеокассета, которую Иванов привез из Германии! Кого он снимал скрытой камерой? Кому это было нужно? Турецкий отчетливо понимал, что даже раскрытые убийства Иванова и Олега Колобова лишь звенья в цепочке более масштабного преступления, преступления, которое начало совершаться задолго до гибели знаменитого продюсера и охранника фирмы «Каскад».

Глава шестая

1

Бодров очень тяжело переживал исчезновение подполковника Яковлева. Но на следующее утро все же собрался с духом и отправился в «Паласотель». Накануне ему позвонила Людмила и сказала, что Ваграм согласен с ним встретиться в десять тридцать.

Перед тем как отправиться на Тверскую-Ямскую, Никита решил посоветоваться с Грязновым. Начальник МУРа встретил его радушно.

— Кавказ — дело тонкое, Никита. Будь удручен и важен одновременно. Возьми сотовый телефон и время от времени разбрасывай понты. Только номер набирай нейтральный, — учил матерый муровец молодого коллегу уму-разуму.

— Ну это все понятно, — кивнул Никита.

— Ну если тебе все понятно, то ты молодец, Никита. Страсть как не люблю непонятливых, — крякнул Грязнов. — Да, ты вот что, хватит хандрить. Вернется наш Яковлев, ни хрена с ним не случится. Уж поверь моему чутью. Я Володю за тысячу верст чувствую. Жив он!

— Слушаюсь, товарищ полковник, — улыбнулся Никита.

Выйдя на улицу, он порылся в карманах, нашёл деньги и купил роскошную красную розу.

Увидев цветок, Людмила очень обрадовалась.

— Мне уже сто лет никто цветов не дарил! — восхищённо сказала она.

— А Ваграм? — как бы невзначай поинтересовался он.

— Э! Они никогда цветы не дарят! — хмыкнула девица.

— Что, жадные стали?

— Нет, наглые.

— А что можно сделать? Нажаловаться? — спросил Никита.

— Кому? Они здесь верх держат. Приходится терпеть, — вздохнула девица. — Можно, конечно, уйти, но здесь платят неплохо.

Никиту так и подмывало сказать: никакая ты не горничная, а переводчица и работаешь на какой-то преступный синдикат и другой работы у тебя в жизни уже никогда не будет. Видимо, в этот момент глаза Никиты погрустнели и она, заметив перемену в его настроении, спросила:

— У тебя неприятности на работе, Никита?

— Да нет, что ты, Людочка, — встряхнулся Бодров, — для меня сама по себе всякая работа — это уже неприятность, — хохотнул он, — люблю работать отдыхающим...

— Чтобы на такую работу устроиться, надо как следует повкалывать на обычной, — полушутя-полусерьёзно заметила Людмила. — А вот и наш горский князь идёт.

Никита оглянулся. К ним приближался высокий горбоносый брюнет, яркий представитель

Кавказа. Про таких говорят, что их никак не назовешь Иванами. Подойдя, он по-хозяйски, не спрашивая разрешения, поцеловал Людмилу в щеку и осуждающе заметил:

— Пудры много сыпала!

Затем протянул большую ладонь и представился.

Бодров с уважением посмотрел на огромную, покрытую черными волосками лапищу, пожал Ваграму руку и тоже представился:

— Меня зовут Никита. Очень приятно познакомиться.

— Ужэ прыятно? — глумливо переспросил Ваграм и расхохотался. Просмеявшись, добавил: — Ну пойдем в бар, говорить будем.

Подмигнув Людмиле, Никита послушно зашагал вслед за кавказцем.

— А дама разве не с нами? — спросил Никита.

— За бабу базару нэт! — отрезал Ваграм.

Ну вот, подумал уныло Никита, с таким монстром связался, а пистолета не прихватил. Но, с другой стороны, может, и к лучшему: крутые гнушаются пистолетами Макарова по вполне понятной причине. Ведь это оружие может быть отнято или похищено в основном только у милиционеров и, стало быть, числится в розыскной карточке. Являться к бандитам с пистолетом Макарова — это все равно что форменный китель под «аляску» напялить.

— Подажды сэкунд, я сейчас, — сказал Ваграм и зашел в один из номеров.

Никита обескураженно застыл на месте. Мелькнула мысль, что он чем-то себя выдал. Но

169

вроде пока ничего такого и не говорил. Наверное, кавказец козыря ломит, поважнее выглядеть старается перед клиентом. На этот раз Никита настроил себя на более глобальные задачи, чем выявление автомобильных воров. Если Людмила чисто случайно приоткрыла перед ним вещи более значительные, чем он предполагал, в первый раз идя на задание в «Палас», то уж если держать ухо востро, то можно кое-что покрупнее автожуликов нарыть. Его немного разочаровывало, что Ваграм выглядел типичным членом какой-нибудь бандитской группировки. Наверняка у него на теле есть татуировка — два скрещенных кинжала, символ кавказского авторитета. Словом, Никита решил работать здесь с прицелом на дело Юрия Иванова.

— О чем задумался, Ныкыта? — тряхнув его за рукав пиджака, гаркнул Ваграм. — Не боись, решим твою проблэму. Пошли.

Ваграм привел его в небольшой, но роскошный бар на двенадцатом этаже, где они и расположились в самом углу. «Теперь, если что случится, и в окно не прыгнешь», — с грустью подумал Никита.

— Садись. Сейчас халдей фрукты-шмукты-коньяк принесет, — сказал Ваграм и первым уселся за стол. Никита расположился напротив.

— Ну какой проблэма тэбя мучит?

— Тачку у моего друга угнали.

— Друг гдэ живет?

— Он нездешний, из Тулы. Приезжал в Москву в командировку. В «Паласе» остановился. Пока документы оформлял — машину угнали.

Никита назвал имя, фамилию и фирму, где работал его друг. Все было заранее договорено, и такой человек в Туле действительно в это время находился, чтобы подстраховать Никиту.

— Зачем такой глупый твой друг? На улице машину оставил! — удивился Ваграм.

— Он ее собирался сразу же после оформления бумаг на платную стоянку отправить, но вот не успел... опередили.

— Надо было сначала машину устроить, а потом самому... — покачал головой Ваграм.

— Какой смысл раньше времени? А если бы в вашем отеле мест не оказалось?

— Тогда всегда в лубой другой отэл можно устроиться, — заметил кавказец. — Жадный, да, твой друг?

— Вроде нет, — пожал плечами Никита.

В это время официант принес истекающую желтым жиром осетрину, лимоны, ананас и бутылку коньяка.

Ваграм жестом отпустил официанта и сам разлил коньяк.

— Угощайся. Кушай. Потом будэм говорить.

Никита выпил и закусил.

Минут через пять Ваграм спросил:

— Когда угнали?

— Два месяца назад примерно, в обед.

— В милицию ходил?

— Ходил.

— Зачем? Не нашел?

— Как видишь.

— Зачем сразу не пришел?

— Ну кто же знал, Ваграм?

— Спросить у людей — скажут.

— Вот спросил — и пришел.

— Нэмножко опоздал...

— А что такое?! — вполне натурально всполошился Никита.

— Не пэрэжывай, дорогой! Если не разбили, найдем. Только будет дороже — не люблю дорогами с ментурой пересекаться.

— Много возьмешь?

— Если горячий след и без милиции, бэру десять процентов. С твоего хозяина — пятнадцать.

— Он мне не хозяин, — буркнул Никита.

— Тогда зачем ходишь, просишь?

— Потому что я ему приятель, потому что у него своей работы по горло, причем в Туле, а я все же здесь.

— Хорошо. Кто бабки мне даст, когда тачку найду?

— Или я, или Коля.

Ваграм снова наполнил рюмки.

— Давай выпьем за то, чтобы я нашел, а ты честно заплатил!

— Давай!

Выпили еще. Ваграм достал из кармана куртки шикарный блокнот бизнесмена с встроенным в корочки калькулятором и таймером, из специального гнезда вынул ручку.

— Диктуй!

— Что сначала?

— Фамилий клиента.

— Николай Федоров...

Никита подробно продиктовал Ваграму название тульской фирмы и рабочий телефон директора.

— Теперь говори, какой тачка. Цвэт, марка, номер.

— Машина редкая, Ваграм. Так что на запчасти ее вряд ли разберут. Может, в подарок кому-нибудь украли?

— Кому?

— Вору какому-нибудь важному.

— Не мели ерунда! Марка давай!

— «Лендровер-дефендер».

— Ого! Хороший тачка! Один раз видел!

— Так, может, ту самую машину и видел? — подхватил Никита.

— Ты меня не лови! — одернул оперативника Ваграм. — Ты ко мне пришел просить, а нэ наоборот!

— Извини, — повинился Никита.

Ваграм записал всю необходимую информацию и не спеша спрятал блокнот. Потом он снова разлил коньяк.

— Давай, Никита, за прощанье?

Бодров вовремя сообразил, что кавказец просто перепутал предлоги, но выпил без удовольствия. Никите не нравилось, что Ваграм держится с ним напряженно, не доверяет. Он решил сыграть под простачка.

— Скажи, Ваграм, у тебя здесь крутые связи или ты командуешь парадом? — спросил он с наивной улыбкой.

Фраза сработала: Ваграм крепко сжал в кулаке салфетку и, наклонившись к самому лицу Бодрова прошипел:

— Послушай, брокэр, тэбя на твой биржа научили спрашивать, чего не нада?!

— А что я такого сказал? — сделал Никита обиженную физиономию.

— Спрашивать — не твое дэло! Твое дэло просить, платить и говорить спасибо. Понимаешь?

— Понимаю, — кивнул Никита.

— Все, гуляй. Прыдешь чэрэз пять дней в одиннадцать часов.

— Хорошо, спасибо, до свидания, — словно бы стараясь выровнять с кавказцем отношения, пролепетал Бодров. Но Ваграм отмахнулся от него рукой, словно от мухи.

Никита спустился на лифте вниз и позвонил по внутреннему телефону Людмиле. Они встретились, и девица спросила о результатах разговора.

— Да что-то не очень мне все это понравилось, — досадливо махнул рукой Никита. — Уж больно крутой твой Ваграм. Разговаривает как тиран со слугой. А ведь царство-то его — машинешки да жратва дорогая.

— Не обращай внимания. Это у них национальный гонор такой, — успокоила его Людмила. — А вообще-то Ваграм и поважнее дела проворачивает, чем машины.

— Да что ты говоришь? — деланно удивился Никита. — Мне показалось, что он больше на воровского авторитета смахивает, про которых все бульварные газеты сейчас пишут. Популярная тема...

— Да нет же, Никита. Я тебе еще раз повторяю: Ваграм занимается более серьезным делом,

174

чем ты можешь себе представить. А машины — это так...

— Ладно, посмотрим. А, собственно, зачем он мне тогда хочет помочь, если он богат? — задал Никита провокационный вопрос.

— Он тебе помогает только потому, что об этом я его попросила. Понял? — слегка обиженно уточнила Людмила.

— Понял, извини, — смутился Бодров и, улыбнувшись, добавил: — Можно я к тебе вечером приду?

— Опять мечом махать будешь? — засмеялась девица.

— И мечом тоже, — подмигнул ей Никита.

— Позвони сначала, — сказала она и поспешила к лифту.

Никита вышел из парадных дверей и не торопясь пошел по улице. На всякий случай в МУРе он решил появиться только завтра. Раз Ваграм занимается чем-то бóльшим, нежели машины, надо быть начеку. Весь день он проболтался по Москве, даже какой-то музей посетил, но ничего не запомнил, потому что все время думал о Людмиле. С одной стороны, она была в сфере его профессиональных интересов, а с другой... Никита решил совмещать эти две полярные жизненные сферы сколько будет возможно. Вечером он позвонил ей и примчался на Сретенку. Они поужинали и устроились в креслах напротив телевизора. Несколько раз Людмила подходила к телефону, но ничего интересного Никита не услышал. Неожиданно перед самым сном ей позвонила женщина, которую Людмила назвала Ангелиной. Никита чуть не вскочил с кресла и не побежал к телефонной трубке, чтобы лучше услышать разговор. По обрывочным фразам Людмилы он составил примерно такую информацию: передай дяде Боре, что все гости остались довольны; про хозяина этого не скажешь, но это дело времени.

— А кто этот генерал рядом с твоим отцом на фотке? — спросил Никита.

— Это дядя Боря, друг отца по службе в Германии. Слушай, Никита, ты меня заколебал вопросами! Ответь хоть на один мой. Ты женат?

Насторожившийся было муровец от души рассмеялся...

Утром они простились на том же месте, что и в прошлый раз. Людмила укатила на леваке в «Палас», а Никита решил для подстраховки еще немного побродить по Москве. В МУР он пришел часа в три дня.

...Вроде все правильно сделал Никита, профессионально, да не заметил, что за ним постоянно следила женщина. В столичной толчее Никита много раз пытался зафиксировать подозрительных людей, но она вовремя сливалась с толпой. Довела она Бодрова до самого крыльца МУРа и растворилась.

2

Турецкий в раздумье ходил взад-вперед по своему кабинету. Следователь не знал, радоваться ему или огорчаться. Сегодня генеральный сообщил ему мнение верхов относительно дела об убийстве Юрия Иванова. Все обстоятельства смерти известного продюсера телевидения должны быть расследованы, всесторонне и объективно, как и полагается.

Турецкий решил в очередной раз переговорить с Меркуловым, позвонил и, получив добро, пошел к нему в кабинет.

Когда следователь вошел, Меркулов позвякивал заварочным чайником.

— У тебя что, секретарши нет? — с упреком спросил Турецкий.

— Просто я люблю, Саша, этот ритуал. Возня с заваркой мне душу согревает...

— А вот у меня на душе нынче прохладно, Костя, — вздохнул следователь, садясь напротив замгенпрокурора. — Представляешь ли ты, какие подводные течения имеются под этим делом Иванова?

— По имеющимся у меня сведениям, — начал Меркулов, — Иванов на столичном телевидении был человеком новым, но специалистом слыл способным. До лета этого года он мало кому был известен. Продал несколько программ государственной Российской телекомпании. Как телевизионщики сами признались, заплатили они ему за это не очень много, едва ли хватило бы Иванову, чтобы окупить затраты. Но тем не менее очередную президентскую кампанию он завернул круто. Значит, имел немалые деньги. Из известных рекламодателей и спонсоров никто ни копейки не вложил в этот его, понимаешь, чисто русский проект. Остается предполагать, что деньги эти пришли к Иванову из концерна «Кононг» и его дочернего предприятия фирмы «Каскад». Кстати, Саша, что означает слово «кононг»? — вдруг поинтересовался Константин Дмитриевич.

Турецкий ухмыльнулся, зная, что Меркулов иногда любит, так сказать, закинуть удочку на предмет эрудиции своих младших коллег.

— Ну, во-первых, Костя, то, о чем ты мне сейчас поведал, я и сам выяснил следственным путем. А во-вторых, значение слова «кононг» ты и сам прекрасно знаешь, а своего бедного кононга напрягаешь без нужды.

Турецкий хлопнул себя по плечу. Сегодня он был в прокурорской форме.

— Верно, Саша, у викингов это был полковник... Сразу видно, что эта организация имеет отношение к вооруженным силам. Четко себя назвали. Но продолжим разговор. Итак, учитывая возможные противоречия между продюсером и этими фирмами, можно сделать вывод: Иванов под какой-то бизнес или обещание брал немалые деньги, но своих обещаний не выполнил. Нам надо узнать конкретно, что именно он обещал этим фирмам и чего не смог или не успел выполнить...

— А наверху об этом знают? — поинтересовался Турецкий. — Я имею в виду правительственные круги и президентское окружение.

— Во всяком случае, дают понять, что знают. А мы вынуждены им верить, — ответил Меркулов.

— Я считаю, Костя, что на данном этапе следствия надо начинать работать с Колобовым и Тураевым, руководителями «Каскада» и «Конон-

178

га». Я решил не делать резких движений, чтобы их не вспугнуть. Возможно, Иванов убит с подачи одного из них. Пожалуй, начну с Тураева.

— Думаю, он с удовольствием с тобой встретится и поговорит.

— Ты что, не советуешь мне вызывать его к себе в кабинет?

— Но ты же сам сказал, что не хочешь делать резких движений. Потом, мне, как и тебе, уже ясно, что серьезная игра с серьезным противником только лишь начинается и главные преступники это понимают не хуже нас с тобой, — улыбнулся Меркулов.

— Так уж и с удовольствием он со мной встретится, — снимая вопрос, перефразировал Турецкий Меркулова.

— Уверяю тебя. Я с ним недавно разговаривал во время одного приема и намекнул, что единственная возможность избежать излишней шумихи — это откровенно поговорить с тобой.

— Как! Ты уже договорился о нашей с ним встрече? — изумился Турецкий.

— Разумеется. Через час он тебя ждет в своем офисе, — информировал Меркулов.

— Но все-таки, Костя, почему именно у него в офисе?

— Потому что я не уверен, что за Тураевым не следят. Он и сам не хочет светиться в Генпрокуратуре.

— А я там и не засвечусь, — усмехнулся Турецкий. — Кто мне гарантирует, что контора Тураева не напичкана «жучками», как булка изюмом?

179

— Я интересовался. Тураев заверил меня, что имеет своих уникальных специалистов по выклевыванию всяких «жучков», даже импортных.

— Да, кстати, Костя, ты не в курсе — у господина Колобова случайно нет приятелей в МУРе? — спросил следователь, нарочито отведя взгляд в сторону.

— Что отворачиваешься. Вопрос нормальный...

— Нормальный-то нормальный, а вот, понимаешь, был недавно Сергей Колобов в МУРе, своего пропавшего брата разыскивал. Так вот Юра Федоров его к Славе Грязнову направил...

— Интересно, — хмыкнул Меркулов.

— Но я ни на секунду не допускаю, что Слава может влипнуть во что-то гнусное! — Турецкий аж стукнул кулаком по столу.

— Я тоже, Саша, успокойся. Вполне возможно, что Колобов оказал Федорову какую-нибудь услугу и член коллегии Министерства внутренних дел в свою очередь помог ему чем мог: конфиденциально обратился к руководителю Московского уголовного розыска.

— Ладно, вот объявится Яковлев, встретимся и тогда уж погоняем чаи, — взглянув на часы, сказал Турецкий.

— Веришь, что объявится?

— Конечно. Я его как свою левую ногу чувствую...

— Все вы его чувствуете, а его до сих пор нет, — проворчал Меркулов. — Кстати, Саша, ты еще не допросил этого доктора Чижа? — уже вслед задал вопрос Меркулов.

— С ним тоже проблема. Видимо, перепугался сильно, нарофоминцы его уже сутки разыскивают...

— Так у тебя, выходит, на данный момент только один свидетель остался, который может подтвердить смерть этого Юрия Иванова! — воскликнул Меркулов. — И тот сотрудник МУРа, старший лейтенант Бодров, который входит в следственную бригаду по этому делу... Ну и дела!

— Вот именно, Костя. Опять смерть Иванова ускользает из наших рук, — сокрушенно махнул рукой Турецкий. — Если Чижа не отыщут, то... И судмедэкспертиза не поможет: мало ли людей с одной группой крови.

Турецкий попрощался и вышел из кабинета. А может, и к лучшему, подумал он, уже сидя за своим столом и черкая ручкой на листе. Если бы вчера состоялся допрос Чижа, то Ангелина уже сегодня была бы арестована. А в той игре, которая, как сказал Меркулов, только начинается, эта дамочка нам нужнее на свободе.

3

Турецкий остановился посредине просторного кабинета и стал разглядывать обстановку.

— Что будем пить, Александр Борисович? — раздался высокий, но жесткий голос.

Турецкий оглянулся. Из боковой двери, ведущей, по всей вероятности, в комнату отдыха, вышел коренастый, пожилой мужчина с проседью на висках. Дорогой костюм, галстук, прижатый к рубашке дорогой английской булавкой, — все выдавало в хозяине кабинета бизнесмена высокого полета.

— Как вы узнали, что это я? — поинтересовался следователь.

— Ничего сложного: видеоконтроль за всеми входами.

— Ну да, конечно... — буркнул следователь.

— Так что будем пить? — повторил свой вопрос Тураев.

— А это обязательно?

— В неофициальной беседе это желательно, — улыбнулся Тураев и кивнул на дверь, ведущую в комнату отдыха. — Проходите.

В небольшой в сравнении с кабинетом комнате уже был накрыт стол.

— Ого! — не сдержался от восклицания Турецкий. — С моей стороны было бы весьма неосторожно садиться с вами за такой роскошный стол...

— Почему вдруг? — удивленно вскинул брови Тураев.

— Пойдут кривотолки о том, как бизнесмен Тураев прикармливает следователя Турецкого.

— Ну вы не золотая рыбка, Александр Борисович, а я — не старуха у разбитого корыта, хотя все под Богом ходим! Люди, которые работают у меня, знают, что только я могу давать им каждый месяц солидную зарплату. Зачем же они будут подсиживать курочку, несущую золотые яйца?

— Однако, насколько я слышал, кому-то вы дорогу перешли.

— Это еще вопрос, кто кому перешел! Но иных уж нет...

Тураев наполнил рюмки, они выпили, и начался деловой разговор.

— Я вполне допускаю, Александр Борисович, что, прежде чем идти ко мне, с кое-какой информацией обо мне вы ознакомились.

— Ознакомился, конечно. Точнее, сам я информацию не искал, мне принесли ее на блюдечке с голубой каемочкой.

— Понятно. Значит, вы меня реально оцениваете?

— Вполне. На такой высоте быстро убирают лишних...

— Но я пока еще здесь, хотя кому-то я — кость в горле. Пожалуй, вы догадываетесь, зачем я вас пригласил?

— Догадываюсь: о телевидении будем говорить.

— Ну почти. Хотя прежде — о двух моих коллегах по концерну, Олеге и Сергее Колобовых. Не буду скрывать: Юрия Степановича Иванова они навещали по моей просьбе.

— И что они сделали с Ивановым?

Тураев удивленно приподнял брови.

— Насколько я знаю, среди мертвых только Олег.

«Не знает или притворяется?» — подумал Турецкий, а вслух заметил:

— Тогда среди кого Иванов?

— Не пастух я партнеру моему...

— Не лукавьте, Ильяс Георгиевич, еще какой

пастух! Другое дело, что сами с хлыстом не ходите.

— Знаю вас как человека неподкупного, Александр Борисович...

— Это откуда же? Наши дорожки до сих пор, кажется, не пересекались.

— Мы тоже собираем банк данных, — улыбнулся Тураев.

— Хорошо, буду знать и сторониться порочащих связей. А теперь поведайте, что вы хотите от меня?

— Во-первых, хочу развеять возможные подозрения в том, что я желал бы неприятностей господину Иванову...

— Развевайте, — Турецкий сделал приглашающий жест.

— Отношения концерна «Кононг» и телекомпании Иванова носили не столько экономический, сколько политический характер, если брать в расчет наш интерес...

— А его интерес?

— Конечно, деньги! Так вот, началось с того, что вложили мы в его компанию изрядную сумму. Теперь уже неважно какую. Нам было совершенно безразлично, кого из претендентов на президентское кресло он будет лоббировать. Главное, чтоб он не забывал провести в Думу нашего человека. Небось, спросите сейчас, кого?

— Не спрошу. Пока. Сейчас более интересно, насколько ради вас расстарался Юрий Степанович?

— Немного. Собственно говоря, почти никак.

Пару раз упомянул добрым словом и разок показал фотографию.

— Так, может, еще исправится?

— Уже нет...

Турецкий внутренне подобрался: неужели скажет сейчас, что Иванов покойник?

— Почему же нет? — спросил Турецкий.

— Потому что место нашего человека в Думе уже занято.

— Ах вон что. Тогда, конечно, у вас есть все основания для недовольства. И если учесть, что в таком деликатном случае, как ваш, в арбитражный суд, да и в обычный, гражданский, не пойдешь...

— Понимаю, куда вы клоните, но вынужден вас разочаровать. С директором телекомпании заключен юридически оформленный договор, согласно которому «Кононг» перечисляет на счет телекомпании энную сумму в счет будущей рекламы. В случае невыполнения условий договора одной из сторон подлежит возврату перечисленная сумма плюс неустойка. Если бы Иванов все заплатил сполна, у него остались бы только дешевые рабочие портки и ручная видеокамера первого поколения.

— В таком случае, вполне объяснимо то, что он сделал, — заметил Турецкий.

— Что именно вы имеете в виду?

— То, что он решил спрятаться от вас в царстве мертвых, подкинув вместо своих бренных останков труп своего врага.

— Ну какой Олег Колобов ему враг?

— Полагаю, что все люди, имеющие отношение к концерну «Кононг», для него враги.

— Все это было бы верно или хотя бы похоже на правду, дорогой Александр Борисович, если бы мы требовали от Юрия деньги.

— А вы ничего не требовали? Как Христос щеку, подставили другой карман?

Тураев улыбнулся:

— Этого от нас тоже ожидать трудно.

— В таком случае, что могло испугать его до смерти?

— Могу только предполагать, что у него завелись другие партнеры, очень возможно, наши конкуренты, ради которых он предал нас, а потом, в свою очередь, и тех ради кого-то третьего. Но те ребята подобных шуток не прощают.

— Вы предполагаете или знаете?

— У нас, знаете ли, всего уже мало, а фирм еще много, поэтому каждый, кто делает такой же бизнес, наш конкурент.

— Хорошо, я понял, что получаю дозированную информацию. Но у меня еще вопросик: вам Иванов нужен живым или мертвым?

— Живым, конечно!

— Зачем? Чтобы примерно казнить?

— Нет.

— А вы не допускаете, что Сергей Колобов сделает это самолично?

— Нет.

— Почему?

— Потому что если он это сделает, его тоже ждет суровое наказание.

— Родственные отношения выше служебной иерархии.

Тураев с сомнением покачал головой.

— На Кавказе — может быть. У нас стереотипы меняются. К тому же Иванова еще надо найти, а у Сергея нет времени, которое можно потратить на поиски.

— И вы ждете, когда мы его найдем?

— Да.

— Но если найдем его мы, вам вряд ли удастся свести с ним счеты, особенно если на нем повиснет убийство.

— Да ради Бога! Будет надо, доберемся до него и в камере — вам ли не знать! Дело вот в чем. Концерн «Кононг» учреждает премии, которые получите вы и те ваши товарищи, которых вы назовете.

— За Иванова?

— Да.

— И большая, извините, премия?

— Ну, скажем, несколько ваших месячных окладов.

— Совсем неплохо! Но, вероятно, имеются какие-то условия? — начал игру Турецкий.

— Конечно. Для всех ваших коллег, которые попадут в платежную ведомость, скажем так, главный критерий — скорость. Вам я скажу правду. У Юрия Иванова имеется видеокассета, которая мне очень нужна. Если вы его найдете и будете брать, то надо проследить, чтобы случайно одну важную кассету не повредили.

— Кассету?! — вырвалось у Турецкого.

— Что это реакция у вас такая бурная, Александр Борисович? — улыбнулся Тураев. — Наверное, думали, что будете у меня про нее допытывать, а Тураев возьми да сам вам о ней скажи... Так?

— Не совсем, — взял себя в руки следователь. — Значит, мы должны ее у Иванова отнять и передать вам? — уточнил он.

— Совершенно верно.

Некоторое время в комнате царило молчание. Затем Тураев наполнил рюмки, жестом пригласил следователя к выпивке и сказал:

— Не деликатничайте, Александр Борисович, спрашивайте, что за кассета. Я ведь понял, что вы уже о ней что-то знаете.

Турецкий хмыкнул и повторил:

— Что за кассета?

— На ней записана та самая передача, ради которой мы вбухали в телекомпанию деньги. Это наш заказ Иванову. Скрытой камерой записан разговор двух жуликов от правительства о том, как и на чем они будут заколачивать бабки в следующем году.

— Вам эта пленка нужна для шантажа? — поинтересовался следователь.

— Если так можно назвать выпуск этой записи в эфир, то да. Нам очень нужна эта кассета. Что скажете, Александр Борисович?

— Будем искать.

Турецкий встал из-за стола, намереваясь откланяться и случайно бросил взгляд на стену. На ней висела в несколько раз увеличенная фотография. На фоне Берлинской стены стояли и улыбались три офицера, а между ними генерал. С одного бока фотография была отрезана.

— Исторический снимок, — заметил Турецкий.

— Да, это мы, перед тем как убраться из Германии в 94-м, запечатлелись.

— Кто это с вами? — поинтересовался Турецкий.

— Да вот же Серега Колобов, а это — Костя Семенов, рядом — заместитель начальника штаба армии генерал Борис Альбертович Авдеев, проще дядя Боря.

— Это тот самый, что и сейчас в Генштабе? — поинтересовался Турецкий.

— Да, тот самый, — сухо уточнил Тураев.

— Что это у вас голос посуровел, когда о друзьях вспомнили? — не удержался следователь от провокационного вопроса.

— Там мы были друзьями, а на родине на грани вражды оказались.

— Не понял?! — притворно удивился Турецкий.

— Я сам многого не могу понять. Как известно, из Германии мы уходили тяжело и относительно поспешно. Был бы тогда в МИДе Громыко, такого бардака не было бы. Так вот, даже для того чтобы убраться, средств не хватало. Дядя Боря в этот тяжкий момент нашел, грубо говоря, спонсора. Некий Каширин, выходец из России, теперь западный мультимиллионер. Одним словом, Каширин тогда подбросил нам большие деньги, благодаря которым мы более-менее благополучно убрались из Германии. Собственно говоря, и создание концерна «Кононг» под крышей Союза ветеранов ЗГВ — это идея Каширина. Суть деятельности глобальная: ни больше ни меньше как поддержание стабильности мира на планете. Каширин поддерживает нас и сейчас. Через наш Союз идут в Россию инвестиции, так сказать, вливания в экономику России и тэ дэ и тэ пэ. Но дело в том, что сам Каширин — человек, обуреваемый политическими амбициями, а его пристрастия в этом смысле далеко не всегда совпадают с нашими. Вы понимаете?

— Да, конечно, у русских офицеров своих политических амбиций хоть отбавляй, — кивнул Турецкий.

— Вот именно, Александр Борисович. Я грешным делом полагаю, что на этой почве и возникают все таинственные движения и взрывы в сфере деятельности нашего концерна и организаций, так или иначе к нему относящихся, например «Спектр» и «Каскад», где директором Сергей Колобов. Надо срочно нормализовать обстановку. Вот, собственно, и все, что я хотел сказать в нашу первую встречу. Ищите кассету, Александр Борисович. Найдете — я вас отблагодарю...

Выйдя на улицу, Турецкий присвистнул и вслух произнес:

— Нароем мы здесь, чувствую, столько, что Генпрокуратура не увезет! — И про себя отметил: «Однако на своем снимке Тураев одного офицерика отчекрыжил. На фотке, что переснял Яковлев в квартире Людмилы Семеновой, — пятеро персонажей, а на тураевском снимке — четверо. Видимо, очень проштрафился тот, пятый, если Тураев его даже с фотографии убрал...»

4

Яковлев долго не мог понять, к кому он попал в лапы в лесном домике доктора Чижа. Понятно, что два вооруженных крепыша имеют отношение к смерти Юрия Иванова, но косвенное или прямое — этого оперативник не успел выяснить.

Там, во дворе, когда пленивший его крепыш с автоматом сковывал пленному запястья наручниками, муровец спросил было, с кем же это его свела судьба. На что получил ответ, сопровождаемый легким тумаком и смешком:

— Учти, что всякое твое слово может быть использовано против тебя!

— Тоже мне, коп с Манхэттена! — хмыкнул Яковлев и был сразу же награжден более ощутимым тумаком.

Затем оклемался Серый — с горячим желанием хорошенько настучать по «дурной башке». К счастью, этого не произошло. Первый раздраженно заметил, что некогда здесь разборки устраивать, для этого еще будет масса времени.

Потом подполковника затащили в машину и там приковали наручниками к дверце.

— Не удерет? — усомнился Серый.

— С дверью-то? Пусть попробует. Ты нашел корочки?

— Где тут найдешь, Гоша? Темно, как у негра в...

— Смотри! Если имя твое всплывет, считай, что ты себя похоронил!..

— Да ладно! Не здесь я их потерял, да и не терял вовсе! Дома, наверное, остались. Скажи лучше, зачем тебе этот гад сдался? Замочим, прикопаем — и черт с ним!

— Не психуй! Или страшно стало?

— Чего мне бояться?

— Ну если мандраж отсутствует, пошли за трупом.

— Ничего не понял! Гоша, кого по кумполу треснули? Может, не меня? Только же подвесили...

— Заткнись, а то и я еще по твоей дурной голове добавлю! Делай, что говорят!

Через несколько минут они вышли из дома с увесистым свертком, который положили в багажник.

— Не испачкаем коврик? — обеспокоенно спросил Серый.

— Ничего с ним не сделается. Нет там уже крови, какая не вытекла, так свернулась.

— Ну а этот нам зачем?

— Достал уже! Вот отъедем подальше и спросим, кто он, откуда и зачем здесь.

— Незачем так долго ждать, ребята, — сказал Яковлев, когда джип медленно тронулся по лесной дороге прочь от укромного охотничьего домика.

— Заговоришь, когда спросят, — оборвал его Серый и, обращаясь к Гоше, заметил: — Может, надо было и хату подпалить, чтоб уж все концы в огонь?

— Возни много, а у нас времени в обрез.

В молчании проехали некоторое время, затем Серый потрогал шишку на затылке.

— Вроде здорово шандарахнул, а даже крови нет, — удивился он.

Гоша взглянул на него и сказал не без насмешки:

— Наверное, убивать тебя не хотел, а?

Серый повернулся к Яковлеву:

— Че, правда?

— Да уж конечно, хотел бы — проломил бы башку, — кивнул тот.

— Тогда зачем?

— В плен хотел вас взять.

— Двоих?! Ну герой! А ты хоть обыскивал его, Гоша? Может, он гранатами обвешан, как яблонька?

— Сейчас посмотрим, — согласился Гоша.

Джип остановился.

— В лес выведем или здесь допросим? — деловито поинтересовался Серый.

— В лес опасно. Темно уже, а он, по всему судя, опытный, удерет еще.

Серый подсел на заднее сиденье с автоматом на изготовку, состроил зверскую физиономию, но оружие держал правильно: Яковлев видел, что даже при совершенной реакции не сможет блокировать так, чтобы, в случае чего, пули ушли мимо. Собственно говоря, он предполагал теперь, что его, вполне вероятно, не убьют. Если бы им этого хотелось, не стали бы так долго тянуть, на садистов не похожи.

Пока Серый следил злым бдительным взглядом, более опытный Гоша вышел из машины, открыл дверцу, за которой сидел муровец, и стал методично, не торопясь, его обыскивать.

Отправляясь на достаточно авантюрное задание, которое к тому же он сам себе и задал, Яковлев не взял с собой ни документов, ни табельного оружия. Только маленький дамский браунинг, который достался ему в какой-то не очень опасной переделке.

— Ну что, старина, пушечка у тебя не ширпотребная, паспорт с собой не носишь... — Гоша повертел серебристый браунинг в руке и небрежно сунул в карман. — Тебе повезло, Серый, что он тебя не ТТ по башке треснул. — ...И кто же ты? — добавил он, снова обращаясь к Яковлеву.

— А ты как думаешь?

— Дерзишь?

— С чего ты взял?

— Я привык, чтоб на мои вопросы отвечали четко и ясно, без дураков!

— Вот и надо было в армии оставаться: там это в ранг закона возведено, а на гражданке только страхом того можно добиться.

— Видал, Серый, каков орел! А ты кто — дурак или смельчак?

— Часто это одно и то же, дружок.

— О! Еще и философ! Ну и за каким хреном ты поперся на эту дачку?

— Хотел с Ивановым встретиться.

— Встретился?

— Не так, как хотелось бы.

— Так ты его подельник?

— Разве я похож на телеоператора?

— В том-то и дело, — недобро оскалился Гоша, — что ты на всех сразу похож. И за бандита канаешь, и за слесаря, и за мента.

— Вот и угадал, Гоша.

— Что — угадал? — туповато переспросил тот.

— Угадал, кто я.

— Ну кто?

— Кто больше всех Иванову был нужен?

— Поп, что ли?

— Не зацикливайся на крови. Еще раньше? — подсказал Яковлев.

— Продавец ему был нужен, который липовые ксивы толкает, — усмехнулся Гоша.

— Нет, господа, вы рассуждаете в силу собственного преступного ума и атмосферы всероссийского бардака.

— Короче, Склифософский! — перебил его Серый.

— Ему был необходим добрый и честный мент, ребята.

— Такого не бывает! — хмыкнул Серый.

— Нет, находятся еще дураки...

— И ты из таких? — спросил Гоша.

— Так точно!

— Местный участковый? Так одет вроде хорошо...

— Ты обижаешь меня, Гоша. Позвольте представиться: заместитель начальника Московского уголовного розыска, подполковник Яковлев.

— Подполковник МУРа... — растерянно пробормотал Серый.

А Гоша совсем уж по-детски спросил:

— Не врешь?

— Нет смысла.

— Почему?

— Чего бы я ни наплел — убьете. Но дело в том, что я был не один. И не один видел, что вы сделали с Ивановым...

— С чего ты взял, что мы?

— Не вы, так ваши дружки. Иначе зачем вам тело прятать?

— А с кем ты был? — спросил Гоша.

— Не веришь? Думаешь, блефую? Было нас трое, назову только одного: старший лейтенант Никита Бодров, тоже из МУРа. Если вы очень крутые, быстро сможете проверить мои слова.

— Что делать будем? — сплюнув, спросил Гоша.

— Может, пристрелим? — предложил Серый.

— Это не выход, — раздумывал Гоша. — Хотя...

И тут Яковлева осенило.

— Ребята, — сказал он ласково. — Может, я вам советом помогу?

— Видали мы твои советы, — огрызнулся Серый.

Но Гоша возразил ему:

— Не спеши, Серый, он шкуру свою спасает, значит, будет говорить по делу. Иначе!..

— Не сказал бы, что ты прав, Гоша. Но речь сейчас не о том, боюсь я умирать или нет. Дело в том, что вам-то от этого никакой пользы, окромя вреда! — вставил подполковник. — Мой напарник давно уже в Москве. Он увез с собой обнаруженные корочки Серого. Ты ведь, Серый, потерял свое водительское удостоверение? — обратился он к растерявшемуся парню.

— Какое еще удостоверение? — пытался он юлить.

Тут встрял Гоша и грубо бросил Серому:

— Идиот ты, дружок! Теперь хочешь не хочешь надо докладывать об этом на базу, — с грустью добавил он. — Все равно узнают рано или поздно.

— О чем докладывать? — печально отозвался Серый.

— Хотя бы о нем, — кивнул Гоша на муровца.

Гоша отошел от джипа, достал из кармана куртки сотовик и набрал номер. Разговаривал он долго, и это вселило в Яковлева надежду: если бы решили убрать его на месте, то не совещались бы так долго.

К радости муровца, Гоша вернулся к машине повеселевший и приободренный.

— Ну че? — нетерпеливо спросил Серый.

— Кому че, кому не че, кому — хрен через плечо! Едем на базу, везем с собой этого бойца. Так что все о'кей! Нам, во всяком случае, не придется его мочить.

— Тоже мне, радость нашел. А я замочил бы...

— Вот и заткнись! А то, глядишь, и самого замочат.

— Ладно, обсуждать приказы — не наше дело. Поехали!

Яковлев все время пытался понять, куда же

его везут. Но видать парни пришли в дело не со школьной скамьи. Он так и не понял, какой дорогой и куда движется джип, ставший труповозкой.

...Было совсем темно, когда они выехали из леса на дорогу, что вела вдоль полей к ближайшему райцентру.

Угомонился Серый, немного успокоился и Гоша. Они получили конкретные указания и, как дисциплинированные воины, грамотно все исполняли.

На разъезде, где без светофора одна дорога плавно вливалась в другую, джип взяли в клещи: спереди и сзади его сопровождали легковые автомобили, марки которых в темноте невозможно было определить.

Сначала Гоша с беспокойством озирался и даже цедил сквозь зубы матерные слова.

Затем те, что ехали впереди, посигналили, приглашая притормозить.

Недоверчивый Гоша только прибавил газу. Серый встрепенулся:

— Гоша, кто это?

— А хрен их знает!

— Ты видишь, грубого наезда нету, да?

— Нету-нету! Ну и что! А если это босс? — заколебался Гоша.

В этот момент пошел сигнал на сотовый телефон. Гоша, руля одной рукой, достал из кармана сотовик и сказал:

— Гоша слушает. Так... Понял... Понял!.. Сейчас тормозим, — бросил он Серому. — Нас перекинут в другую тачку.

Гоша припарковался у обочины. Спереди и сзади приближались огни. Подъехавшие машины остановились с двух сторон. Спереди и сзади вышли два человека и подошли к джипу. Один подошел к дверце, где на месте водителя сидел Гоша, а другой встал возле задней, где Серый держал Яковлева на прицеле.

— В чем дело, ребята? — спросил один из подошедших. — Кого на хвосте везете?

Гоша и Серый одновременно приоткрыли дверцы, но сказать ничего не успели. Несколько сухих щелчков, характерных для выстрелов из пистолетов с глушителями, навеки успокоили парней.

Яковлев замер, приготовившись разделить участь боевиков, но стрелявшие не обратили на него никакого внимания. Они еще сделали по контрольному выстрелу, сели в свои машины и укатили.

Подполковник остался сидеть, прикованный к дверце джипа. Тепло быстро выветривалось из салона, резко пахло кровью...

5

Турецкий приехал в МУР, надеясь разузнать что-нибудь про Яковлева, но вновь ничего утешительного ему не сообщили. Идя к Грязнову, следователь заглянул в кабинет Яковлева. Там за столом подполковника сидел Никита и уныло чертил что-то ручкой. Телевизор темным пятном торчал на сейфе, словно тосковал по хозяину.

— Хватит траур разводить, Бодров! — громко сказал Турецкий. — Пошли к Грязнову на большой совет...

— Какие новости, Слава? — обратился Турецкий к начальнику МУРа.

— Ни плохих, ни хороших, — развел руками Грязнов.

— Из-за меня все, — пробормотал Никита.

— Из-за прокуратуры все! — уточнил Турецкий.

— Как с вами свяжешься, так обязательно что-нибудь происходит, — проворчал Грязнов.

— Я бы рад вас не беспокоить, да ведь, кроме вас, никто мне не будет помогать, — мягко сказал Турецкий. — А ты, Никита, перестань себя виноватить. Еще неизвестно, что было бы, останься ты с Яковлевым. Сейчас мы хотя бы от тебя знаем, что Иванов мертв. А по водительскому удостоверению, которое ты привез, мы вычислили одного из убийц.

— Я понимаю, — потупился Никита.

— Скажи, Саня, что там в верхах? Когда бардак кончится? — спросил Грязнов.

— Этого, Слава, сам Президент не знает. Однако ему здорово помогают избавляться от собственного окружения. Ты же знаешь, что уже и Суханова от Президента подальше отодвинули...

— Так что же нам делать? — встал из-за стола Грязнов.

— Да ты не мечись, Слава! Коль казнокрадов нам не осилить, будем ловить убийц, — изрек Турецкий, сопроводив свой вывод рубящим жестом руки.

— Да, Саня, нам в их дележку никак не всунуться, — посетовал Грязнов. — Делят власть и собственность, а на остальное плевать. Жалко простых людей...

— Вот простых людей и будем защищать, Слава, — просто заметил Турецкий.

В этот момент распахнулась дверь и в кабинет спортивной походкой вошел подполковник Яковлев. С минуту продолжалась немая сцена.

— Здорово, орлы! Тризну, что ли, по мне справляете? — лихо спросил он.

— Плюнь через левое плечо, холера! — воскликнул Грязнов, шагнув ему навстречу и горячо пожимая руку.

— Давай и я тебя пощупаю! — поспешил к Яковлеву Турецкий. — Я из-за тебя всю ночь не спал.

— Да, ночка была не очень приятная, — бравировал Яковлев. И, обращаясь к Никите, добавил: — Ты у меня — молодец, все сделал как надо, Никита. Выношу устную благодарность, а эта наша опергруппа оказались чудаками на букву «м»! А что это вы здесь в присутствии сотрудника Генпрокуратуры обсуждаете? — лукаво улыбаясь, спросил он.

— Да вот Турецкий подбивает нас на употребление спиртного в служебное время, — заявил Грязнов, ткнув пальцем в грудь следователя.

— Ну что ж, за свое избавление я и с прокуратурой тяпну по рюмашке! — согласился подполковник. — Только я в кабинете начальника не пью. Дело принципа. Прошу, господа, ко мне в

201

кабинет. У меня там в сейфе коньяк есть, да и без телевизора я расслабляться не могу...

Когда «Фотон» был включён, а коньяк разлит по рюмкам, Яковлев вдруг с грустной улыбкой сказал:

— Вообще-то на пенсию мне уже пора, господа. Первым заметил противников и проиграл.

— Ну-ну, — вставил Турецкий, — это уже интересно!

— Не думал, что тебя это обрадует! — несколько обиженно произнёс Яковлев.

— Меня просто приятно удивило, что ты перестал хвастаться.

— Да уж нечем...

— Неправда, Владимир Михайлович, — горячо воскликнул Никита. — Иванова мы нашли!..

— Остынь. Уже потеряли, — отмахнулся подполковник.

— Знаем, — кивнул Турецкий.

— Зато на девяносто процентов я уверен, что завалили телевизионщика наши, так сказать, кононги.

Яковлев рассказал о признании доктора Чижа, о своих злоключениях и завершил повествование вопросом:

— Как думаете, умные головы, почему меня не пристрелили?

— Думаю, парни не дураки, смекнули, что если муровца убьют, места им в Москве не будет! — заметил Грязнов.

— Так думать, конечно, лестно, — покачал головой Яковлев. — Только нынче для них свалить за бугор проблем не существует. А там шарить по всем закоулкам у нас еще руки коротки.

— А сам как считаешь? — спросил Турецкий.

— Толком не знаю. Может, предупреждение?

— О чем?

— Чтоб не лезли в их разборку. А боевиков убрали, потому что все равно уже засвеченные.

— Насчет боевиков резонно, — согласился Турецкий. — Но мне кажется, что остался ты живым, Володя, только потому, что кому-то нужны еще твой ум и опыт.

— Кому это — кому-то?

— Как ни странно, возможно, все тем же нашим друзьям в кавычках из «Каскада» и «Кононга». Уверен, что камнем преткновения сейчас является та самая видеокассета с компроматом, которую Иванов отснял в Германии по заказу Тураева. Олег Колобов явился к Иванову именно за этой кассетой, но, видимо, ценность ее так велика, что Иванов пошел на преступление: убил Колобова, возможно, с помощью Ангелины. С этой кассетой он и хотел уехать за границу, чтобы там ее продать за деньги, несравненно большие, нежели бы он получил от Тураева и Сергея Колобова... События последних дней показали, — продолжал Турецкий, — что у Иванова кассеты не оказалось, потому он и был убит. Кассета, господа, имеет огромное значение для руководителей «Каскада» и «Кононга». Не исключаю также и третью заинтересованную в этой кассете сторону. Вот поэтому, Володя, они ее и сами ищут, и на наши головы надеются, до поры до времени, конечно. Полагаю также, что Сергей

Колобов и Тураев — смертельные враги. Идет жестокая конкурентная борьба. И тот и другой хотят заполучить эту кассету, чтобы использовать в своих интересах. Я выяснил, что вскоре после гибели на польской границе Семенова, экспедитора «Каскада», на Тураева было совершено неудачное покушение: он отделался ранениями. Если присовокупить к этому информацию Никиты, то получается интересная тема для размышления.

Тут Турецкий выразительно посмотрел на Бодрова.

— Как известно, наш молодой, подающий большие надежды друг Никита Бодров вынес из квартиры Людмилы Семеновой, дочери убитого экспедитора фирмы «Каскад», очень любопытную информацию. Из обрывков фраз во время одного из телефонных разговоров Людмилы он составил следующее: Ангелина попросила Людмилу передать дяде Боре, что все гости остались довольны, но «про хозяина этого не скажешь». Этот телефонный разговор происходил, когда наш Володя сидел прикованный к дверце джипа рядом с трупами двух боевиков. Все это утверждает меня в мысли, что Ангелина сейчас находится на перекрестке происходящих событий. Это она после последнего допроса, где фактически заложила, как говорят уголовники, своего муженька, выйдя на улицу, позвонила и доктору Чижу, и тем, кто приехал в охотничий домик на хвосте у нашей оперативной группы. А кого в той ситуации, собственно, можно причислить к гостям? Конечно, таковыми были муровцы и Юрий

Иванов. Стало быть, роль хозяина безраздельно принадлежала доктору Чижу!

— Они его грохнут! Надо немедленно брать доктора! — встрял Никита.

Турецкий, не обращая внимания на восклицание молодого опера, продолжал:

— Ты, Володя, хорошо успел осмотреть покои убитого и его самого? Или мы располагаем только тем, что Никита успел нацарапать в своем блокноте?

— Для предварительного осмотра у нас время было, но для обыска — увы, — покачал головой Яковлев.

— Значит, никакой видеокассеты вы в глаза не видели?

— Конечно, нет.

— Зря, Володя. Директор «Кононга» большую премию сулит, если найдем эту кассету. Правда, еще не знает, с кем имеет дело, деляга...

— А может, те, что меня скрутили, именно за ней и вернулись? — предположил Яковлев.

— Все может быть. Во всяком случае, господин Тураев прозрачно намекнул мне, что если Иванов имеет неприятности, то только потому, что не отдал эту кассету по назначению.

— А что хоть за кино на этой кассете? — поинтересовался Грязнов.

— Если верить хозяину, то очень интересное кино. Главные герои — жулики от правительства. Они, не подозревая, что их снимают скрытой камерой, делятся планами, на чем в будущем году бабки сорвать.

— Ну-ну, а я-то думал, что телевизионщикам

за явную халтуру гонорар не платят, в крайнем случае морду бьют, а их еще, оказывается, за такую лажу режут, — хмыкнул Грязнов.

— Правильно ты подумал, Слава, — оживился Турецкий. — Темнит Тураев. Никакой ценности внутренний компромат на наших правительственных деятелей не имеет. Они и так в нем по уши и всегда смогут выкрутиться. Значит, на кассете что-то другое. То, что заставляет так остро переживать за судьбу этой кассеты всех наших «друзей». Даже покойного Иванова бес попутал, когда он понял истинную цену тому, что он отснял по заказу Тураева. Телевизионщики знают цену компромату!

— Я так понял. Наша задача — если не найти, так восстановить события, запечатленные на этой таинственной кассете, — щелкнул пальцами Грязнов.

— Итак, будем исходить из того, что кассета пока не найдена, — подвел итог Турецкий.

— Где Иванов мог ее спрятать? — задумчиво произнес Яковлев.

— Может, дома? — ни к кому не обращаясь, вставил Никита и сам себе ответил: — Вряд ли...

— Молодец! — с легкой иронией похвалил Никиту Яковлев.

— Он у тебя всегда молодец, — улыбнулся Грязнов. — Может, у Ангелины? — добавил он, сощурившись.

— Все варианты возможны, но надо искать правильный, — сказал Турецкий. — У него, по-видимому, был совсем неширокий круг друзей, которым он мог бы доверить на хранение кассету.

206

— А Чиж? — спросил Никита.

— Чиж делает только то, что скажет ему Ангелина, — уточнил Турецкий. — Хотя это не исключено. Или кассета была у него какое-то время...

Зазвонил телефон. Яковлев как хозяин кабинета снял трубку. Через минуту он сообщил, что в Наро-Фоминске повесился доктор Чиж. Турецкий принял решение немедленно с оперативно-следственной бригадой выехать на место происшествия.

Нарофоминский следователь из прокуратуры протянул Турецкому протокол с места осмотра происшествия. Пропустив шапку документов, Александр Борисович начал читать со строки: «Квартира 28 располагается на втором этаже пятиэтажного дома 25 по улице Октября г. Наро-Фоминска. Входная дверь не укреплена, обита дерматином, оба имеющиеся на двери замка повреждены. Квартира состоит из одной комнаты, кухни и коридора.

При входе из коридора в комнату в дверном проеме лежит труп Чижа В. Г. ногами в сторону двери, головой к дивану, ноги разведены в стороны, руки лежат на полу вдоль туловища. На трупе надеты: черное кашемировое длинное пальто, верхняя пуговица его расстегнута, три остальные застегнуты; под пальто — темно-синий трикотажный костюм, кремовая рубашка с темным в светлый горошек галстуком; под рубашкой — белая майка; под брюками — белые трусы с рисунком типа плавок; на ногах — туфли черного цвета, темно-синие носки. Одежда добротная, импортного производства. На левой руке часы из желтого металла «Роллекс». На безымянном пальце левой руки массивный перстень желтого металла.

Трупное окоченение не выражено. Лицо синюшного оттенка, глазные щели немного раскрыты, кости и хрящи носа на ощупь целы, у входных отверстий носа и рта располагаются кровянистые потеки. Рот приоткрыт, во рту кровянистое содержимое. Видимые зубы без повреждений, часть из них под коронками желтого металла, ушные раковины обычной формы, слуховые проходы свободны.

На шее находится одиночная замкнутая петля из белого синтетического шнура диаметром 0,4 см. На задней поверхности шеи шнур завязан в узел-петлю, свободный конец длиной 40 см свободно свисает за головой. Шнур разрезан и снят с шеи. Под ним расположена одиночная незамкнутая странгуляционная борозда, которая проходит на передней поверхности шеи чуть выше щитовидного хряща, на правой боковой поверхности шеи — на 2 см ниже угла нижней челюсти, на левой боковой поверхности шеи — на 1,5 см ниже угла нижней челюсти, на задней поверхности шеи странгуляционная борозда не выражена. На подбородке в центре ссадина красновато-коричневого цвета размером 0,5 × 0,5 см. Грудная клетка обычной формы, ребра на ощупь целы. Живот выше уровня грудной клетки, кости конечностей на ощупь целы.

Рядом с трупом в углу слева от входной двери стоит кресло, далее у левой северной стены —

диван-кровать коричневого цвета. На кровати лежат разбросанные носильные вещи, постельные принадлежности. Рядом с диваном в левой половине комнаты стоит полированный стол темной окраски, обе крышки которого раздвинуты на 25—30 см. У передней восточной стены находится еще один диван, на нем лежат два ковра, два ящика из шкафа, в одном документы и книги, другой пуст. На диване в беспорядке разбросаны носильные вещи. Около дивана ближе к правому переднему краю стоит трехстворчатый одежный шкаф с антресолями. Двери шкафа раскрыты, вещи выброшены на пол. На правой южной стене расположено окно. На карнизе висит гардина белая и хлопчатобумажная штора. Подоконник отломан, брошен на пол возле окна.

В коридоре в стене под потолком над дверным проемом вбит в стену крюк, предназначение которого установить не представилось возможным. На крюке имеется отрезок белого синтетического шнура длиной 15 см.

В кухне с левой стороны стоит кухонный стол, на нем посуда, рядом холодильник. В правой от входа стене расположено окно, у которого от пола к потолку проходит металлическая труба отопления. К ней привязан белый синтетический шнур, конец которого отрезан. К правому верхнему краю наличника двери прибит гвоздь, к которому привязан такой же белый шнур, конец его также имеет следы среза...»

Турецкий отодвинул от себя протокол и сурово взглянул на следователя, составившего этот документ.

— Вот уж вы постарались, составили филькину грамоту, из которой следует только один вывод: доктор Чиж что-то искал, не нашел и с горя повесился. Прости Господи!.. Как так можно вообще выполнять свои обязанности! — возмущенно начал Турецкий. — Ясно ведь, что рылся кто-то в квартире из неизвестных. На это вы сразу же должны были настроиться, когда увидели сломанные замки. Потом, крюк... ведь невооруженным глазом видно, что его вбили специально, чтобы повесить жертву. Чиж потерял сознание от сильного удара в подбородок, тут его и повесили на этот крюк.

Нарофоминский следователь, потупившись, слушал Турецкого.

— Да что с вами говорить, — в сердцах бросил Александр Борисович. — Пригласите хозяйку квартиры.

Следователь, обрадованный, что разнос кончился, живо сходил на кухню и привел хозяйку.

Эта женщина оказалась любовницей доктора Чижа. Она работала диетсестрой в том же доме отдыха, что и покойный. Турецкий добился от нее лишь признания того, что она вытащила своего любовника из петли, но слишком поздно.

Вскоре судмедэксперты подтвердили предположение Турецкого о насильственной смерти доктора Чижа.

В машине Александр Борисович сказал Грязнову:

— У меня такое впечатление, Слава, что они прямо-таки стелют трупы нам под ноги, чтобы мы спотыкались. А искали они явно кассету...

Круг предполагаемых обладателей этого компромата сужается. Почему они не трогают Ангелину? — покачал он головой. — Ведь по логике... Хотя, может быть, и так: Тураев думает, что кассета уже у Сергея Колобова, а тот в свою очередь думает то же про Тураева. Ангелина сейчас единственная, кто может знать, где сейчас эта кассета. Поэтому они ее и пасут.

— То же будем делать и мы, Саня, — кивнул Грязнов.

— Завтра вызову мадам Иванову на допрос, — задумчиво сказал Турецкий. — Конечно, она уже знает, что Чижа убрали. Но ничего, поработаем...

Глава седьмая

1

Бодров собирался на встречу с Ваграмом. Его одолевали тревожные предчувствия. Причина для тревоги была: сегодня в телефонном разговоре Ваграм предложил встретиться не в «Паласе», как было намечено ранее, а почему-то при входе на станцию метро «Войковская». Подмывало взять пистолет, но на подобные мероприятия оружие не берут.

Яковлева не было. Никита решил зайти к Грязнову и поделиться своими сомнениями. Грязнов, внимательно выслушав Никиту, сказал:

— В разговоре с Ваграмом ты вроде не сделал ошибки. Подстраховка в Туле надежная. Остается только то, что тебя пасли...

— Да, за полтора дня, которые я по Москве проболтался, любой хвост можно было заметить, — пожал плечами Никита. — Ладно, на улице захотел встретиться со мной так на улице! Пойду, Вячеслав Иванович, пить пиво с пирожками, а то я уже на осетрину с коньяком губу раскатал! — решительно сказал Никита и встал, чтобы уйти.

— Постой, — задержал его Грязнов. — Слушай меня внимательно: если до шести вечера не будет твоего звонка, знай, что мы всю Москву ставим на уши... Будь молодцом — и удачи тебе!

В назначенное время Никита стоял у газетного киоска возле большого, серого, сталинской постройки дома. К тротуару мягко приткнулся белый роскошный автомобиль «ауди». Медленно опустилось тонированное стекло передней дверцы, и в проеме показалось небритое лицо Ваграма.

— Прывет, друг. Садысь.

Кто-то тут же открыл заднюю дверцу.

Никита оглянулся зачем-то и нырнул в салон.

Внутри сидели трое: Ваграм рядом с водителем, русским с виду, и на заднем сиденье, с Никитой, еще один жгучий брюнет с орлиным носом.

Хотя Никита уселся уже на роскошном сиденье, водитель не трогался с места, вяло выбивал дробь пальцами по баранке и посматривал в зеркало заднего вида.

Никите сидеть бы спокойно и невозмутимо, как самураю, но, не выдержав, он спросил:

— Ждем кого?

— Да, — односложно ответил Ваграм.

Через минуту задняя дверца снова открылась, и в салон втиснулся еще один земляк Ваграма — огромного роста с банкой пива в огромной волосатой лапе. Он сел с краю, и таким образом Никита оказался зажатым между двумя крепкими горцами, у которых на коротко стриженных головах волос было едва ли больше, чем щетины на смуглых щеках.

— Поехали, — коротко распорядился Ваграм.

Машина тронулась с места и, резко набирая скорость, помчалась, как понял Никита, по направлению из города.

Бодрову не понравилось, что его посадили в машине так, как обычно его коллеги сажают арестованных злодеев. Чем вызвана такая предосторожность с их стороны? Боятся, что клиент не расплатится? — прикидывал он.

— А куда это мы едем? — спросил он.

— В гараж, — ответил Ваграм.

— Что, машину нашли?

— Нашли не нашли — посмотрим.

Вот влипну, думал Никита, если пригнали краденый автомобиль!

Не доезжая до кольцевой, свернули и вскоре остановились у двухэтажного офиса фирмы по обслуживанию и ремонту автомобилей.

Водитель остался сидеть на своем месте, все остальные вышли. Кавказцы держались так, чтобы Никита все время был между ними.

Практически под конвоем привели его в комнату, в которой, по всей видимости, коротали время охранники или сторожа. Теперь она была пуста.

У Никиты заколотилось сердце. И, как оказалось, не зря.

Вдруг ни с того ни с сего кавказцы схватили его за руки, намереваясь сцепить запястья приготовленными уже наручниками.

— Да вы что, чучмеки?! — воскликнул он.

Одновременно ловко вывернулся из захватов и растолкал небритых молчунов.

Но его схватили вновь, уже трое, надели-таки наручники, усадили на стул, показали нож и приказали:

— Сыды!..

Пришел Ваграм, сел напротив, поигрывая пистолетом.

— Ого! — не удержался от реплики Никита. — Да вы серьезные ребята!

— А ты думал! — недобро улыбнулся Ваграм. — За лопух нас дэржышь?

Никита хмыкнул:

— Какой лопух? За помощью пришел...

— Ко мне? — уточняюще спросил Ваграм.

— Ну да!

— А в контору зачэм ходил?

— Какую контору?

— МУР называется.

— Ты с дуба упал? — вскинул брови Никита.

— Нэ панимаю. Нэ крути поганым хвостом. Я знаю, что был там!

— Когда?

Ваграм назвал дату.

— Мы смотрели за тобой, два дня, панымаешь? У меня сидел, кушал, потом к бабе побежал. Потом стучал, да?

— Нет.

— Язык отрэжу!

— Тогда уж точно ничего не скажу, — разозлился Никита.

— Смыешься? Нэ страшно?

— Страшно, что с дураками дело имею.

— Мы дураки?

— И я, потому что с вами связался, — уточнил Бодров.

— Ну?

— Приятель мой, когда машину угнали, в милицию пошел, а куда деваться? Там, конечно, дело завели. Вот я и захожу иногда, справляюсь, вдруг нашли. Зачем тогда деньги выкидывать?

— Хытрый, да?

— Своя рубашка ближе к телу. А как же?

— Я тибе не передупреждал, что когда я, тогда милиции нет?

— Вроде нет.

— Я помню, что говорил!

— Я такого не помню, — мотнул головой Никита.

Ваграм хотел еще что-то сказать, но открылась дверь, и вошел высокий моложавый мужчина с легкой проседью на висках.

— Здравствуй, дорогой! — приветствовал его Ваграм.

— Здорово, братуха! Ну что говорит этот юноша?

— Дурак прыкыдывается!

— Это, может, от испуга.

215

Ваграм с сомнением посмотрел на Никиту, покачал головой.

— Показывает, что храбрый.

— Ладно, оставьте нас на пару минут. Посмотрим, — попросил незнакомец.

Кавказцы вышли. Незнакомец уселся на стул и сказал:

— Ну что, Никита Бодров, не помнишь меня?

Ошеломленный Никита машинально ответил:

— Нет.

— Ну вот, а я тебя сразу срисовал в муровских ваших коридорах. Теперь ты понимаешь, что гнать тюльку про друга с машиной больше не надо?

— Да.

— Понимаешь, что никто может не узнать, где могилка твоя?

— Понимаю.

— Тогда поговорим...

2

Чувство смертельной опасности, как ни парадоксально, успокаивает смелых людей. Никита не являлся исключением из этого правила.

— Ну говори, — спокойно сказал он незнакомцу.

— Какого черты МУРу надо в «Палас-отеле»? — спросил незнакомец.

— Хотим узнать, кто покрывает жуликов, которые угоняют иномарки.

— Врешь, Никита, ты работаешь в группе по

делу Иванова. А эта компания такой фигней не занимается. Не удивляйся, я знаю о тебе больше, чем ты думаешь. Знаю, что Людку Семенову трахнул, что с Яковлевым в охотничий дом к Чижу сгонять успел и многое другое...

Незнакомец с наслаждением наблюдал, как Никита изменился в лице. Муровец действительно был потрясен услышанным.

— Ну теперь ты понял, что играть в кошки-мышки с нами не стоит? — ехидно добавил незнакомец. — Если дашь нам правдивую информацию о том, в каком состоянии находится сегодня следствие по делу Иванова, уйдешь спокойно продолжать ловить своих жуликов и трахать Людку Семенову. Если нет, то, извини, придется тебе, прежде чем умереть, пройти через ад...

— Годится, — кивнул Никита.

— Вот и молодец, — удивился такой сговорчивости мента незнакомец. — Нам надо знать, какие перспективы по этому делу, какие новые имена засветились и на что вас ориентируют сверху. Требуют ли продолжать активное следствие или, может быть, советуют спустить это дело на тормозах. Вот и все, Никита. И ты свободен.

Слушая, Никита внутренне чертыхался. Ему очень не понравилось, что бандит назвал его молодцом. И свои и бандиты — все его в молодцы произвести норовят.

— Годится, — повторил Никита, зло улыбаясь, — если пройду ад на земле, так на небе не придется...

Незнакомец испытующе взглянул на Никиту и спокойным голосом продолжал:

— Не валяй дурака, Никита, насчет ада это я так, для красного словца, на кой нам с МУРом связываться. Мне от тебя надо лишь информацию, о которой я тебя попросил. Все равно мы ее добудем. Собственно, это уже мало что значит, но все равно... Раз ты на сходняках в кабинете Турецкого бываешь, значит, кое-чем вполне можешь с нами поделиться. Дело-то это дохлое, дорогой Никита, а ты его как Москву от немцев защищать собрался.

— А ведь действительно — как от немцев, — оживился Никита. — Из этого дела, куда ни глянешь, Германия торчит...

— Вот-вот, догадался, дело-то международное, а ты говоришь — жулики машинку украли... Еще раз тебя прошу: проинформируй нас о ходе следствия и лети к своей Людке. Кстати, ты ее здорово подставил.

— Каким это образом? — насторожился Никита. — Она ни хрена про меня не знает. И какая у меня может быть любовь к этой шлюшке?

— Ладно, ладно, тевтонский рыцарь,— съязвил незнакомец, — не вешай мне благородную лапшу на уши.

У Никиты вновь кольнуло сердце. Ведь тевтонским рыцарем его называла только она... «Да нет, ничего она им не рассказывала, «жучков». наверное, понаставили, сволочи», —горько подумал Никита.

— Ты, конечно, прав, — словно прочитав его мысли, с циничной улыбкой сказал незнакомец, — ничего она о тебе не говорила. Мне кажется, она тоже в тебя втрескалась. Но ведь на то и техника существует, «жучки» всякие. Но братва все равно не поверит, что Людка чистая, раз с муровцем переспала. Вот в чем дело.

У Никиты сжималось сердце. Он чувствовал, куда клонит незнакомец, что он загоняет его в угол, из которого выход только один...

— Послушай, что ты ко мне пристал с этой вашей Людкой! — вспылил Никита. — Ну трахни нашу муровскую секретаршу. Мы ваших, вы наших и квиты. Только цветы не забудь подарить...

— Нет, Никита, юмором ты не отделаешься. В последний раз прошу: поделись информацией о следствии.

— Пошел ты ... — ляпнул Никита.

Незнакомец вскочил, выхватил из-под пиджака что-то напоминающее короткую резиновую дубинку и замахнулся. Никита не дрогнул, не отшатнулся. Принял удар по голове и потерял сознание.

Он очнулся в полной темноте от запаха бензина и тряски. Никита сообразил, что его куда-то везут в багажнике автомобиля. Вскоре машина свернула с основной трассы на проселок и, немного попетляв, остановилась. Открыли багажник, напялили Никите на голову черный пакет и, вытащив, его повели. Поднялись по высокому крыльцу, потом прошли по длинному коридору и стали спускаться по лестнице. «В подвал ведут», — догадался Никита.

Его посадили на стул и сняли с головы пакет. Перед ним стоял Ваграм со своим товарищем, а чуть дальше, в кресле, за шикарно накрытым столом, сидел незнакомец. Он курил и наливал себе в рюмку коньяк. Кроме этого стола и нескольких стульев, в довольно просторном помещении больше ничего не было. Окон тоже не было.

— Ну что, опер, выбирай: либо шествие через ад, либо разговор по душам, садись рядом, и поговорим.

Никита пропустил его слова мимо ушей. Он думал о своих товарищах. Гадал, что они предпримут в связи с его провалом.

Дверь распахнулась, и водитель Ваграма втолкнул в помещение заплаканную и взлохмаченную Людмилу Семенову.

— Вот и твоя невеста появилась, — ухмыльнулся незнакомец, — правда, выглядит она сегодня не очень, но ведь и случай особый... Смелый парень твой опер, Люда. Если бы не был ментом, хорошая бы вы с ним были парочка, — хмыкнул он, нагло разглядывая девицу.

Никита улыбнулся и кивнул Людмиле. Она только всхлипнула в ответ. Ее посадили на стул напротив Никиты.

— Людочка, попроси Никиту, если он еще не совсем сошел с ума, оказать нам пустяковую услугу. В каком состоянии находится сейчас следствие, мы и так знаем лучше тебя, дорогой Никита. Поэтому твоя задача еще более упрощается: скажи, не мелькает ли в последнее время в разговорах между Турецким, Грязновым и Яковлевым фамилия Авдеев?

— Это еще кто такой? — нарочито удивился Бодров.

— Вот видишь, Люда, упирается твой Никита как баран. Пусть проинформирует нас лишь насчет этого момента и — забирай его отсюда. Езжайте лучше развлекаться. Честно говоря, жизнь таких красивых молодых людей дороже всего этого политического и уголовного дерьма.

— Никита, расскажи им что они от тебя хотят, иначе они нас убьют, — тихо попросила девица.

Никита собрал в комок всю свою волю и весело сказал:

— Люда, да они сами все лучше меня знают, а тебе они ничего не сделают. Ты ведь не знала, кто я такой. Да если они тебя хоть пальцем тронут, дядя Боря их с дерьмом смешает!

— Что?! Что ты сказал, мент проклятый?! — взвился из-за стола незнакомец. — Повтори!

— То и сказал! От этого имени ты чуть до потолка не подпрыгнул. Если с Людмилой что-нибудь случится, дядя Боря тебя, как Иванова, к люстре подвесит. Усек?..

Незнакомец взял себя в руки, вернулся за стол и залпом выпил рюмку коньяка.

— Вот ты и проболтался, опер. Значит, уже и дядя Боря возник на вашем горизонте. Говори, что вокруг него нарыли! — сдавленным голосом добавил он.

— А вот этого я тебе не скажу, — отрезал Никита.

Незнакомец достал револьвер «ягуар». С минуту повертел его в руках, вынул все патроны из барабана и высыпал на стол. Потом выбрал один патрон и, жестом обратив на него внимание всех присутствующих, зарядил им пистолет.

Никита внимательно следил за его действиями. «Хорошо, что Люда сидит к незнакомцу спиной и не видит его приготовлений. Жаль девку», — подумал он с грустным предчувствием.

Незнакомец вышел из-за стола и, обращаясь ко всем, сказал:

— Господа, русских часто обвиняют в излишней жестокости, а ведь русская рулетка — это, господа, культура смерти. Именно культура смерти, если так можно выразиться, а не пещерные проявления жестокости вроде расстрела и тэ дэ. Вы оба заслужили расстрел, — указал он на Никиту с Людмилой. — Но я даю вам возможность культурно свести счеты с жизнью, поставившей вас в такое положение. Причем это дает вам возможность и время одуматься и решить свою судьбу по-другому. У приговоренных к расстрелу таких льгот нет, господа. Это я говорю, чтобы вы не думали, что я садист. Как видите, я и так иду на колоссальные уступки в надежде на твое, Никита, благоразумие.

У Никиты потемнело в глазах.

— Какая, к черту русская рулетка, вокруг тебя одни горцы! — заорал он на незнакомца.

— Спокойно, опер, Кавказ — тоже Россия, во всяком случае, была до недавнего времени.

Незнакомец протянул пистолет Людмиле и, цинично улыбаясь, сказал:

— Вот сейчас проверим, любит ли он тебя или пудрит мозги. С этой секунды Никита может помочь тебе... Ну, девочка моя, ты же офицерская дочь, смелее, я уверен, что ты выиграешь дважды, потому что убедишься, что он тебя ни в грош не ставит. А ведь ты на него уже виды имела...

Незнакомец насильно вложил в руку девицы пистолет и отошел. Людмила сидела все в той же окаменелой позе, только уже с пистолетом на коленях. Бедная Людмила пыталась отбросить пистолет, но пальцы ее не слушались. Они сжимали холодную рукоятку, словно сведенные судорогой.

— Слушай, ты, монстр, — срывающимся голосом начал Никита, — дай-ка мне эту пушку, я вам бесплатное кино покажу: весь барабан сыграю, с небольшими паузами. За нее и за себя... Идет?

Уже изрядно выпившие боевики переглянулись. Видно было, что эта идея им понравилась.

Незнакомец хмыкнул и сказал:

— Это, правда, не по сценарию, но... — и, обращаясь к Ваграму, спросил: — Посмотрим бесплатное кино?

— Храброго ыграет мэнт. Но если опять обманет, уши рэзать будэм, — ответил Ваграм.

— Не обману, давай сюда пушку. Да снимите с меня наручники, а то я храброго играю, а вы трусов. Я один, а вас вон сколько...

— Сними, — кивнул незнакомец Ваграму.

Ваграм затушил сигарету, подошел к Никите и снял с него наручники. Потом он вырвал пистолет из руки Людмилы и, повернув барабан, сунул его Никите.

— Русский рулэтка... бесплатный кино... —

нервно хохотнул кавказец. Он отошел от Никиты боком, видимо опасаясь странного опера.

— Что, Ваграм, очко играет? — хмыкнул Никита.

— Тэбэ вэрить опасно. Я тэбя знаю... — отмахнулся горец. Русский водитель Ваграма и еще один кавказец направили на Никиту свои ТТ. Незнакомец поудобнее устроился в кресле, налил себе коньяку, закурил и хлопнул в ладоши:

— Поехали!

Никита лихо дунул в ствол, так что раздался свист, и приставил пистолет к виску. Затем он весело подмигнул с ужасом смотрящей на его приготовления Людмиле и со словами: «Внимание! Кадр номер раз!» — нажал на спусковой крючок...

3

Турецкий получил аванс и в обеденный перерыв пригласил Грязнова в пивной бар, где по немецкой традиции к пиву подавали сардельки с гарниром из тушеной капусты.

— Мистика! Кругом Германия! — хохотнул Грязнов.

— Да Бог с ней, Слава, я вот думаю о наших объединенных делах. Об убийстве Олега Колобова, Иванова. Теперь вот надо взять и дело доктора Чижа. Все они связаны между собой.

— А я думаю, Саня, что Бог не обидится на нас, если мы под крышей этих трех дел еще кое-кого объединим из живых. Я говорю о преступниках, совершивших все эти убийства.

— Пожалуй, ты прав, — кивнул Турецкий.

— А что, Саня, вяленой рыбешки нам здесь не дадут? — спросил муровец.

— Найн, — криво улыбнулся следователь.

— Что с тобой? Ты чем-то расстроен, — наклонился к другу Грязнов.

— Профессиональная болезнь, — пожал плечами Турецкий. — Я вот сейчас с суеверным страхом думаю: кто следующий? Циники мы, Слава, под пивко о покойниках говорим.

— Следующая, Саня, по всему, Ангелина. Может, изолировать ее?

— Ты прав. Если Тураев не врал про кассету, то Ангелину надо брать под защиту.

Друзья одновременно перестали говорить о деле, как бы пытаясь за короткое время впитать немного тишины и уюта, который царил в зале. Завершив обед, они вышли на улицу.

— Ты куда сейчас? — спросил Турецкий.

— К себе. Узнаю, что Никита в клювике принес.

Войдя в следственную часть Генпрокуратуры, Турецкий не успел раздеться, как раздался высокий голос секретарши следственной части Нади:

— Александр Борисович, к вам по повестке дама.

В голосе секретарши слышалась плохо скрываемая зависть к внешности и нарядам посетительницы.

Следователь взглянул на часы — три ноль

одна. «Пунктуальна, ничего не скажешь», — отметил он про себя.

Иванова уверенной походкой вошла в кабинет Турецкого. Строгий деловой костюм и макияж были подобраны так, чтобы у мужчин непременно возникла мысль, что после разговора неплохо бы стащить с нее и приталенный пиджак, и юбку, и все остальное, что под ними...

— Присаживайтесь, Ангелина... Вы хорошо сегодня выглядите, — начал Турецкий с комплимента.

— Мне плохо выглядеть противопоказано! — махнула рукой Ангелина. — Разрешите закурить...

— Ради Бога, — кивнул следователь и приготовился записывать в протокол показания свидетельницы. — Итак, в чем же все-таки истинная причина исчезновения вашего мужа Юрия Иванова?

— Истинная причина, — пыхнула Ангелина сигаретой и нервно повторила: — Истинная причина в том, что он сам загнал себя в угол... Да что о нем говорить, — добавила она раздраженно.

— Вы разве не хотите помочь ему выпутаться. Все же муж...

— Если бы он сам хотел этой помощи!

— Тем не менее доктор Чиж утверждает, что вы подыскивали специалиста по пластическим операциям.

— Врал! — резко бросила Ангелина.

— Почему вы говорите о Чиже в прошедшем времени? — сощурился Турецкий.

— А! Какая разница! — несколько растерялась

226

Иванова. — Я так понимаю, что вы не нашли Юрку, раз задаете мне вопросы, на которые бы он пролил свет? — жестко взглянув на следователя, спросила Ангелина.

— Пока не нашли, но многое уже известно. Однако эту информацию я вам как свидетельнице не должен сообщать. Продолжим, — резко уточнил Турецкий. — Чего боялся ваш муж?

— У него неприятности с концерном «Кононг» и с фирмой «Каскад». Он задолжал им огромную сумму денег. Они считали, что он не вполне использовал свои возможности для того, чтобы протолкнуть их людей на ключевые посты в государстве. Короче говоря, однажды, как я уже рассказывала, он обнаружил в своем кабинете убитого пса и закатил истерику. Я ничего не стала выспрашивать, дала ему ключи от машины и адрес Чижа. С тех пор я Юрку не видела.

— Значит, вы знали, что ваш муж жив и что вместо него похоронен другой человек.

— Конечно, знала, — хмыкнула Ангелина.

— Тогда объясните, как в гроб, предназначавшийся для Иванова, попал Олег Колобов? — нажимал следователь.

— Берите Чижа, Юрку моего и у них об этом спрашивайте! — с вызовом отрезала Ангелина.

— Значит, вы ничего не скажете? А ведь я вас предупреждал не только об ответственности за дачу ложных показаний, но и об ответственности за отказ от дачи показаний.

— Неужели вы думаете, Александр Борисович, что я намерена покрывать какие-то темные дела. Мне моя репутация дороже...

— То есть вы считаете, что ваш муж занимался темными делами, — поймал ее на слове Турецкий.

— Если бы не занимался, не появилась бы нужда прятаться.

Следователь понял, а вернее, убедился, что Ангелина знает и о смерти Иванова, и о смерти Чижа.

— Вы осуждаете Юрия, — продолжал он.

— Трудно сказать. Знаете, какой существует принцип? Победителей не судят. Мир несовершенен. Шекспир сказал, что честность — дура и губит тех, кто с ней. Вокруг телевидения вертится много всякой швали, и бывают ситуации, когда без нее просто не обойтись. Но ведь масса народу пользуется швалью, работает с ней, и ничего с ними не случается, — вздохнула Ангелина, вывалив кучу ни о чем не говорящих слов...

— Считаете, что ваш муж не очень-то ориентировался в этом потоке?

— Близко к этому, — кивнула Ангелина.

— Что ж, у вас есть возможность подыскать более сметливого продюсера.

— Что вы имеете в виду? — насторожилась Ангелина.

— Только то, что заложено в моих словах. Я понял, что вы уже осведомлены о смерти Чижа, а также вашего мужа?

— Как?! — воскликнула женщина. Но ее лицо не изменилось, лишь глаза принужденно широко раскрылись. Ее выдали руки. Пальцы сжались, а затем разжались, но быстрее, чем надо для естественного движения, и уперлись в столешницу.

— Послушайте, — махнул рукой Александр Борисович, — все вы знаете. И то, что я вам не верю, вы тоже знаете. У меня к вам прямой вопрос: пускаясь в бега, оставлял ли Юрий вам на хранение видеокассету, которую он по заказу Тураева отснял скрытой камерой в Германии?

— Нет. Он мне ничего не оставлял, — четко выговорила Ангелина.

— Точно? Вы уверены, что поступаете верно, говоря заведомую ложь? — спросил Турецкий.

— Я говорю то, в чем уверена.

— Теперь мне понятно. Впрочем, это не страхует вас от неприятностей, — ухмыльнулся следователь.

— Каких, интересно, неприятностей? — улыбнулась Ангелина.

— А таких, что Юрий Иванов убит ножом в сердце, а доктор Чиж повешен. И у того, и у другого искали эту видеокассету. Теперь, вероятнее всего, кассету будут искать у вас.

На сей раз лицо Ангелины приобрело недоуменное выражение уже без всякой рисовки. Женщина побледнела и, как ни старалась, долго не могла взять себя в руки.

— У меня нет этой кассеты, честное слово, — тихо пробормотала она.

— Вот видите, Ангелина, что получается, когда смотришь на вещи и события односторонне, — иронично улыбнулся Турецкий. — Вы ошибочно предполагали, что Тураев, Колобов и те, кто стоит над ними, пущенные вами по ложному следу, успокоятся, наказав виновника и убрав свидетелей, то есть Иванова и доктора Чижа. Нет, мадам, вы плохо себе представляете этих людей: улыбаясь и говоря, что верят вам, они в этот же день спокойно закажут ваше убийство. С нашей стороны вам тоже спуску не будет, — сурово продолжал следователь. — Я думаю, вам нелегко будет доказать свою непричастность к убийству Олега Колобова, а мы это постараемся обосновать и доказать вашу виновность.

— Полагаю, что ничего вы не докажете! Я не виновна, — с пафосом воскликнула Ангелина.

— Честно говоря, мне и самому не очень-то приятно тащить на скамью подсудимых пусть хищную, но все же женщину. Но дело не только во мне. Не исключено, что не только до суда, но и до ареста вы можете не дотянуть, — начал Турецкий с другой стороны.

— Что вы имеете в виду? — вновь сжалась Ангелина.

— Я имею в виду то, что есть люди, для которых вы со своей крутой студией просто пешки и никаких авторитетов в общественной жизни для них не существует. Следствие выяснило, что на Иванова наехали за то, что он не отдал обещанную кассету с фильмом, который был снят по заказу этой фирмы. Наверняка ваш муж и вы захотели заработать больше. Но кассету требовали, и первой жертвой стал несчастный посыльный Олег Колобов. За ним, как ни заметал следы, отправился ваш муж. После накинули петлю на шею доктору Чижу. Его отыскали даже у любовницы, о существовании которой не знал никто. Я все это вам говорю, чтобы до вас дошло в конце концов, что следующая — вы! — стукнул Турецкий кулаком по столу. — Теперь эту кассету придут искать к вам, потом к вашим дальним родственникам, случайным знакомым и тэ дэ. Предлагаю вам немедленно передать кассету нам, а также дать правдивые показания, — завершил Александр Борисович. Он молча отметил повестку и протянул ее Ангелине, дав понять, что разговор окончен и она может идти.

Ангелина взяла повестку, встала и, забыв попрощаться, быстро вышла из кабинета.

4

Грязнов слегка отстранился от телефонной трубки, чтобы его не оглушили вопли Ангелины Ивановой.

— Да-да, слушаю. Что вы кричите как резаная?

— Вячеслав Иванович, я на допросе была в прокуратуре! Турецкий говорит, что Юрку и Чижа убили! Это правда?

— Вы сами знаете, что это правда, — ухмыльнулся Грязнов. — Но я, если хотите, подтверждаю. Мужу вашему отрубили кисти рук, отрезали уши и — ножом в сердце. Чижа засунули в петлю...

— О Господи! Какой ужас! — воскликнула Ангелина.

— А вы что, надеялись, что их убьют более

гуманным способом? — не удержался от сарказма Грязнов.

— Что мне теперь делать?

— Извините за грубое слово, но вам надо сейчас спасать свою шкуру, — посоветовал полковник.

— Как?

— По службе мне не положено вам давать совет податься в бега, тем более что никакого смысла я в этом не вижу,— заметил Грязнов.

— Почему?

— Опоздали. Если вас всех решили прибрать, то за вами давно уже присматривают.

— А что же делать? — взмолилась Ангелина.

— Возвращайтесь к Турецкому, давайте правдивые показания и сдавайтесь. Иного выхода для вас я не вижу, — заключил Грязнов.

— Сдаваться? А если я найму охрану? — заметалась Ангелина.

— Вы в жизни имеете дело с фактами, а не с киношными боевиками, вот и вспомните, кому охранники помогли уйти от пули, — рассудил муровец.

— Это вы так говорите, потому что вы все, менты и прокуроры, заодно! — зло перебила его Ангелина.

— Тогда зачем нам звоните? — сухо осведомился Грязнов.

— Надеялась, что МУР возьмет меня под свою охрану! — Ангелина бросила трубку.

Грязнов покачал головой и набрал номер Турецкого.

— Это хорошо, Слава, что она заметалась, —

232

выслушав друга, сказал следователь. — Посади ей на хвост оперативника. Из виду ее сейчас выпускать нельзя.

— Сделаем, Саня, — заверил Грязнов.

Он распорядился, чтобы за Ангелиной установили слежку. Потом взглянул на часы. Было уже пятнадцать минут седьмого, а от Никиты никаких вестей. Грязнов не на шутку встревожился, потому что автомафия считалась одной из самых опасных и специализировалась исключительно на дорогих иномарках. Большие деньги, огромный риск, плюс большой процент преступников с Кавказа, дерзких и опасных, как говорится, отмороженных. Опасно попадать к ним в лапы сотрудникам органов: расправа немедленная, иногда — смерть.

Грязнов мысленно ругал себя за то, что мало контролировал оперативную работу Бодрова. А ну как по молодости напортачил? Да и мысли у Бодрова перед уходом были неважные... Надо было отменить операцию...

Грязнов решил немедленно действовать. Никита наверняка попал в ситуацию, иначе позвонил бы до шести часов, как и договаривались.

Сыскарь открыл сейф, положил туда свое муровское удостоверение. У него в кармане осталось лишь пластиковое удостоверение сыскного агентства «Глория». В подмышечную кобуру вложил личное оружие. Кобура у него была знатная, снабженная специальным механизмом. Стоило сорвать ремешок, запирающий пистолет в кобуре, как пружина выбрасывала оружие рукояткой прямо в ладонь.

Он спустился к дежурному, поинтересовался, нет ли сообщений от Бодрова. Дежурный отрицательно покачал головой. Грязнов вздохнул и направился к «Палас-отелю».

— Вам чего? — хмуро спросил его громила охранник, которому явно надоело наблюдать, как некий не крутой, хоть и прилично одетый мужик слоняется по холлу как будто без всякого дела.

— Мне бы Ваграма, дорогой, — сказал Грязнов.

— Какого еще Ваграма! Тут те не колхозный рынок! — нагрубил охранник.

— Ты еще будешь меня смешить! Лучше купи себе резинового петуха и ему пудри мозги про то, что никто здесь не знает Ваграма, — сурово произнес сыскарь.

— Ты решил понарываться, мужик? — ухмыльнулся парень.

— Не беспокойся, на руках я с тобой тягаться не собираюсь, Илья Муромец. А вот из-под пальто стрельну в твой толстый бицепс, и будешь однорукий, — пригрозил Грязнов, теряя терпение.

Охранник поверил в серьезность угрозы и насторожился.

— Ваграм спросит, кого черт принес? Че сказать? — примирительным тоном спросил он.

Грязнов с минуту колебался: сказать правду или показать удостоверение сыскного агентства «Глория». Решил, что Ваграму будет достаточно глориевского удостоверения. Его он и сунул под нос парню.

— А по какому делу? — вновь спросил тот.

— Это я его секретарше скажу, а не тебе. Торопись, а то поволокут вас всех до МУРа «черным вороном», тогда от Ваграма и огребешь за нерасторопность.

— Не суетись, иду уже, — всерьез струхнул охранник.

Он скрылся на лестнице, ведущей на второй этаж, а Грязнов уселся в широкое кожаное кресло и стал рассматривать рекламные проспекты, бросая взгляд поверх глянцевых листов. Потом вынул сотовик, набрал номер дежурной части и попросил немедленно прислать к парадному входу «Палас-отеля» трех вооруженных оперативников для прикрытия.

«Надо было сразу об этом позаботиться, — в сердцах подумал Грязнов. — Еще мне не хватало ошибиться...»

Вскоре появился запыхавшийся охранник, повертев головой, нашел кресло, в котором отдыхал полковник, подошел и выпалил:

— Нет Ваграма.

— Кто есть?

— Послушай, ты затрахать меня хочешь?

— Еще нет. Но доведешь. Мне нужен Ваграм или любой его человек, которому я скажу несколько слов, потому что я оказывал ему услуги, а он — мне. Ты, конечно, по КЗоТу ему не подчиняешься, но он тебя отсюда уберет, если узнает, как ты меня мурыжил! Может, вообще с этого света уберет, если случится большой облом, который еще можно отвести. Ну так что, гулять мне или как?

У охранника на лице отразилась вся гамма

небогатых его чувств. Но инстинкт самосохранения у него имелся.

— Ладно, пошли, — махнул он рукой.

Переступая вслед за охранником по устланной ковровой дорожкой лестнице, Грязнов старался запомнить маршрут до мельчайших подробностей, вдруг придется драпать или, что все-таки лучше, указывать маршрут движения спецназу.

Оказалось, что логово контролера центровой автомафии прячется за дверями обычного для «Палас-отеля» люксового номера.

Охранник постучал.

— Кто? — гортанно и громко спросили из недр номера.

— Вася. Клиента привел.

Дверь отворилась. На пороге стоял здоровый абрек в несвежей майке.

— Чего хочешь?

— Есть дело.

— Кто?

Грязнов молча протянул визитку.

Абрек посмотрел, осклабился:

— Может, ты ее украл, да?

Слава достал удостоверение «Глории» и, крепко держа его в пальцах, поднес к глазам абрека.

Тот посмотрел, пожал плечами:

— Мы не заказывали.

— Ваграм просил зайти.

— Зачем?

— Да вы задолбали, ей-богу! Что вы из себя корчите? Всего лишь шайка, а туда же! Мне уйти?

— Заходи. Чего шумишь?

— Потому что у меня время — деньги! — входя в номер, бросил Грязнов.

Люди, выросшие в саклях, могут, конечно, добыть денег на то, чтобы снимать шикарный люкс. Но рано или поздно даже четырехкомнатный номер превратится в некое подобие сакли, только отделанной мрамором. Это и мог наблюдать начальник МУРа, пока раздевался в прихожей, затем проходил в гостиную, знакомился с Али, Рустамами и тому подобными уходящими, приходящими, таскающими коробки и тюки детьми гор.

Именно некто Рустам принимал незваного гостя в большой комнате, пытался угостить вином, коньяком, но Грязнов согласился лишь на кофе.

— Ваграм уехал. Давно ждем, — доверительно сообщил горец.

Грязнов удержался от лишних вопросов. Спросил только:

— Вернуться обещал?

— Конечно. А что ты для него делал, уважаемый?

— Узнавал кое-что.

— Можно узнать — что?

— Можно узнать — про кого.

— Хорошо.

— Кое-какие новости из жизни Скользкого.

Скользкий, в миру Антон Слизовский, заправлял местной бандитской группировкой, ратовал за чистоту славянской расы в регионе и время от времени теснил нахальных горцев с московских улиц.

— Вот шакал! — страстно отреагировал Рустам. — И чего ты узнал?

— Ш-ш... — приложил палец к губам Грязнов. — Только Ваграму, только на ушко и не здесь.

— Понимаю. Сейчас позвоню.

Рустам достал из кармана сотовый телефон, потыкал толстым пальцем в крохотные кнопочки. Грязнов не успел усмотреть весь набираемый номер. Запомнил лишь первые три цифры: 941 — все же лучше, чем ничего.

На звонок никто не ответил.

Рустам поцокал языком, сложил аппарат и доверительно сообщил:

— Сегодня, понимаешь, оперка вычислили. Зеленый, но борзой. Ваграм его к Лечо повез...

5

Турецкий поджидал к себе на допрос директора «Каскада» Сергея Колобова. Минуты тянулись томительно, и он позвонил директору «Кононга» Тураеву.

— Добрый день. Мне Ильяса Георгиевича.

— Кто спрашивает? — бесцветно откликнулась секретарша.

— Турецкий.

— Секунду.

Недолгий мелодичный проигрыш автономной телефонной станции, и следователь услышал в трубке бодрый голос хромого дельца:

— Приветствую вас, Александр Борисович!

— И вам здравствуйте.

— Вы с новостями?

— Пожалуй. Только они вас не обрадуют, возможно.

— Все равно. Выкладывайте.

— Есть информация, что Юрий Иванов убит.

На том конце провода воцарилась напряженная пауза. Тем не менее Турецкий не мог определить по шелестящему в телефонной трубке молчанию, знает об этом Тураев или еще нет.

— Вы говорите — убит? Значит, он обнаружен?

— Нет. Тело к нам скоро доставят, оно в пути, — по ходу на всякий случай решил соврать следователь.

— Тогда откуда такие сведения?

— Наши люди, которые обнаружили мертвого Иванова в охотничьем домике, сопровождают его к месту назначения.

— И вы не знаете, где они сейчас находятся? — несколько язвительно спросил Тураев.

— Приблизительно. Им запрещено выходить на контакт, потому что могут запеленговать. В том числе и ваши люди.

— Нашим людям это не надо, — хмыкнул бизнесмен.

— Не верю.

— Почему?

— Кто вам поверит, дня не проживет, — заметил Турецкий.

— Обижаете, гражданин начальник! — шутливо возмутился Тураев.

— Ну почему же? Юрий Иванов погиб, вступив с вашим концерном в противоречие.

— С чего вы взяли?

— А почему же он Олега Колобова вместо себя похоронил?

— Ну, знаете, это слишком бредовая версия.

— Вот как?

— Конечно! Вы очень вольно трактуете мои слова. Нам очень нужен Юрий Иванов, но — живой!..

— Или мертвый, — перебил Александр. — Но с кассетой в зубах, так?

— Тут вы правы. Но заметьте, в том случае, когда кассета у нас, нам будет все равно, что в дальнейшем случится с несчастным партнером. А пока кассеты нет...

— Так вот, Ильяс Георгиевич, труп есть, а кассеты нет. Что будем делать?

— Искать, Александр Борисович. Что же нам еще остается? Если кассета попадет к заинтересованным лицам, уж не волнуйтесь — и вы и я об этом узнаем. Они не откажут себе в удовольствии сообщить нам о том, что мы в заднице!

— Тем самым вы подтверждаете, что наша устная договоренность остается в силе? — продолжал подыгрывать следователь. Пока, похоже, Тураев верил, что Турецкий пошел с ним на сделку.

— А как же! Только пора бы представить какой-нибудь результат! — начальственным тоном изрек бизнесмен.

— Не наезжайте так резко, господин директор! Я еще пока старший следователь по особо важным делам Генпрокуратуры России, а не участковый инспектор со станции Лобня! — осадил его Турецкий.

— Извините, Александр Борисович, — осекся Тураев.

— Пытаюсь, но только трудно вам подыгрывать. Ваши кононги во всей этой истории так наследили, что уже не знаю, кто не сможет заметить.

— Вы откуда звоните? — полюбопытствовал Тураев.

— Из приемной Президента. Устраивает? Если у тебя «жучки» даже в заднице торчат, я ни при чем! — грубо перешел на «ты» Турецкий.

— Хо-хо! Не знал, что вы можете такое загнуть, Александр Борисович! — выдержал тактичный тон Тураев.

— Я профессионал, Ильяс. И я знаю, что, владея информацией, владею всем. А про тебя я знаю больше, чем ты предполагаешь, — нажимал следователь.

— Ты еще так поговоришь со мной, и я пожалею, что с тобой связался, — ощетинился Тураев.

— Жалеть поздно. Уже связался. И свою мзду я с тебя возьму, — жестко оборвал его Турецкий.

— Какую еще мзду? — не понял бизнесмен.

— Я беру дешево — информацией.

— Да ты что, дорогой! Ментовский у тебя базар. Хочешь меня своим стукачом сделать? — окончательно сорвался Тураев.

— Не ерепенься, наш разговор не записывается, — успокоил его следователь. — Но знай, твои парни, а может, и ты вместе с ними, завязли.

Постарайся рассудить трезво, прикинуть все «за» и «против», после чего определяйтесь, и вперед — сознавайтесь в том, в чем трудно сознаться...

— А все остальное ты за ниточку вытащишь? — съязвил Тураев.

— Если хочешь, — флегматично ответил Турецкий, убедившись, что разговор не получился.

6

Колобов отлично выглядел и был спокоен. Турецкий, перебросившись с ним парой общих фраз, приступил к важному допросу.

— Вы полагаете, что гражданин Иванов убил вашего брата для того, чтобы замаскировать свое исчезновение? — спросил следователь.

Турецкий задал этот вопрос с умыслом. Если бы Колобов ответил на него утвердительно, это означало бы, что он резко переменил тактику игры. А в том, что Колобов вел свою серьезную игру во всем этом деле, Турецкий не сомневался.

— Я не утверждал, что моего брата убил Иванов, — ответил он.

— Но допустить это вы можете? — настаивал Турецкий.

— Вы следователь или психолог? — улыбнулся Колобов. — Задавайте вопросы по делу! Что вы в подсознание проникаете?

— Исключительно из научных интересов, — уточнил Турецкий. — Но спустимся на землю:

что надо было Олегу от Иванова? — спросил он несколько напряженного Колобова.

— Не знаю, — слишком быстро ответил тот.

— Я вам не верю! Вы уходите от серьезного разговора! — стал раздражаться Турецкий.

— Вполне допускаю, что мне трудно поверить, Александр Борисович, но это так, — не отступал Колобов.

— А нам незачем играть в загадки и отгадки. Вы легко сможете меня убедить, если изложите неоспоримые факты, — сказал Турецкий. — Я приму от вас не только прямые, но и косвенные улики.

— А что, по-вашему, можно считать косвенной уликой? — спросил Колобов.

— Да ваши же слова, сказанные в морге Наро-Фоминска.

— Это какие?

— Насчет того, что вы быстрее найдете Иванова, чем мы.

— Но я же не нашел его. Хотя если бы нашел, то убил бы непременно, — заверил Колобов.

— Вам-то зачем мараться? Вы руководитель...

— Это вы к чему? — насторожился директор «Каскада».

Турецкий молча положил перед ним на стол водительское удостоверение, которое нашел возле охотничьего домика подполковник Яковлев.

— Вот этого парня знаете? — спросил он.

Колобов внимательно изучил корочки и спокойно сказал:

— Он работал у меня в «Каскаде» в охране. Но я его уже давно уволил за пьянку.

— Больше он не выпьет. Документик этот нашли на месте, где сначала прятался, а затем был зверски убит Иванов. Вскоре и этого парня обнаружили застреленным вместе с напарником. Вот какая петрушка получается! — вздохнул Турецкий.

Колобов напрягся и, взглянув на следователя полным недоумения взглядом, произнес:

— Не могу себе представить, кому и зачем это было нужно!

— Неужели? — с ехидцей вставил Турецкий.

— Конечно! Я знал, что какие-то контакты с телекомпанией «Спектр» мы имеем. Говоря так, я подразумеваю весь концерн «Кононг». Но в личных деловых контактах с Ивановым я не состоял. Меня с ним даже не знакомили. Моя фирма обеспечивает транспортировку грузов за границу. За промоушн отвечает специальная служба концерна.

— То есть вы полагаете, что продюсер Иванов был нужен концерну как рекламный рупор? — перебил его Турецкий.

— Что-то вроде того.

— А почему была выбрана не самая известная телевизионная компания и вбухано в студию Иванова столько средств?

— Ну это понятно, Александр Борисович! Чем перекупать, надежнее свою телекомпанию иметь, так сказать, с ноля начать, — без тени смущения ответил Колобов.

— Хорошо, — согласился Турецкий. — Давайте попробуем зайти с другой стороны. Я знаю, что Олег, ваш брат, работал у вас в «Каскаде». Так вот, меня интересует, могли ли ему дать поручение, минуя вас, или нет? Тот же Тураев. Он все-таки руководитель концерна.

— Вас понял, — кивнул Колобов. — В принципе нет. Обычно если такие поручения бывали от главы концерна, то они прежде доводились до моего сведения. А я уж сам определял, кто и что будет делать. Этим правом также наделен и мой заместитель Трауберг.

— Трауберг? — переспросил Турецкий.

— Да, он тоже бывший военный, разведчик, — с некоторой гордостью сообщил Колобов.

— Это хорошо, — неопределенно протянул Турецкий. — Но вернемся к нашему разговору. Значит, вы Олега к Иванову не посылали?

— Нет, — мотнул головой Колобов. — Я вам сейчас кое-что поясню, а то вы не там искать будете.

— Буду очень признателен, — оживился Турецкий.

— Я, кажется, говорил вам уже, что Олег пришел ко мне на работу не сразу. Сначала валандался по всяким шайкам. Ментам на заметку попал. Я использовал всевозможные средства — от бесед до оплеух, ничего не помогало. К счастью, не совсем еще отморозком был. Когда запахло жареным, сам пришел. Он мне как-то говорил, что имел дела то ли с самим Ивановым, то ли с его женой. Некоторое время он занимался только своими прямыми обязанностями, а по выходным — обычными холостяцкими забавами.

Потом стал приезжать Иванов, и как-то раз я увидел, как они вместе садятся в машину и уезжают. Я после спросил, что у них общего. Олег сказал только: мол, старые долги. Я предостерег его, но парень отмахнулся, сказал, что это совсем не то, что я думаю, а вполне интеллигентная разборка. «Синие» и бритоголовые давно перестали появляться на его горизонте, вот я и поверил. Зря...

— Что ж, спасибо, Сергей Васильевич, вы в самом деле уберегли меня от дальнейших заблуждений. А скажите, пожалуйста, достаточно ли спокойная у вас работа?

— Что вы имеете в виду?

— Оправдана ли производственная, скажем так, необходимость в содержании вашей фирмой отдела охраны и безопасности?

— Размах дел достаточно широкий. А где большие деньги, там всегда водится всякая шваль, желающая поживиться на халяву.

— Довольно обтекаемый ответ.

— Другого не имею.

— Так ли?

— Куда вы, собственно, клоните?

— Ну, скажем, я нашел возможным посмотреть ваши кадровые списки. В вашем отделе службы безопасности высокая смертность. Чем вы ее можете объяснить?

Заметно было, что вопрос Колобову неприятен и застал его врасплох.

Он ответил нехотя, будто через силу:

— Причины бывают разные: несчастные случаи, рэкет...

— Вы можете особо не скрытничать, Сергей Васильевич. Уж коль вы избрали легальный бизнес, в чем лично я еще очень сомневаюсь, вам должно быть известно, что информацию о вас можно получить из вполне доступных официальных источников.

— Ну и... — насторожился Колобов.

— Убийцы Иванова, которым в глубине души вы должны быть признательны, не только работали у вас в охране. Они были членами Союза ветеранов ЗГВ, как, собственно, вы сами. Поэтому версия о пьянчугах в отношении их для меня неубедительна. Так что, дорогой Сергей Васильевич, в завершение нашего разговора я еще раз хочу попросить, если вы что-то знаете и совесть ваша чиста, то пришла пора играть в открытую. Дело Иванова стремительно превращается в водоворот, в котором один за другим исчезают люди. Для меня ясно, что между вами и Тураевым идет смертельная схватка. Я думаю, как ни парадоксально это звучит, вы сами плохо ориентируетесь в этой борьбе. Предполагаю также, что есть и третья сила, использующая и вас, и Тураева, и до недавнего времени телекомпанию «Спектр» в своих целях. Как мне кажется, конфликт между вами и Тураевым начался задолго до случая с Ивановым. Тураев намекал мне на известные политические амбиции ваших зарубежных спонсоров, которые не всегда совпадают с убеждениями некоторой части бывших военных — ветеранов ЗГВ. В основе конфликта явно политическая подоплека. Я давно уже просчитал все ваши приходы и расходы и, извините меня, пришел к выводу, что на ломе цветных металлов долго с таким размахом не протянешь. Стало быть, в фуре, обстрелянной боевиками прошлой осенью, было что-то еще, кроме ящиков с кусками меди. Уверен, вы если и не знаете точно, чем была загружена фура сверх официального груза, то уж наверняка предполагаете...

Турецкий закончил свою эмоциональную тираду и пристально посмотрел в глаза Колобова. Бизнесмен отвел взгляд.

Больше часа следователь корпел над составлением протокола. Когда документ был закончен, Колобов медленно встал из-за стола и направился к двери. Вдруг он обернулся и тихо сказал:

— Александр Борисович, может быть, то, что сейчас я не раскрываюсь перед вами полностью, в данной ситуации работает и на вас. Когда-нибудь вы это поймете и вспомните мои сегодняшние слова.

— На меня работает правда, и только правда, Сергей Васильевич, — бросил ему вслед Турецкий.

Когда Колобов ушел, он задумался. По сути дела, тот человек намекнул ему, что следствие на правильном пути, а сам Колобов чуть ли не тайный союзник Турецкого. Наводит на Тураева? А может, запутывает?

7

Служебный автомобиль, большой мягкий удобный салон, дутые бока, греющая душу роскошь и подбадривающие завистливые взгляды остающихся позади, вцепившихся в баранку мужиков — от этого у Ангелины всегда поднималось настроение. Даже если поездке предшествовали неприятные дела и разговоры. Сегодня ни разговоров, ни дел, способных расстроить, вроде бы не было, а настроение ни к черту.

Она спросила у водителя:

— Коля, сегодня случайно нет магнитной бури?

— Ничего не передавали, кажись. А что?

— Муторно что-то...

— Не с перепоя?

— Какой перепой?! Я ж в трауре!

— Одно другому не мешает, — философски заметил Коля.

— Тебе, может, даже помогает, а я все время на людях!..

Она не говорила пока никому из коллег и подчиненных о своих неприятностях. Не говорила она и другого: того, что собирается прибрать к рукам всю наличность, которая пока еще вертится на счету телекомпании, и попытать счастья где-нибудь подальше от порядком надоевшей русской земли. Ей казалось, что в лице полковника Грязнова она слегка притупила бдительность ментов. Во всяком случае достаточно, для того чтобы слинять в загранкомандировку и раствориться там до лучших времен. Теперь ей надо было запудрить мозги собратьям по нынешнему своему ремеслу. Они, сволочи, обязательно зададутся вопросом: куда это подалась непоседливая Ангелина без операторов, ассистентов и режиссеров? Да и зачем исполнительному директору

249

куда-то ездить? Ее дело сидеть на месте, осуществлять общее руководство и держать, что называется, нос по ветру... О, если бы они знали правду, всю правду! Самый последний осветитель, да тот же водила Колька немедленно задушил бы ее собственными руками. Вот о чем думала эта женщина, глядя в окно автомобиля.

Ангелина перевела взгляд на мощные, волосатые руки водителя и аж вздрогнула, когда он вдруг заговорил:

— Не знаю, может, мне чудится, но нас, кажись, пасут.

— Кто? Где?

Ангелина завертела головой:

— Тачка сзади тащится. Красный «опель».

Ангелина всмотрелась:

— Точно пасут! Давно заметил?

— Минут десять поглядываю.

— Может, по пути?

— Может. Только мы уже два раза поворачивали после того, как я их засек.

— Значит, надо проверять. Есть у нас возможность?

— Возможность всегда есть. Только если они знают, куда мы едем, могут для вида и отстать.

— Откуда им знать, куда мы едем?

— Телефон подслушали...

— А я не говорила никому, куда собираюсь.

— И стрелку никому не назначали на это время?

Ангелина посмотрела на Колю, оценила:

— Соображаешь! Но встреч никому нигде не назначено.

250

— Тогда поводим, — без особой охоты согласился Николай.

После нескольких маневров на узких улицах центра убедились, что слежка действительно идет, причем в открытую.

— Видно, менты, — неуверенно предположил водитель.

— Так что? — нервно спросила Ангелина. — Кого они пасут, меня или тебя?

— Меня-то за что? — обиделся Николай.

— Мало ли!..

Огрызалась Ангелина просто так, по привычке. Она почти не сомневалась, что слежка идет за ней. Как в таком случае скроешься из страны незаметно? Надо еще ехать в офис. Взять чековую книжку, штамп, печати и бланки выездных документов. В свое время она позаботилась о том, чтобы муж где только можно наоставлял своих подписей на бланках с изящным логотипом «Спектр». Теперь осталось наставить печатей, распечатать соответствующие приказы и командировочные предписания — и можно отправляться... Ангелина то и дело поглядывала на красный «опель».

Скрываться и прятаться в уже засвеченной автомашине не имело смысла. Поэтому решили остановиться на большой стоянке.

Выбравшись на мокрый асфальт, она подобрала полу длинного кожаного пальто и нарочито громко сказала:

— Подожди меня, Коля, минут через десять поедем.

Тот кивнул и, к счастью, не стал уточнять

куда, иначе пришлось бы тратить и без того дорогое время на очередную ложь.

В холле перед входом в помещение телекомпании стояла толпа курильщиков, ее работников. Завидев ее, они поздоровались вразнобой и долго смотрели вслед. Нехорошо как-то смотрели, отметила Ангелина.

В приемной все разъяснилось.

Навстречу ей из-за своего небольшого черного стола выкарабкалась полненькая секретарша Валя.

— Ой, у нас такое случилось, Ангелина Николаевна!..

— Что?! — коротко и почти спокойно прорычала ей в лицо начальница.

Валя подобралась вся и отрапортовала:

— Украли все кассеты!

— Когда?

— Ночью, наверное. Ребята пришли, дверь взломана...

— В милицию обращались?

— Не... Я сейчас!

— Подожди. Не торопись, как голая в баню! Хорошо, что не растрезвонили раньше времени. То-то конкуренты порадовались бы! Кто обнаружил пропажу?

— Сережка. Он раньше всех приходит.

— Так. Он тут?

— Да.

— Пусть зайдет.

В ожидании программиста-дизайнера Ангелина спокойно собирала в большой деловой портфель все необходимое для того, чтобы больше в эту контору не возвращаться. У нее был повод лишний раз похвалить себя за осторожность и предусмотрительность. Самые лучшие передачи, которые сделал Юрка, спрятаны совсем в другом месте. Те, которые прошли в эфир, докажут высокий профессионализм тележурналистки Ангелины Ивановой, другие, свеженькие, хорошо продадутся, особенно последняя, над которой особенно трясся бедный муженек...

— Вызывали? — входя, спросил парень.

— Заходи, Сережа, рассказывай, что стряслось.

— Дело было так. Я притащился, как обычно, раньше всех.

— Дверь была открыта?

— Какая? Входная? Нет. Все, как обычно, на сигнализации. Пришел, значит, закипятил кофейку, сел эффекты порисовать к этому клипу, что мы с Чумаковым делаем. Пошел кассету взять, на которую запись делали, сунулся в кладовку, а там весь шкаф пустой ни чистых, ни записанных. После я метнулся оборудование проверять...

— Ну и?..

— Все на месте. Тут я решил пока шухер не поднимать.

— Почему?

— Простой видеоворишка сюда не попадет, вот я и подумал: может, какие-нибудь конкуренты пошли на самое пошлое воровство. Дальше я решил, что ночью вынести отсюда кассеты не позволила бы охрана, я имею в виду всю кучу. А по частям — это ж сколько мороки! Я предположил, что все кассеты тут, в здании. Возможно, те, кто украл, потихоньку их тут просматривают, чтобы выбрать нужные.

— Разумно, — похвалила Ангелина.

— В общем, я пробежался по некоторым помещениям.

— Смысл?

— Нарваться на наши кассеты. В несколько комнат меня не пустили после того, как я представлялся. Я записал в какие.

Неплохой парень, не без ума, мог бы стать помощником, но все это уже не вовремя, подумала между делом Ангелина.

— Спасибо, Сережа, ты сделал все правильно. Теперь я займусь нашей проблемой. И вот что, часа через три, если от меня не поступит другого распоряжения, пригласи милицию. Попроси, чтобы приехали из Московского уголовного розыска, скажи, что пропали очень важные материалы.

— Хорошо, — кивнул парень.

Ангелина отпустила дизайнера, чтобы продолжить торопливые, но аккуратные сборы.

В это время зазвонил телефон. Немного поколебавшись, она подняла трубку:

— Слушаю.

— Где кассета? — спросил напористый молодой голос.

— Какая?

— Мы знаем, что ты дура, но не настолько же!

— «Мы»? И кто такие «мы»?

Ангелине стало страшно, но она старалась говорить не только спокойно, но и с издевкой.

— Не твое дело! Много будешь знать — не доживешь до старости! Так где кассета? — повторили вопрос.

— Что, все краденое уже проверили?

— Ну почти, — подтвердил говорящий.

— Поторопитесь. Скоро по вашим следам помчится МУР! — крикнула Ангелина, бросила трубку и торопливо сунула в портфель оставшиеся документы. Надо было срочно ехать домой, за вещами, но чтобы туда добраться, надо было найти другую машину.

8

Антон Скользкий и сам уже почти забыл, что настоящая его фамилия Слизовский. А тем более этого не обязаны были знать ни враги Антона, ни друзья, которые всегда могут стать врагами. Такова уж специфика бизнеса, в мутных волнах которого пока еще с удачей для себя купался бандит Скользкий.

Его прошлое уложилось в три долгосрочных отсидки, не считая, естественно, детства и ранней юности. Из тюремных университетов он вышел, так сказать, с дипломом о высшем образовании, то есть имея звание вора в законе. Как и всякому человеку, ему было что скрывать, но от обычного обывателя с его достаточно мелкими грешками Скользкий отличался масштабностью проступков как по линии закона власти, так и по закону воров.

Рискуя жизнью, недосыпая ночей, он все же

сумел убрать немногочисленных свидетелей своего воровского позора, но были еще живы несколько человек, которые, не будучи свидетелями, знали про него все. Более того, имели доказательства. И что хуже всего, это были служители закона. Одно знакомство с ними бросало несмываемое пятно на репутацию настоящего вора. Понятное дело, ментам гораздо полезнее было держать Скользкого на крючке, чем просто сдать его ворам же. И держали они его крепко. Конечно, грешить на них бандиту не стоило — напрягали не на всю катушку. Да и куда им было деваться. Им тоже приходилось договариваться как с ворами, так и со своими генералами, чтобы хоть какой-нибудь процент раскрываемости командованию предъявить. Однако в любом случае эта зависимость бандита раздражала. Поэтому, когда на пейджер пришло сообщение от марухи — «Позвони по номеру 369-98-42, — печень у Скользкого стала побаливать. По этому телефону находился вездесущий, но справедливый полковник Грязнов. Скользкий со товарищи было свободно вздохнули, когда рыжий ушел в частный сыск. Но вскоре Грязнов вернулся в МУР, и Скользкий вновь жил в вечном напряжении.

Бандит, получив информацию, покинул свой кабинет в офисе автосервиса и, сев в «мерседес», созвонился с марухой. Из офиса не звонил, боясь прослушивания.

— Алло? Госпожа Трояновская?

— Да-да, — промурлыкала маруха.

— Это ваш партнер из Лыткарина, Громов,

беспокоит. Есть сообщения по поставкам? — изменив голос, спросил Скользкий.

— Да-да! Звонил Рыжов. У него договора на следующий месяц, — подтвердила женщина.

— Хорошо. Щас буду.

«Опять будет сдаивать, как корову», — мрачно думал Скользкий, направляясь к месту встречи.

Действительность, как он позже узнал, оказалась хуже любых предположений.

В условленном месте он притормозил, и через минуту на сиденье рядом плюхнулся полковник Грязнов в неизменном кожаном пальто.

— Привет, автосервис!

— Здоров, — буркнул Скользкий.

— Отчего такой мрачный?

— Когда контора веселится, нам чего радоваться?

— Я, по-твоему, радуюсь? — удивился муровец.

— Ну щеришься...

— Американцы рекомендуют, — улыбнулся Грязнов.

— Куда подвезти? — спросил Скользкий.

— На работу, — ответил полковник и хохотнул.

Скользкий взглянул искоса.

— Во! А базаришь, что невеселый.

— Есть проблема, Антон...

— Дельце, что ли, зависло какое?

— У меня что-нибудь зависало?

— Ну я, положим, не помню. Значит, за кого-то просить пришел.

— Угадал. Есть молодой опер, попал в неприятность.

— Плохо учился?

Скользкий был раздражен, поэтому стремился хотя бы постоянным переспрашиванием досадить приставучему полковнику.

— Наверное, плохо, — неожиданно легко согласился обычно строптивый и острый на язык Грязнов. — Только не думаю, что ты захочешь принять у него переэкзаменовку.

— Тогда что тебе от меня надо? — буркнул Скользкий.

— Для начала ответь на вопрос: какие у тебя сейчас отношения с Лечо?

— Это кто такой? — скорее по инерции, чем по уму быстро спросил Скользкий.

— Ну-ну, не надо прикидываться, Антон! Дать тебе образование и более гибкую натуру — спокойно командовал бы МУРом.

— Упаси Бог! Командуй сам, — отмахнулся бандит.

— Что ты божишься? Я же не на работу тебя сватаю, а комплимент говорю.

— На кой мне твой комплимент? Лучше помоги материально!

— Это тебе-то?

— Вот еще богача нашел!

— Ладно, Антон, не отвлекайся.

— Да че «не отвлекайся»?! Я думал, тебе консультация нужна, а ты меня понуждаешь какому-то оперенку помогать, да еще Лечо какого-то впутываешь.

— Смотри не разозли меня, Антон!

258

— Грозишься?

— Ни в коем случае. Очерчиваю твою диспозицию.

— Чево?

— Объясняю, дурень, что деваться тебе все равно некуда.

— Ладно, проехали. Дальше что?

— Наш парень раскручивал шайку Лечо на предмет кражи машин. Эти ребята совсем обнаглели, тянут что подороже, хотя существует у вас правило: брать хорошее, но массовое, чтоб труднее было концы сыскать. Так?

— Ну, — неопределенно произнес Скользкий.

— Нашего парня вычислили, взяли и повезли к Лечо.

— Когда?

— Сегодня. Если к Лечо приду я, он, может, и испугается, но разговаривать не станет. Кавказец...

— Если приду я, тем более не поверит. У нас отношения как у Союза с Германией в сорок первом.

— Ты немножко скромничаешь, дорогой. А я хочу тебя предупредить: случится что-нибудь с парнем — вас никого здесь не будет. Потом, конечно, придет кто-нибудь на такой лакомый кусок — пусть хоть из Челябинска, но ни тебя, ни Лечо, ни тем более ваших оруженосцев тут не будет. Кто погибнет в перестрелке, кто сядет, а кого и свои пришьют.

При последних словах Грязнова Скользкий невольно поежился.

— Точно знаешь, что у Лечо?

259

— Точно.

— Кого искать?

— Никита Бодров.

— Душишь ты меня, начальник! Ох, душишь! — Скользкий сорвался на истеричный визг.

— Терпи, казак. Вот выйду на пенсию — и тебе вольную дам.

— Тебе до пенсии, как жеребцу до мясокомбината!

— Это я просто молодо выгляжу.

— Дня через три свяжемся, ага?

— Нет, дорогой. Завтра к обеду, иначе СОБР включает счетчик, а он у них наоборот работает — десять, девять, восемь, семь...

9

Ангелина покинула телекомпанию «Спектр» с чувством облегчения и с надеждой, что больше она здесь не появится. Ей удалось обмануть тех неизвестных, что вели машину чуть ли не хвост в хвост. Возможно, это были люди из «Кононга» или из МУРа, но, кто бы ни был, встречаться с ними не входило в ее планы.

Многие из ее более удачливых коллег и помыслить не могли, чтобы пройти пешком хотя бы метров пятьсот. Ангелина начинала с низов, не обросла еще жирком и чванством, поэтому бодро, легко, несмотря на тяжелый портфель, потопала себе пешочком с черного хода все дальше в глубь города, смешиваясь с толпой пешеходов.

Убедившись, что никто за ней не гонится, она взяла такси.

До дома от Останкина езды было около часа. Водитель то и дело оглядывался, пытался заигрывать. Ангелина вяло и незлобиво отбрехивалась и все косилась назад: нет ли за ними какого-нибудь хвоста.

Таксист по собственному почину заехал во двор указанного пассажиркой дома, остановился возле нужного подъезда.

Ангелина, протянув ему плату с небольшим перебором «на чай», спросила:

— Вы не подождете?

— Могу, — осклабился таксист.

— Придется ехать, — уточнила Ангелина.

— Куда? — согнал с лица улыбку парень.

— В аэропорт.

— У-у... А рассчитаться хватит?

— Что, за бедную канаю? — вырвалось у Ангелины.

— Э... нет вообще-то, — смешался парень. — Мало ли...

— «Зеленью» возьмешь?

— Да, — оживился он.

...Ангелина поднималась в лифте в квартиру, думала с наслаждением о том, как сменит сейчас пропотевшее в беготне и волнениях белье, соберет вещички, заскочит в соседний дом, где запрятано самое дорогое, — и вперед к новой жизни. Но что-то будто отравляло ожидание будущих радостей. А если дома засада?

Ангелина поднялась двумя этажами выше, чем ей было нужно, постояла на лестничной площадке, прислушиваясь. Кажется, внизу было тихо. Впрочем, это ни о чем не говорило. Осторожно она стала спускаться по ступенькам на свой этаж.

На площадке никого не было. Она крадучись подошла к своей двери, массивной, бронированной, такой, кажется, надежной в отличие от хлипких крашеных дверей соседских квартир. По инерции взялась за ручку, толкнула... Дверь тяжело подалась, образуя между собой и коробкой небольшой проем.

Она резко отскочила назад, беспомощно оглянулась, выискивая, куда бежать. А там, внутри ее квартиры, послышался невнятный мужской голос... Мысли пронеслись в голове как молнии. Со времени исчезновения мужа новых мужиков, достойных ночлега в ее будуаре, она не заводила, профессор и сын ключей от этой квартиры не имели...

Она метнулась за лифты, к лестнице, где в закуточке возле мусоропровода стояли ящики для картошки. От остальной лестничной клетки этот закуток был отгорожен дверью с замком, ключи от которого были у каждого из квартиросъемщиков этажа. Ангелина успела открыть нехитрый замочек, проникла в закуток, пахнущий затхлым мусором и дачной землей.

Голоса в пустом коридоре раздавались гулко и были хорошо слышны.

— Что там? — требовательно спросил кто-то.

— Нет никого, — ответил другой голос. — Может, сквозняк?

— В голове у тебя сквозняк! Окна все закрыты! Беги вниз, может, она приходила. Догони и как хочешь, хоть за ноги, тащи сюда!..

Послышался дробный затихающий стук ботинок по ступенькам.

Ангелина почувствовала вдруг страшную усталость. Она понимала, что надо, наверное, бежать, скрываться, звать на помощь, в конце концов. Но у нее не было сил подняться с ящика.

Возможно, это ее и спасло.

Вскоре загудел мотор, поднимающий в шахте лифтовую кабину. Совсем рядом кабина остановилась, кто-то торопливо вышел, прошлепал по цементному полу туда, где лепились друг к другу двери квартир.

— Ну? — раздался тот же требовательный голос.

— Ты прав. Она это...

— И где?

— Где-то в здании. Там таксер сидит, ее ждет.

— Вот б...! Точно не выходила?

— Водила говорит: нет.

— Что еще говорит?

— Что она собиралась в аэропорт ехать.

— Ага! За бугор решила слинять, сука! Так чего ей здесь надо было?

— Вещи, шмотки, — предположил подчиненный.

— Э нет. Богатая баба, трусняк и по дороге могла закупить. Тут ей надо было то, чего не купишь, — документы, деньги. Я надеюсь, ты догадался таксиста отправить?

— Конечно.

— Хорошо. Иди вниз, отдохни на лавочке, может, вернется. А мы еще пошарим тут.

— А если она ментов вызовет?

— Она? Ментов? Да она не знает, наверное, кого ей больше бояться — нас или контору!

Подчиненный спустился лифтом вниз, а главный скрылся в квартире, хлопнув для верности дверью.

«Ментов я боюсь? Козлы!» — со злостью подумала Ангелина. Прислушалась, выждала еще минут пять, затем достала из кармана маленький изящный сотовый телефон и набрала номер.

— Алло? Милиция?

— Дежурный подполковник Ковлев! — скороговоркой отрапортовал дежурный офицер.

— У нас здесь воры забрались в квартиру.

— Адрес?

Ангелина вполголоса продиктовала.

— Что так тихо? — недовольно спросил подполковник, не расслышав номер квартиры.

— Так боюсь! Я соседка.

— Сколько их?

— Не меньше трех.

— Ждите, выезжаем.

Милицейский наряд, однако, не торопился, прибыли минут через двадцать. Но их опередил тот, что сидел на лавочке и караулил Ангелину внизу.

За минуту до милиционеров он уже молотил кулаком по железной двери.

— Че надо? — спросил его командир.

— Менты!

264

— Ну так что? Заходи, раз прибежал. Или мы не отбрешемся с такими корочками?

Дверь захлопнулась. А вскоре на площадке затопотали по меньшей мере шестеро милиционеров. Один из них постучал в дверь автоматом.

Та открылась.

— Чем обязан, товарищи?

— Получен сигнал, что эту квартиру обворовывают. Вы хозяин?

— Нет. Но заходите, я вам все объясню...

Когда дверь в очередной раз захлопнулась, Ангелина проворно выскочила из своего схорона и побежала вниз, осторожно выглянула из дверей подъезда — во дворе никого. И она побежала, толком не зная куда...

10

Ожидание длилось уже несколько часов кряду... Грязнов, нахохлившись, сидел в углу своего кабинета. Женщина Скользкого должна была позвонить и сообщить, чем закончились переговоры между русским и кавказским авторитетами. По логике переговоры должны были завершиться успешно. Хотя бы потому, что Ваграм долго не блефовал, а сразу дал понять, что не верит Бодрову. Но убивать его сразу не стал. Значит, имеет свой интерес. Хотя сыскной опыт показывает, что далеко не всегда люди руководствуются в своих действиях логикой и здравым смыслом.

Устав от невыносимого ожидания, Грязнов

решил зайти в кабинет к Яковлеву. При появлении начальника МУРа Яковлев тут же вырубил свой «Фотон», чтобы телевизор не раздражал и без того взвинченного друга.

По громкой связи прозвучал голос дежурного по МУРу:

— Подполковник Яковлев, здесь какая-то дама полковника Грязнова спрашивает. Он случайно не у тебя?

— Да, Грязнов у меня в кабинете. Кто такая?

— Ангелина Иванова.

Грязнов напрягся и кивнул Яковлеву: мол, дай команду, чтобы пропустили.

Грязнов вернулся в свой кабинет. Через несколько минут вошла Ангелина. Он с трудом узнал в этой женщине прежнюю яркую шоуменшу. Перед ним стояло изможденное существо со слипшимися волосами, в заляпанном грязью пальто. Ангелина буквально рухнула на стул и выдохнула:

— Господин полковник, оформляйте протокол!

— Какой? — не сразу сориентировался Грязнов.

— О явке с повинной, — уточнила она.

— Вот как! И в чем же вы хотите повиниться?

— Хоть в соучастии в убийстве, хоть в сокрытии преступления, — бросила она.

Грязнов достал с полки бланк, придвинулся к столу и приготовился записывать.

— Я хочу сделать заявление, — начала Ангелина. — Я помогала своему мужу инсценировать его гибель в автокатастрофе. Я также заставила

266

доктора Чижа спрятать мужа и сфабриковать справку о его смерти. Кроме того, я знала об убийстве, но скрыла факт убийства моим мужем Олега Колобова.

— Хорошо. Записал, но проясните, пожалуйста, обстоятельства убийства Олега Колобова, — перебил ее Грязнов. — Учитывая подготовку и физические данные охранника, мне трудно поверить, что субтильный Иванов легко, без борьбы мог его задушить.

— Все правильно. Решение его задушить пришло к Юрию внезапно. По-моему, его противоречия с концерном «Кононг» дошли до критической точки. А вы же знаете, что сейчас все более-менее крупные капиталы основаны на криминале. Отсюда и способ разрешения спорных вопросов: угрозы, а потом и насилие... В общем, этот Колобов приехал выбивать из мужа то ли деньги, то ли какие-то документы. Толком не знаю. А мы с Юрой уже договорились, что ему надо исчезнуть.

— Но дело в том, что Олег Колобов работал охранником в «Каскаде» у своего брата Сергея Колобова, — заметил Грязнов.

— А, все они одна компания! Что-то между собой не поделили, а Юра, как муха, между двумя верблюдами очутился. За месяц до этого случая к нам заместитель директора фирмы «Каскад» приезжал, кажется, его фамилия Трауберг. Так он у Юры полдня в кабинете проторчал. Не знаю, уж о чем они толковали, но после этого моего Юру как подменили. Дерганый стал, к спиртному пристрастился... А телефон Тураева в последнее время Юра вообще на блокировку поставил, чтобы тот не мог к нему дозвониться.

Ангелина сделала небольшую паузу. Видимо, хотела уяснить, какое впечатление произвели на Грязнова ее последние фразы. Но Грязнов с невозмутимым видом записывал ее показания.

Ангелина закурила и продолжала повествование:

— И вот пришел Олег Колобов и сразу начал грозить, ругаться. Мы с мужем переглянулись и поняли друг друга без слов. Мы не стали с ним ругаться, а угостили рэкетира дорогим коньяком. И он клюнул. А в коньяк я ему клофелина накапала. Когда рэкетир вырубился, Юра его и задушил.

Ангелина замолчала.

Грязнов, дописав страницу, поднял на Иванову глаза.

— Все? — спросил он.

— Не совсем. Они же все равно не успокоились!

— Кто?

— Концерн этот, «Кононг», да и фирма «Каскад» тоже...

— Что же им надо?

— А я знаю? Следили за мной все утро, потом приезжаю домой, а они уже там все переворачивают! Лопухнулись, дверь забыли закрыть — я и убежала... Пересидеть мне надо...

— Пересидеть? А если прочно сесть придется?

— Сидеть — не в гробу лежать, — огрызнулась Ангелина. — Если до суда дойдет, как-нибудь выкарабкаюсь... Такая кампания пойдет в защиту гласности — только держись.

— Ладно-ладно, — перебил ее Грязнов, — давайте-ка, мадам, оформим подписку о невыезде.

— Э-э нет. Мне, наоборот, под замок теперь надо, — усмехнулась Ангелина.

— Сначала мадам, я вас свожу к следователю по особо важным делам Турецкому, а он уж решит вашу судьбу, — поставил точку в протоколе и в разговоре Грязнов.

В кабинете Турецкого Иванова вела себя уже более уравновешенно.

— Вы поступили мудро, — ободрил ее Александр Борисович.

— Какая, к черту, мудрость. Если вы меня не спрячете, эти коммерсанты в два счета меня угрохают, — вновь занервничала она. — А если мне капут, то дело, которое вы раскручиваете по Иванову, развалится напрочь.

— Это почему же? — спокойно спросил следователь.

— Потому что, по моим сведениям, очевидцев, кроме меня, не имеется!

— Но следствие еще не закончено, мадам, — урезонил ее Турецкий. — Прошу вас отвечать на мои вопросы. Чем правдивее будут ответы, тем больше у вас появится шансов сохранить свою драгоценную жизнь, — добавил он, придвинув к себе бланк протокола допроса. — Про кассету я вас не буду спрашивать, понимаю, что это ваш последний козырь в игре, хотя экспромт не исключаю, — сказал Турецкий.

Ангелина согласно кивнула. Потом она рассказала следователю то же, что и Грязнову полчаса назад. После небольшой паузы Турецкий спросил:

— Кому в Москве вы звонили и передали информацию, что оперативная группа во главе с подполковником Яковлевым выехала к доктору Чижу?

Ангелина долго молчала, потом закурила и, нервно затянувшись, бросила:

— Тураеву я тогда звонила.

— Лжете, Ангелина! — повысил голос Турецкий. — Вы звонили дяде Боре, а уж он отдал приказ Тураеву сопровождать незваных гостей до дома отдыха, где работал доктор Чиж, и далее до охотничьего домика, где было совершено зверское убийство вашего мужа. Далее вы сообщили через Людмилу Семенову этому же дяде Боре, что все гости остались довольны, кроме хозяина, но это дело времени. Вы как бы попросили дядю Борю избавить вас и от этого свидетеля, что вскоре и произошло. Все эти услуги дядя Боря оказывает вам, а вернее, оказывал до сегодняшнего дня в надежде, что вы вернете ему кассету с фильмом, который бы он не хотел видеть ни на нашем, ни на зарубежном телевидении.

— Людка Семенова проболталась? Шлюха! — взвизгнула Ангелина.

— Нет. Просто ее телефон давно прослушивается.

— Господи! Как же вы на нее-то вышли?! — вытаращила удивленные глаза Ангелина. — Ведь она нигде с нами не засвечивалась!

— Успокойтесь, Ангелина, на вопросы должны отвечать вы, — перебил ее следователь.

— Теперь самое время спросить вас, кто такой дядя Боря?

Ангелина смертельно побледнела и судорожными движениями стала пытаться прикурить очередную сигарету.

— Если я это скажу, меня убьют и в тюрьме, — тихо, с отчаянием в голосе выдавила она.

— Я вам помогу, — не давая ей расслабиться, вставил Турецкий. — Это член Генштаба генерал Борис Авдеев. Тураев, Колобов и покойный Семенов, отец Людмилы, — его бывшие сослуживцы по ЗГВ.

Ангелина напряженно молчала. Больше Турецкий не подстегивал ее. Прошло несколько минут. Иванова затушила сигарету и сказала:

— А если я откажусь подтверждать это?

— Тогда мы возьмем с вас подписку о невыезде и — до свидания! — спокойно ответил «важняк».

— Ладно, я подтверждаю эти сведения и подпишу протокол, но я не знаю, кому звонил Авдеев, — махнула рукой Ангелина, и зрачки ее сверкнули дико.

Вернувшись с Ангелиной в МУР, Грязнов крякнул и задумчиво посмотрел в окно кабинета.

— Что задумался, начальник? — иронично улыбнулась Ангелина. — Теперь вам надо беречь меня, как собственную потенцию.

— Ладно, пока помолчите, — прервал ее Грязнов. Он еще раз просмотрел постановление на

271

арест Ивановой, выписанное Турецким и подписанное прокурором. — Посидите пока в нашей внутренней тюрьме, — добавил он.

— Спасибо, начальник! Я далеко от вас сейчас боюсь находиться. Я где-то читала, что в следственных изоляторах есть коммерческие камеры. Это правда?

— У нас в изоляторе на Петровке, 38, камеры обычные: нары в три яруса и параша в углу, — сухо проинформировал Грязнов. Он проводил Ангелину во двор, где находилась внутренняя тюрьма. Дежурный по изолятору выписал соответствующий документ, Грязнов его подписал и вернулся к себе в МУР. Дежурный проинформировал его, что никаких звонков ему не было. Грязнов уселся в кресло и стал ждать звонка от подруги Скользкого. Как там Никита? — Грязнов мучительно переживал за молодого муровца.

11

Револьвер смачно цокнул бойком вхолостую. Этот звук вывел Людмилу из шокового состояния. Она встрепенулась и вскрикнула:

— Что вы делаете! Прекратите этот кошмар!

— Заткни ей пасть, — приказал незнакомец Ваграму.

Кавказец быстро подошел к девице и что-то шепнул ей на ухо. Людмила кивнула и неподвижно застыла на стуле, смотря на Никиту, а вернее, на его руку с пистолетом.

Никита вошел в роль — он взял пистолет за ствол и протянул его Ваграму со словами:

— Господа, проверните барабан, кино продолжается.

Ваграм крутнул барабан и, вернув пистолет Никите, боком отошел в сторону.

— А эту ставку, господа, я посвящаю даме своего сердца, Людмиле, — улыбаясь во весь рот, воскликнул Никита и резко, приставив пистолет к виску, спустил курок. Второй холостой щелчок заставил вздрогнуть всех боевиков. На этот раз они ожидали выстрела. Ваграм опять провернул барабан. Боевики таращили на Никиту удивленные глаза. У них было ощущение, что в руках пленника игрушка, а не настоящий пистолет.

Никита улыбался. На его лице не было и тени страха или хотя бы напряжения.

— У него чердак поехал, — сказал незнакомец Ваграму.

— Нет, господа, я вполне в своем уме, — возразил Никита. — Должен же я хоть в чем-то сдержать перед вами слово. В каком-то американском фильме я видел, что за такие выступления платят бешеные бабки. Мне жаль только одного, что я работаю бесплатно. Эту ставку я посвящаю моим друзьям, которые сейчас наверняка думают обо мне. Кадр номер три! — воскликнул он, и в третий раз боек пистолета щелкнул вхолостую.

— Прэкраты эта! — крикнул Ваграм незнакомцу. — Он нам пэчень клует. Издывается.

У кавказца явно сдали нервы. Его можно было понять. Проворачивать барабан пистолета приходилось ему, и он каждый раз ожидал, что Никита

273

пальнет в него. Что можно ожидать от человека, который находится в такой ситуации и смерти не боится?

— Подожди, Ваграм, у нас еще есть время, — глянув на часы, успокоил горца незнакомец. — Где ты еще такое кино посмотришь? Он уже всех америкашек перещеголял. Хочешь выпить, Никита, за то, что ты такой счастливчик? — искренне предложил незнакомец.

— Спасибо, но я на службе не пью, — кашлянув для солидности, соврал Никита.

— Ну ты даешь, парень, — хмыкнул незнакомец и опрокинул очередную рюмку коньяку.

— Пользуясь небольшой паузой, хочу задать зрителям один вопрос, — сказал Никита.

— Задавай.

— Кто я, вы знаете. А вот вы-то кто такие? Скажите мне, ради Бога, а то я от любопытства скорее помру, чем от пули.

— Резонно, — отозвался незнакомец. — Ты, конечно, Никита, рассудил, что мы бандиты. Нет, дорогой, мы контрразведка президента, но не официального, конечно, а другого президента России, наделенного столь же большой властью и заботящегося о народе своем.

— Тьфу, черт! — расхохотался Никита. — А я-то думаю, что это мы так хреново живем. Оказывается, два медведя в одной берлоге... Ох-хо-хо! А розыск у него есть?

Боевики молча смотрели на него как на сумасшедшего.

— Кому же четвертую ставку посвятить? — вертя пистолет в руке, глубокомысленно произнес Никита. А, придумал! Четвертую ставку, господа, я посвящаю отечественному кино — лучшему кино в мире. Итак, кадр четвертый! — резко произнес он и приставил пистолет к виску.

Боевики вновь вздрогнули и застыли в напряженном ожидании. Но Никита не спешил спускать курок. Прошла минута, две, три.

— Стрылай, чего танешь! — заорал Ваграм.

Никита вдруг опустил руку с пистолетом и спокойным голосом обратился к незнакомцу:

— Слушай, контрразведчик, кино так кино. Наденьте мне красную повязку на голову, чтоб по законам жанра было.

— Дурак, — отозвался незнакомец. — Это они не для красоты повязки надевают, а чтобы своими мозгами публике костюмы не испачкать. Ваграм, найди красную тряпку и сделай этому чудику повязку на его дурную башку.

Через несколько минут Ваграм вернулся с лоскутом красного материала. Он сложил его вдвое, подошел к Никите и начал завязывать.

И тут на глазах у боевиков произошла потрясающая метаморфоза: лицом к ним с вытаращенными глазами стоял Ваграм, а к его виску был приставлен его же ТТ. Из-за плеча кавказца выглядывала зверская физиономия Никиты. С красной повязкой на лбу он походил на камикадзе.

— Пушки на пол! Руки за голову! Перестреляю как собак! — рявкнул Никита.

Совершенно обалдевшие от такого «кино»

боевики послушно подчинились приказу: пистолеты полетели на пол.

— А тебя, что, не касается? — заорал Никита на незнакомца. — Встать!

Незнакомец медленно вышел из-за стола, показал жестом, что пистолета у него нет, и присоединился к остальным боевикам.

— Все к стене, в одно место! — скомандовал Никита.

Боевики послушно сгруппировались у одной стены.

— Люда, иди за мной, выходим, — кивнул он девице, но та не могла шевельнуться, сидела словно каменная.

Никита заорал на нее:

— Вставай, е... твою мать!

Людмила вскочила и начала озираться.

— За мной иди, Люда, — повторил Никита, — да собери пушки с пола.

Людмила подняла два пистолета, один взяла со стола незнакомца. Держа их в охапке, она подошла к Никите.

— Ты пока еще полутруп, Ваграм, — сказал Никита на ухо горцу. — Но если что, сразу станешь полным. Не трепыхайся!

Ваграм молчал.

Так, держа пистолет у виска горца, они дошли до двери. Уже в дверях Никита спросил Ваграма:

— Наверху охрана есть?

— Да.

— Сколько их?

— Тры.

— Пристрелить тебя, что ли, Ваграм? — ехидно поинтересовался Никита.

— Стрэлай, мэнт проклатый! — огрызнулся кавказец.

В этот момент Никита шандарахнул его рукояткой пистолета по затылку. Ваграм беззвучно осел на пол.

— Эй, контрразведчик, — обратился Никита к незнакомцу, — я не профессиональный артист, поэтому устал и минут пятнадцать отдохну за дверью. Если сунетесь — стреляю без предупреждения. Понял?

Беглецы оказались в коридоре, в конце которого виднелась лестница, ведущая наверх. Там вовсю гремела музыка. Видимо, охранников специально попросили врубить музыку на всю катушку, чтобы не слышно было выстрелов.

В гостиной спиной к беглецам сидели два боевика и смотрели видик. На экране бесновалась какая-то западная рок-группа. На стоящем между креслами журнальном столике лежали короткоствольные автоматы. Никита в три прыжка оказался перед стрижеными затылками. Через секунду оглушенные парни валялись на ковре.

Третий охранник попался им навстречу прямо на выходе из дома. Он, видимо, захотел, чтобы его сменили пораньше, и направлялся к своим товарищам. Автомат болтался у него за плечом. Увидев перед собой мужика с красной повязкой на голове и с двумя пистолетами в руках, он остолбенел. Никита приложил ствол пистолета к губам: мол, тихо. Он быстро подскочил к боевику и нанес ему удар коленом в промежность. Уже летящий на пол, бандит получил вдогонку удар рукояткой пистолета по затылку.

Беглецы выбрались из дома, сели в «ауди» Ваграма, и Никита стал пытаться напрямую врубить зажигание. Запутался в проводах... Зажигание не включалось.

— Черт бы побрал все эти иномарки, — выругался муровец, продолжая копаться в замке зажигания. Вдруг он почувствовал на своем плече руку Людмилы. Он вскинул голову и увидел, что к машине бегут несколько человек с автоматами. Через мгновение «ауди» была окружена вооруженными людьми. В открытых воротах стояли два «мерседеса».

— Выходы! — скомандовал кавказец, постучав пистолетом в боковое стекло.

Никита, не оглядываясь, тихо сказал:

— Люда, ложись на пол, может, не заметят. Когда уйдут, сразу беги. Запомни телефон: 369-98-40 — подполковник Яковлев... Вот теперь прощай, Людочка, фильм кончается. — Он медленно открыл дверцу, бросил к ногам боевиков пистолеты и вылез из машины.

— Гдэ Ваграм? — заорал кавказец, тыча ему пистолетом в лицо.

— Там, бесплатное кино досматривает, — кивнул Никита в сторону крыльца.

Его подхватили под руки, и все ринулись в дом. Один бандит заглянул в салон «ауди» и, никого не увидев, побежал следом за товарищами.

12

Наконец в кабинете Грязнова раздался долгожданный звонок. Подруга Скользкого промурлыкала в трубку:

— Через полчаса позвони на сотовик.

Машина, в которой ехали на стрелку Грязнов, Яковлев и два молодых опера, мчалась по Минскому шоссе в сторону мотеля.

Только что в перегруженном эфире Грязнов выловил телефон Скользкого. Тот сообщил, что Лечо согласился отдать Бодрова, но с одним условием: похерить наезд на их бригаду.

Грязнов, вновь вспомнив этот разговор, буркнул:

— Выторговали все-таки себе скошуху! А что делать? Ну да ладно, — махнул рукой полковник.

Встреча была назначена на пустыре. С одной стороны захламленную поляну прикрывала заброшенная ферма, с другой — невзрачный бетонный завод.

— Местечко мрачноватое, — пробормотал Грязнов. — Воздуха здесь явно маловато. Простору нет...

— Считаешь, что может быть засада? — спросил Яковлев.

— Вряд ли, Володя. Тогда им не жить в Москве...

Яковлев тормознул казенный «жигуленок» с заляпанными грязью номерами на обочине проселка, пересекающего пустырь. С противоположной его стороны должны были остановиться бандиты. Вскоре, важно покачиваясь на неровностях проселка, на пустырь вкатились два «мерседеса». Машины остановились рядком. От муровских «Жигулей» их отделяло чуть больше ста метров.

Потянулось томительное ожидание. Грязнов закурил, посмотрел по сторонам. Ему не нравилась эта ферма со слепыми выбитыми окнами и забор, из-за которого виднелись полусферы складов. Для засады лучшего места не придумаешь. Видимо, это тревожило и бандитов.

— Ну что они там телятся? — кашлянул Яковлев.

Наконец дверца одного «мерседеса» открылась. Из машины не спеша вылез Скользкий.

— Ага! Процесс пошел. И я пойду, — сказал Яковлев.

— А нам что делать? — спросил один из оперов.

— Вам — смотреть в оба! — приказал Грязнов. — Оружие применять только в случае, если по нас откроют огонь. А пока ваша задача запоминать марки машин, номера. Свяжитесь с МУРом и, если что, вызывайте подмогу. Ясно?

— Так точно, товарищ полковник, — дружно ответили оперативники.

Яковлев неуклюже выбрался из машины и, приветственно махнув рукой, пошел к «мерседесам». В этот момент тишину резанули сухие автоматные очереди. Яковлев среагировал мгновенно: упал на траву, откатился в сторону и оглянулся на «жигуленок». Муровская машина стояла как ни в чем не бывало. Огонь вели по «мерседесам».

Автоматные очереди непрекращающимся дождем из пуль коверкали борта автомашин, стекла осыпались мелким крошевом на серый песок. Прошитый пулями Скользкий упал возле машины и дергался в предсмертной агонии. Песок под ним потемнел от крови.

Из «мерседесов» больше никто не выходил. Были ранены или убиты? Боялись? Словно услышав немой вопль Яковлева, кто-то открыл правую заднюю дверь «мерседеса» и вывалился на землю между двумя автомобилями. За ним еще один.

Яковлев мог смотреть на происходящее без опаски. По нему, лежащему на открытом месте и, таким образом, представлявшему собой отличную мишень, упорно не желали стрелять.

Одна из бандитских машин начинала гореть.

Стрельба прекратилась, наступила звенящая тишина. Ее нарушало только журчание жидкости, вытекающей из пробитых радиаторов, да слабый шум, доносящийся из растерзанных пулями машин. Вполне возможно, что это были хрипы и приглушенные стоны раненых. Яковлев присмотрелся и узнал в одном из выпавших из машины Никиту. Муровец пополз к «мерседесам», каждую секунду ожидая рокового выстрела. Но по нему не стреляли. Он вскочил на ноги и бегом преодолел оставшееся расстояние. Бежал в полной тишине.

Через мгновение он упал между машинами, рядом с вывалившимися пассажирами. Один, плохо выбритый кавказец, уже умер. Второй еще шевелился. Это был Никита Бодров. Уже не думая о горячих стволах, что таились за забором и в бойницах-окнах заброшенной фермы, Яковлев подхватил под мышки что-то бормочущего Никиту. Затравленно оглянулся. Как будто никто не собирался стрелять. Понимая нутром, что тишина обманчива, Яковлев поволок Никиту к «Жигулям». И тут снова начали стрелять. Яковлев плечом и руками прикрывал голову и грудь Никиты и каждое мгновение ожидал, что горячая пуля вопьется в него самого. Но тот, кто, не торопясь, стрелял одиночными, явно не хотел убивать муровца. С жутковатым чмоканьем пули впились в тело Бодрова.

Тем временем по изрешеченным «мерседесам» выстрелили из гранатомета. Взвихренная взрывом мешанина из частей тел, обломков машин веером рассыпалась по пустырю. Тяжелые остовы остались на месте, жарко полыхая огромными кострами.

Яковлев дотащил Никиту до «Жигулей». Из салона выскочил один из оперов и помог втащить Никиту на заднее сиденье.

— Где второй? — отрывисто спросил Грязнов.

— Побежал посмотреть, кто сечу устроил.

— Как он собирается смотреть?

— Через забор.

Грязнов хмыкнул и потребовал:

— Аптечку сюда — и сваливай!

Опер резко развернул машину. Тут в нее вскочил второй оперативник.

— В больницу! — скомандовал Грязнов.

Яковлев осторожно снял с Никиты пиджак, опасаясь, что заденет раны и вызовет приступ боли. Но Бодров впал в забытье и, по всей видимости, ничего не чувствовал. Грязнов раскрыл аптечку и первым делом прямо через штанину вколол Никите в бедро промедол. Затем стал осматривать раны. Осмотр оказался неутешительным. Будет чудо, если он выживет, горестно подумал полковник, прикладывая к маленьким кровоточащим дырочкам в боку и груди ватные тампоны.

— Что видел? — спросил Грязнов у наблюдавшего за стрельбой опера.

— Люди в масках и камуфляже. Вроде спецназ. С левой стороны человек пять. Тачка импортная вроде «ауди». Номера замазаны.

— Ну и какие у тебя мысли по этому поводу? — перебил Грязнов.

— С мыслями туго, товарищ полковник. Пока только волосья дыбом!..

— А мне одна деталь очень не нравится, парни... Они почему-то по нас не стреляли, хотя возможность была редкая. Сразу и начальника и зама грохнуть... и подрастающее поколение. Странно... — Грязнов потер ладонями виски, словно снимая напряжение.

— Боюсь, что убрали всех, Слава, кто мог нам что-то сказать, — сделал вывод Яковлев. — Одна надежда на Никиту.

Бодров пришел в сознание, когда его на каталке везли в операционную. Он повел глазами по сторонам, словно силился кого-то разглядеть. Идущий рядом Яковлев склонился над ним.

283

— Ты что, Никита?

Раненый беспокойно зашевелил рукой и почти шепотом произнес:

— Там со мной человек разговаривал... это важно... назвался контрразведчиком, лажа — бандит... волновался за дядю Борю...

— Кто он, Никита? — прямо в ухо громко спросил Яковлев.

— Не знаю. Только он знает про нас все... Про нас и Тур... Турецкого. Предупреждал, что мы не справимся... убьют...

— С чем не справимся, Никита?

— С делом Иванова... У него белые пятна под глазами...

— У кого? — не понял Яковлев.

В это время подошел врач и оттеснил подполковника от раненого.

— У него ни сил, ни крови практически не осталось, а вы с расспросами лезете! — отчитал он.

Но Никита вновь открыл глаза и вымолвил:

— Он еще сказал, что искать надо не у Тураева...

На последнюю фразу Никита истратил последние силы и вновь впал в забытье.

— Потом, все потом, — замахал руками доктор, и каталка с Никитой скрылась за дверями операционной.

Этого «потом» не наступило. Никита Бодров, не приходя в сознание, умер на операционном столе. Хирург сказал, что, кроме надежды на

284

чудо, шансов спасти его не было никаких, но чуда не случилось.

Яковлев вышел из больницы и огляделся. «Жигулей» не было. Грязнов с ребятами, присоединившись к опергруппе, умчался на место трагедии. Подполковник пошел пешком в сторону метро.

Он смотрел на пожухлые клены, на неулыбчивых прохожих и все больше и больше мрачнел. По пути попалась кафешка. Он зашел, купил бутылку водки, налил полный стакан и залпом выпил.

На муровских этажах было тихо. Народ работал. Яковлев зашел в свой кабинет и включил телевизор. На экране полуголые негры отплясывали вокруг темного продолговатого свертка, лежащего в центре хоровода. Голос ведущего передачу пояснил:

— Вы видите обряд переворачивания покойника...

Яковлев переключил канал. На экране возникла сверкающая мощными ляжками эстрадная певица. Подполковник выматерился и, не выключая телевизор, смахнул его с высокого сейфа на пол...

Часть вторая

НА РАССТОЯНИИ ВЫСТРЕЛА

Глава первая

1

Такого сурового и даже, можно сказать, жестокого шмона криминальные группировки Лечо и Скользкого еще не переживали. После гибели авторитетов бандитам создали невыносимые условия существования. Участились внезапные налеты оперативников на рынки, блатхаты, в гостиницы. Словом, после стрелки на бетонном заводе жизнь братвы превратилась в сплошной дискомфорт.

Обиднее всего для них было то, что по большому счету они ведь не были виноваты в трагедии на бетонном. Житуха наступила настолько плохая, что кавказцы в отместку казнили безвинного Ваграма, хоть он и уверял, что приказ взять муровца он получил от самого Лечо. А тот действовал по указке каких-то государственных людей Москвы.

После гибели авторитетов вражда между осиротевшими на время группировками не прекратилась. Вскоре появились новые лидеры: Скользкого сменил бандит по прозвищу Шнапс. В глубине души новый авторитет был благодарен неизвестным убийцам Скользкого. Но обе группировки были несколько обескуражены событиями, произошедшими на этой кровавой стрелке. Те, кто устроил засаду, по всему, были профессионалами высокого класса. После бойни они как в воду канули. Службам безопасности обеих банд не удавалось на них выйти. Все это вселяло в души бандитов неуверенность и даже страх перед будущим.

Шнапса тоже очень беспокоило такое положение дел. Он рассуждал так: конечно, менты не успокоятся, пока на посчитаются за своего, но им должно быть понятно, что головорезы Скользкого никак не могли сделать то, что случилось на пустыре. Хотя, конечно, гибель, в сущности, одного Скользкого с телохранителями могла зародить в извращенной ментовской голове подозрение, что именно перспективный заместитель, то есть он, Шнапс, готов был пойти на это, чтобы возглавить дело. Надо было быстрее аргументированно доказать им обратное, чтобы оставили в покое и дали работать. Поэтому Шнапс подстегивал и подстегивал своих парней искать хоть мало-мальский след. И ребята постарались не за страх, а за совесть. Впрочем, не обошлось и без счастливой случайности.

Тогда, в тот страшный день, когда по машинам братвы началась пальба, один из телохранителей Скользкого успел связаться по радиотелефону с офисом и предупредил о засаде. Боевики на трех машинах срочно выехали на место, но конечно же опоздали, приехали лишь посмотреть на гигантский костер. Правда, одну из чужих автомашин, мчащихся с того места, из одной тачки засекли. Погнались было, но оттуда пальнули по ним из помпового карабина. Пуля разбила радиатор, пришлось остановиться. Но все же засекли марку машины и номера.

Шнапс пробовал узнать по своим каналам, чья тачка. Безрезультатно, хотя среди его осведомителей были не только милицейские чины, но даже депутат Госдумы. Тогда Шнапс понял, что Скользкий и Лечо оба влипли в очень нехорошую историю, после чего и превратились в раскиданные взрывной волной головешки. Надо было искать контакт с МУРом. Тех, кто там служит, ничто не остановит, они докопаются. Им только зацепку надо дать. Шнапс знал, что у Скользкого водился в МУРе знакомый. Как-то по пьяни об этом проговорился тюремный дружок Скользкого, Сема Бритый — старый, испитой вор с наполовину отмершей печенью и туберкулезными легкими. Он все еще внушал сытой, мало битой братве брезгливое опасение. Сидел тихо сторожем на складе запчастей и комплектующих, доживая в тепле и с бутылкой последние дни.

Шнапс приехал к нему в полночь. Отвратный старик — сорока восьми лет — спал на грязном диване, криво раззявив щербатый рот. Шнапс толкнул его ногой. Никакой реакции. Тогда он как следует ударил сторожа. Это возымело действие.

Бритый зашевелился, забормотал ругательства, затем сел, продрал красные глаза и уставился на незваного гостя.

— Шна-апс... Чего тебе? — узнал он авторитета.

— Шнапса принес, — сказал тот и выставил на стол, покрытый желтой от времени и грязи газетой, бутылку водки.

— Ого! Так я же сторож, на посту, хе-хе!..

— На посту? Да от тебя разит, как из сортира наркодиспансера! Разговор есть.

— Как ты вошел, Шнапс? — подозрительно покосился Бритый.

— Опомнился, идиот! — беззлобно ухмыльнулся Шнапс. — У меня в этой фирме от всего ключи, а ты здесь торчишь исключительно из почтения к твоим боевым заслугам.

— Понял-понял, — засуетился Бритый. — Сейчас стаканчики достану. Сейчас...

Через минуту стаканы, мутные оттого, что их лишь споласкивали, а не мыли, стояли на столе. Рядом свежевскрытая банка с килькой в томате.

— Где откопал? — радостно удивился Шнапс, вожделенно уставившись на кильку.

— Ребята угостили, что тачки здесь расчленяют.

— Тебе такая рыбка уже, пожалуй, не на пользу, — заметил авторитет, усаживаясь за стол.

— Э, мне теперь вода кипяченая и то во вред! — отмахнулся Бритый и открыл бутылку.

Выпили.

— Так вот, дело у меня такое, — начал деловой разговор Шнапс. — Ты, как я знаю, корешился со Скользким?

— Было, — кивнул Бритый, на секунду скрыв синий шрам над ухом, за который и получил свою кличку.

— Ты говорил как-то, что Скользкий якшался с каким-то ментом из муровских...

— Не помню...

— Не сторожись, я не на понт тебя беру.

— А зачем?

— Надо. А ты если будешь очень любопытным, уволишься по статье за пьянство и кончишь жизнь в подвале. Понял?

— Чего ж не понять, — буркнул уязвленный и оробевший уголовник.

— Повторить вопрос?

— Помню. Были у него контакты, чего уж теперь...

— С кем?

— Да, кажись, запамятовал...

— Не советую, Бритый, хвостом крутить!

— Я не кручу — вспоминаю!

— Ну?

— Был майор, не то Рожнов, не то Резнов

290

фамилия. Только вроде как уволился из органов в частную контору. Скользкий базлал...

— Ладно, разберемся.

Шнапс щедро подлил в стаканы, оглядел стол и спросил:

— У тебя луковицы нету случайно?

— Щас посмотрим, — засуетился Бритый.

Пока он рылся на полке, Шнапс молниеносным движением капнул в стакан собутыльника несколько прозрачных капель из маленького, утопающего в кулаке пузырька.

Вернулся Бритый.

— Нашел-таки небольшенькую!

— Вот и спасибо. Для меня первое дело — водку луковицей загрызть, на Севере приохотился, — крякнул Шнапс.

— Оно да, витамин!

— Ну, за воровскую удачу!

Такой тост Бритый не мог пропустить, поэтому выпил залпом.

Шнапс, выслушивая бессвязную старческую болтовню, терпеливо ждал того момента, когда начнет действовать влитый Бритому в стакан клофелин. Когда старик окончательно вырубился, Шнапс подхватил под мышки тщедушное тело и выволок его из комнаты-сторожки во двор. Там, справа от основного здания, зиял котлован. На дне огромной ямы уже положили фундамент и ощетинили его арматурой для предстоящих монтажных работ.

Шнапс остановился у края котлована, быстрыми от наплывающей брезгливости движениями расстегнул ширинку на брюках безвольно обвисшего Бритого. Посмотрел вниз — хорошо ли упадет тело — и легонько столкнул Бритого вниз. Через мгновение из недр котлована послышался шорох, затем жутковатый треск и хрипение. Шнапс включил фонарик и посмотрел вниз. Тело Бритого висело насаженное на прутья арматуры. Голова его запрокинулась, из открытого рта струилась черная кровь, руки подергивались в предсмертной агонии. Шнапс сплюнул и вернулся в сторожку. Принесенную бутылку он разбил об угол сторожки. На столе хватало пустых бутылок с отпечатками пальцев одного Бритого.

Утром Шнапс созвонился со знакомым ментом из Центрального округа, и тот сообщил ему, что в МУРе майора Резнова нет, но есть начальник МУРа полковник Грязнов, который действительно работал в частном сыске.

— Ни хрена себе другана нашел Скользкий! — положив трубку, присвистнул Шнапс.

2

По постановлению следователя Турецкого, в почтовом отделении, обслуживающем дом, где ранее проживал Олег Колобов, обязаны были задерживать любую корреспонденцию, поступающую на это имя, и сообщать об этом «важняку».

Работницы на сортировке внимательно просматривали почту. Но писем на имя Колобова не было.

Сегодня, как обычно, женщины в синих халатах разбирали привезенную с Главпочтамта корреспонденцию. В последние годы эта работа не была такой напряженной, как раньше. Полтора десятка лет назад, скажем на время летних отпусков, приходилось приглашать на работу студентов и старшеклассников — такой был наплыв писем. Он не иссякал и осенью. Теперь же потихоньку, без напряга справлялись сами. Что делать: факсы и короткие телефонные информации вытеснили из нашей жизни эпистолярный жанр.

На сортировку вошла изможденная женщина с мешками под глазами, что красноречиво говорило о постоянных возлияниях. Поздоровавшись, она взяла немногочисленные газеты, которые жильцы района получали по подписке, и перебрала пальцами полтора десятка писем. Она-то и обнаружила послание мертвецу.

— Эй, бабы! В семнадцатой квартире давно уже Колобов не живет! Че вы мне его суете?

— Кого?

— Да письмо! Угрохали того Колобова да и сожгли в машине. Или не помните? У меня мозги наполовину отпиты, наполовину отбиты — и то помню!

— Да, в самом деле, — вспомнила старшая сортировщица. — И что с ним теперь делать? В мусорницу?

— Может, какая родня есть?

— Кто ж ее искать будет?

— Откуда письмо-то, — догадался кто-то спросить.

293

Почтальон взглянула на обратный адрес.

— Ну конечно, кто такому хвату писать будет, кроме дружков. Из тюрьмы письмо.

Тут-то старшая и вспомнила о постановлении прокуратуры, лежащем на столе начальника почтового отделения.

— Давай письмо сюда, — сказала она. — Я знаю, что с ним делать: его надо передать шефу!

В кабинет Турецкого зашел Меркулов.

— Как дела, Александр? — поприветствовал он следователя.

— Как дела, как дела... Как сажа бела!

Минут через пять в кабинет Турецкого вошли Грязнов и Яковлев. Полковник осунулся и даже несколько постарел. Смерть Никиты Бодрова и неустанные поиски убийц укатали вечного балагура и хохмача. Даже подполковник Яковлев на его фоне выглядел сейчас классным остряком, хотя никогда этим качеством не блистал.

— Ну что у вас нового? — спросил Турецкий.

— Да ни хрена! Все глухо. В лучших традициях прежнего КГБ.

— Намекаешь, что это их работа, Слава? — насторожился Турецкий.

— Не намекаю, а пришел к такому выводу, — кивнул Грязнов.

— Да, судя по тому, что успел мне сказать Никита, этот тип, который его мучил, из старого КГБ, — вставил Яковлев. — Видно птицу по полету. Да, вспомнил! — добавил Яковлев. — Никита успел сказать мне, что у этого типа какие-то белые пятна под глазами. Примета яркая...

— Да, Бог шельму метит, — кивнул Турецкий. — Эти пятна появляются на лице в результате сильных нервных потрясений. Возьмем сей факт на заметку.

— Из КГБ он или нет, но сработал четко, — пожал плечами Меркулов.

— Куда уж четче. Скользкий еще не успел мне рукой махнуть, а Лечо лишь по золотой цепи да по коронкам опознали, — подтвердил Яковлев.

— Ну а у тебя как дела? — обратился Грязнов к следователю.

— Не лучшим образом. Вынес постановление о наложении ареста на счета «Кононга» и «Каскада». Вот жду высочайшего позволения. Генеральный прокурор сказал, что только он может санкционировать все мои постановления. Хотя мои постановления должен санкционировать Меркулов.

Константин Дмитриевич кашлянул и негромко сказал:

— Само дело неординарное: убит человек, пользовавшийся вниманием Президента.

Все посмотрели на государственного советника юстиции первого класса.

— Ты что-то знаешь? — спросил Турецкий.

— Да. Генеральный просил меня передать тебе, Саша, что он не находит достаточных оснований для санкционирования твоего постановления. Одним словом, генеральный очень обеспокоен развитием событий. Кстати, я полностью согласен с генеральным...

— Все это лишь очередное подтверждение того, что ниточка тянется далеко наверх, — заметил Грязнов.

— Почему? Какие у тебя основания так считать? — спросил Меркулов.

— Потому что бандитам не было никакого смысла устраивать такую разборку. Иное дело, если бы на стрелку приехал кто-нибудь один из авторитетов, тогда понятно: убрали конкурента и всех, кто оказался рядом. Но убили-то обоих, а третьей бригады по оперативным данным не имеется. Нет. Тут совсем другое дело. Мы знаем, что в подсобке у Лечо, а потом и на даче с Никитой разговаривал какой-то мужик, который и мучил Никиту. Так вот, среди погибших есть тот самый мужик, но выяснилось, что погибший русский числился водителем в фирме «Каскад». И это само по себе любопытно: водитель «Каскада» засвечивается в качестве водителя Ваграма! Но вернусь к этому мужику. Контрразведчик, как он себя обозвал, на стрелку не поехал. Можно предположить, что он занимается более серьезными делами, чем автомафия. Знает что-то о МУРе, осведомлен о ходе следствия... Словом, я считаю, что он вполне мог бы возглавить ту, третью, бригаду, открывшую огонь из засады...

— Все это надо проверять, — буркнул Меркулов и, обращаясь к Турецкому, спросил: — А ты пробовал выяснить, что́ связывает группировку Лечо и концерн «Кононг»?

— Конечно, выяснил, Костя. Чисто экономический интерес. Лечо осуществлял свои торгово-закупочные операции через «Кононг», оставляя им определенный процент. Сотрудничали, так сказать.

— Понятно. А кто-нибудь из этих бандитов знает, кто и зачем встречался с Бодровым? — поинтересовался Меркулов.

— Нет. У них дисциплина: что не надо знать, того не знают. Один Лечо знал, но... — развел руками Турецкий.

— А когда мужик этот приехал? До того, как привезли Никиту, или после?

— Почти одновременно. А что? — спросил Турецкий.

— Да как-то вокруг этой фигуры «контрразведчика» все накручиваться стало...

— А мне вот, Костя, хотелось бы знать, не по просьбе ли Тураева Бодрова прихватили? Может быть, этот «контрразведчик» искал возможность выйти на кого-нибудь из нашей епархии. Скажем, для покупки информации или всучивания компромата на конкурентов. А также допускаю, что его цель была предостеречь нас от излишнего любопытства. Но ничего, мы еще до них доберемся, — повысил голос Турецкий. — Не на тех нарвались, подонки!

— Не кипятись, Саша, — осадил его Меркулов. — А то все в месть за друга превратим.

— А что! Одно другому не мешает! — сурово отозвался Яковлев.

В разговор вклинился Грязнов:

— Вот что мне еще непонятно: когда я начал переговоры со Скользким, то лишь один раз позвонил по телефону его марухе. Потом все разговоры велись только через пейджер или по мобильному телефону. О месте встречи договорились за сорок минут до стрелки. Ума не приложу, как эта третья бригада узнала, где нас найти? Хвоста точно не было. Да если бы и шли за нами, то не успели бы развернуться в боевой порядок. Значит, хоть пять минут, но они нас уже поджидали на позиции. Да и среди кавказцев на стрелке погиб не тот русский, который допрашивал Никиту.

3

Муровцы в расстроенных чувствах вернулись в свою контору и разошлись по кабинетам.

После похорон Никиты полковника Грязнова не покидало чувство вины за гибель молодого сыскаря. Никто его ни за глаза, ни в глаза не обвинял, но сам он знал, что это его вина... Тревожило его и все нарастающее напряжение вокруг дела Иванова. Он был уверен, что все шаги Турецкого и МУРа кем-то предугадываются. Но кто эти люди? Тот, неизвестный, или целая группа, которая опережала в своих действиях розыскников и «важняка»?

Одно было ясно Грязнову, что невидимый пока противник или денег имеет немерено, или свободно расхаживает по коридорам высшей власти. Скорее, и то и другое вместе. Из всего этого напрашивался грустный вывод: раскрыть это дело с большим количеством трупов трудно. К тому же участники следственной оперативной группы постоянно рискуют пополнить печальный список жертв.

Зазвонил телефон. С тревожным чувством Грязнов поднял трубку.

Услышав голос своего племянника Дениса, который после его ухода возглавил частное сыскное агентство «Глория», Грязнов облегченно вздохнул.

— Ты что такой смурной, дядя Слава? — забеспокоился Денис.

— Да так, есть проблемы. А у вас как?

— Да тоже проблем хватает, а тебя нет, — скаламбурил Денис.

— Подожди немного. Разгребусь с одним дельцем и вернусь, — заверил Грязнов.

Денис дал понять, что у него сидит человек, который хочет встретиться с Грязновым.

— Сейчас приеду, — согласился Грязнов. — Но запомни, Денис, моя жизнь должна быть надежно защищена.

В офисе сыскного агентства «Глория», казалось, ничто не изменилось. Та же мебель, те же стены.

Денис встретил Грязнова на пороге. Он сначала провел его к себе в кабинет и налил в маленькие, с наперсток, рюмки коньяку.

— Поговорил бы ты со своими, дядя Слава, а

то житья нет. Когда начинали, еще ничего было, а теперь не продохнуть, — пожаловался Денис.

— Не совсем понял, кого ты имеешь в виду?

— Да уголовку. И местную и РУОП — все считают нужным выпендриться, а то и дорогу перейти.

— Их можно понять. Вы выбираете дела, которыми хотите заниматься, у вас и гонорары бывают повыше их зарплаты...

— Бывают и пониже! — заметил Денис.

— Об этом они не хотят знать. Но они знают, что им не приходится выбирать, чем заниматься, и платят им «огромнейшие» оклады. Завидуют тебе, понимаешь?

— Понимаю, но нам от этого не легче.

— За этим и позвал?

— Нет. Просто пожаловаться некому, вот и ляпнул...

— Ладно, при случае проведу беседу.

— Позвал тебя вот зачем. Пришел человек, тебя ищет.

— Кто он?

— Темный. Думаю, сидевший. Спросил, работаешь ты тут или нет. Говорю: нет. Тогда он сразу про МУР твой вспомнил. Вижу, человек осведомленный. Спрашиваю осторожно: он вас знает? Нет, говорит, но он знал Скользкого.

Денис вопросительно взглянул на Грязнова.

— Знал, — согласился полковник.

— Так вот, он говорит, что кое-что знает про то, как убивали Скользкого и твоего человека.

— Да? И где он? — заинтересовался начальник МУРа.

— Сидит в комнате для посетителей, благо таковых негусто.

— Ну пошли поглядим.

— Не жалеешь, что ушел? У нас-то стрельбы не было.

— Сейчас не время толковать. Веди к этому темному.

Денис пожал плечами и пошел вперед. Он проводил Грязнова до двери и, оставшись в коридоре, шепнул:

— Если что, кричи. Мои ребята рядом.

— Еще чего! — усмехнулся полковник и резко открыл дверь.

Харя, конечно, бандитская, сразу отметил он, оглядев вставшего при его появлении мужчину.

Они не подали друг другу руки. Оба имели кое-какой опыт и сразу поняли, кто есть кто. Прежде времени тянуть руку для пожатия не позволяла корпоративная честь.

— Добрый день. Я Грязнов.

— Здорово. Я Шнапс. Слыхал?

— Положено слышать. Адъютант Скользкого, — кивнул Грязнов.

— Уже не адъютант! — как ни старался Шнапс, а самодовольства скрыть не удалось.

— Ах да. Король умер — да здравствует король!

— Чего?

— Пословица английская.

— А, ну да.

— И что же тебе надо, Шнапс?

— Чтоб твои волкодавы успокоились. Ты же понимаешь, что на нас нет крови твоего оперка.

— Мало ли что я понимаю. Мне доказательства нужны.

— Доказательства! Мы что, отморозки, ради какого-то оперка авторитета гасить!

— Ради власти и не на такие жертвы идут. К тому же удачно получилось: заодно и конкурента Лечо на куски разнесли.

— Не наша работа, Грязнов! Ты и сам это знаешь, только понты кидаешь.

— Ну допустим. Но если ты пришел только это сказать, уверяю — риск напрасный. На слово я тебе не поверю. Ты лишь замажешься перед своими, что со мной встретился, и на правилку пойдешь.

— Не пугай! Мне невелик кайф с тобой якшаться, но за мной люди, я за них теперь отвечаю, а вы житья им не даете.

— И не дадим, если порядка не будет. Что хотел сказать, кроме жалоб?

— Могу наколку дать. Мои ребята ехали по тревоге Скользкого спасать, да не успели, но одну подозрительную тачку заметили. Погнались так, на всякий случай, а оттуда из помповика моим в радиатор как пальнули, так машинка и сдохла. Вот тут записаны марка, цвет и номер...

Шнапс протянул Славе листок с немудреным текстом.

— Спасибо, — совершенно искренне сказал полковник.

— За спасибо на маршрутке не доедешь! — усмехнулся Шнапс.

— Тебе ли, крутому, за маршрутку переживать? — в тон ему ответил Грязнов, пряча записку в карман пиджака.

— Не потеряешь?

— Я запомнил.

4

— Александр Борисович, вам с почты письмо передали.

Турецкий поднял усталые глаза на секретаршу следственной части.

— С какой почты? Какое письмо?

— С нашей почты, московской, — терпеливо уточнила секретарша. — Сказали, что вы дали распоряжение письма изымать.

— Давайте.

Следователь взял порядком измятый от долгих странствий конверт, прочел, кому адресовано послание, и вскрыл. Довольно интеллигентным почерком были начертаны предложения, пестревшие блатными словечками: «Привет, братан! Пишет тебе Остап. Ты там, наверное, арбузы у аров покупаешь и с шампусиком трескаешь, а мы тут ханку жрем, да и то раз в день. Больше хозяин выбить не может, потому что работы нет. На грев от местных особо рассчитывать не приходится. Народу мало, а понятливого и того меньше. Сам понимаешь, мишка из берлоги передачку не притаранит. Поэтому у воров тоже брюханку подвело. Тем только и хорохоримся, что одежки у нас поприличнее да лопаты в руки не берем. Ты, Олежка, наверное, тачку себе надыбал и раскатываешь с марами по белокаменной. Но, как говорится, дай тебе Бог. У меня к тебе просьба, Олежка. Навести эту сучку еще разок. Я ведь ни ее, ни тебя по делу не потянул, пошел паровозом без вагончиков за всю гастроль. Она, сука, божилась тогда, что пол-Черкизовского мясокомбината для меня вывезет, только бы я все на себя взял. Я не фуфло, и так бы групповуху лепить не стал, но она обещала, а обещалка ее не очень-то меня греет. Пригрози ей от моего имени, что, если грева не будет, заговорю. Есть еще, что вспомнить. Да и ты, Олежка, если тебе не западло другану помочь, подсуетился бы с посылочкой. Ну будь. Всегда твой братан *Остап*».

Турецкий отложил письмо и позвонил Грязнову.

— Если имеешь время, забеги ко мне, я тебе кое-что покажу, — сообщил Турецкий.

— Я и сам к тебе, Саня, собирался.

...Через полчаса муровец уже сидел в кабинете Турецкого и читал письмо Остапа, адресованное Олегу Колобову.

Ознакомившись с текстом, Грязнов задумчиво произнес:

— Не уведет ли нас этот Остап в сторону? Можешь, Саня, запросов на его счет не посылать. Я вспомнил. Это его при помощи телика Яковлев поймал. Ловкий мошенник. Подсел еще до того, как вся эта каша заварилась. Так что я очень сомневаюсь в его искреннем внимании к неизвестной тете и Колобову, — покачал головой Грязнов.

— Вполне возможно, но коль уж зацепка получена, можно при случае выяснить, кто помогал работать нашему великому комбинатору. И что это за тетя.

— Ну разве что на досуге, — кивнул муровец. — Тут мне одни знакомые передали номер автомашины и ее описание. Хотелось бы узнать, кто ее хозяин. — Грязнов протянул листок.

— Что за машина?

— Эта машина почти в тот же час, когда была стрелка, ехала со стороны бетонного завода.

— Понятно. А через автоинспекцию еще не пробовал уточнить? Там ведь всех регистрируют, — поинтересовался Турецкий.

— Еще не услышав совета из твоих разверстых уст, я уже все проверил — не зарегистрирована такая тачка.

— Почему? Номера же московские.

— Вот поэтому я и адресую вопрос тебе, Саня. Мало ли что — вдруг она по интересному ведомству проходит, — сощурился муровец.

— Думаешь?

— Да. Что-то мне последнее время так кажется.

— А смысл? — вздохнул Турецкий.

— Кто-то из наших залез в карман или в банк данных слишком глубоко, — продолжал Грязнов.

— Ладно, сейчас узнаем, — согласился следователь. Он включил компьютер. — О, заморгал, сатана! — улыбнулся Турецкий, взглянув на монитор.

— Ну что там? — с нетерпением спросил Грязнов.

— Все о'кей! Тачка эта проходит по военному ведомству, дорогой. Японский джип.

— Японский?! — изумился Грязнов.

— А что тебя так удивляет? Может быть, гуманитарная помощь НАТО. Ага! Вот и воинская часть указана. Сейчас перезапросим, какой конкретно полководец на ней катается, — потер ладони следователь.

— Я вижу, Саня, у тебя там бутылка коньяка стоит, — кивнул Грязнов на дверцу холодильника-бара. — Думаю, не подаришь ли ты мне ее, а я бы тебя угостил, — хитро улыбнулся Грязнов.

— Во-первых, как ты через дверцу можешь ее видеть, а во-вторых, почему вдруг я тебе должен дарить последнюю бутылку? — нарочито серьезно проворчал Турецкий.

— А ты себе еще купишь, — бросил муровец.

— Да, если буду так умело раскрывать с твоей помощью убийства, как эти, выгонят меня из прокуратуры без выходного пособия.

— Ничего. К моему племяшу, Денису, в «Глорию» пойдешь или в газетку. Сиди себе пописывай... — хмыкнул Грязнов, чувствуя, что расслабиться не удастся.

— Ну-ну, ласковый ты мой! Полковник Грязнов тоже что-то чудес раскрываемости не демонстрирует! — отмахнулся Турецкий. — А ведь это в первую очередь твоя обязанность, Слава, а не моя. Читай лучше, видишь, ответ пришел.

На голубой экран одна за другой выбегали строки краткого сообщения:

«Запрашиваемый автомобиль в январе 1996 года был отправлен в Чечню в составе подразделений автомобильной техники. В результате военных действий пришел в негодность и списан по акту».

— Все понял, мой друг Слава? — кивнул следователь на экран.

— Все, Саня, и даже то, что пить надо меньше, а то не только раскрываемости не будет, но и с работы попрут...

— Отлично, полковник! — похвалил Турецкий друга за догадливость. — Кстати об автомобилях. Там, возле охотничьего домика, были обнаружены следы от протекторов колес машины «скорой помощи» и двух джипов, а не одного. Судмедэксперты, которые по моей просьбе сделали экспертизу холодного оружия боевиков, прихвативших Володю Яковлева, не обнаружили следов крови, идентичной той, что была на полу в охотничьем домике... да и вообще, никакой другой крови они на ножах парней не обнаружили.

— Вот это, Саня, как ты любишь говорить, уже интересно! — воскликнул Грязнов. — Стало быть, Иванова убили те, кто приехал на втором джипе. Потом обе машины уехали, но одна по известной причине вернулась...

— Вернулась и вторая машина, Слава. Вернее

те, кто на ней ехал, убийцы Иванова. Они оставили джип подальше от дома и, пешком дойдя до наших оперативников, связали их. Это вообще не входило в их планы. Когда их товарищи-растеряхи, оставившие на месте преступления улику, должны были вернуться в дом, те, убийцы, просто вынуждены были их подстраховать. Потом последовали все остальные события.

— Теперь я понимаю, почему Никите Бодрову дали спокойно уехать. Они не знали, что он увозит улику, водительское удостоверение одного из незваных гостей этого дома, — вставил Грязнов, и по лицу его вновь скользнула тень печали.

Турецкий продолжал:

— Не тот ли «контрразведчик» со своей бригадой был во втором джипе? Поезжай, Слава, немедленно, в воинскую часть и узнай, кто купил эту машину.

5

Сергей Колобов вошел в кабинет и поприветствовал Турецкого.

— Прошу! — следователь указал на стул.

Колобов молча сел и протянул Турецкому повестку.

— Вас это расстроило, — кивнул «важняк» на повестку.

— Да нет. Меня расстроила смерть моего брата, Александр Борисович.

Турецкий понимающе покачал головой.

— Сообщаю вам как родственнику убитого, что убийство вашего брата раскрыто. Следствие установило факт убийства Олега Колобова бывшим продюсером телекомпании «Спектр» Юрием Ивановым. Олег был задушен, когда явился к нему с требованием какого-то долга.

— А его жена Ангелина проходит как-нибудь по этому делу? — спросил Колобов.

— Она — соучастница убийства, — информировал следователь.

— Можно узнать обстоятельства смерти брата?

— Иванова утверждает, что сначала они его усыпили, а потом уж задушили, — пояснил Турецкий.

— А где теперь находится Ангелина? — бесцветным голосом спросил Колобов.

— Ангелина в следственной камере. Арестована, как я уже сказал, по обвинению в соучастии в убийстве вашего брата.

— Понятно. Что ж, за эту новость вы хотите поживиться какой-нибудь новостью от меня? — улыбнулся Колобов.

— Моя профессия — добывать информацию, правда, не всегда мне ее охотно выдают, — посетовал Турецкий.

— Это допрос? — посерьезнел Колобов.

— Да. У меня есть все основания сообщить вам эту новость.

— Стало быть, с этой минуты ни на коммерческие, ни на политические, ни на человеческие тайны я отныне перед вами права не имею? — полушутя-полусерьезно спросил бизнесмен.

— Разумеется, — хмыкнул Турецкий.

— Хорошо, — спокойно согласился Колобов.

Следователь придвинул к себе бланк протокола допроса, взял ручку и начал:

— Вы по-прежнему утверждаете, что Олег посещал Иванова не по вашему поручению и не по просьбе кого-нибудь из руководства концерна?

— Лично я его об этом не просил, но не утверждаю, что об этом его не мог попросить Тураев. У директора концерна, помнится, были вопросы к Юрию Иванову по работе. Но, насколько я знаю, все они отпали после смерти продюсера телекомпании «Спектр», и полагаю, что не Олег эти вопросы Иванову задавал.

— Допускаете, что у вашего брата могли быть дела с женой Иванова?

— Почему нет? Она баба ушлая. Охраняйте ее хорошенько, а то уйдет, и тогда я ее прищучу.

— Не накаркайте, Сергей Васильевич! Иначе, случись что, первым подозреваемым будете вы, — предостерег Турецкий. — Вы знали всех приятелей брата?

— Думаю, что далеко не всех. Но некоторых встречал, приходилось. Те еще фигуры!

— А человека по имени Остап знали?

— Не припоминаю. Каков из себя?

— Лет сорок. Колымский загар. Знает не только феню, но и хорошие манеры.

— Нет, вряд ли вспомню. Но такой вполне мог быть. А кто он, если не секрет?

— Мошенник. Сидит в колонии. Недавно Олегу письмо прислал. Жалуется, что Олег его забыл и какая-то, извините, сучка не помогает ему посылками и передачами, хотя перед судом клялась и божилась не забывать. Остап поверил, взял на себя всю вину и пошел в зону один.

— Если бы жена Иванова не была такой засвеченной в массах телевизионщицей, я бы мог предположить, Александр Борисович, что именно она и есть бывшая подельница этого Остапа и Олега.

— Да. Такой женщине порочащие ее связи не нужны. Но тем не менее в убийство она все же вляпалась. Извините за вопрос, но какую роль мог играть в шайке Остапа ваш брат?

— На первых порах, полагаю, обычный «бык», предназначенный для выбивания денег. Этим он точно занимался. Не знаю только при ком: при Остапе или при Семене.

— Что за Семен? — поинтересовался Турецкий.

— Да это так, к слову.

— А вы можете объяснить, где перехлестнулись интересы вашей фирмы «Каскад» с Тураевым?

— Нас не устраивает тот факт, что благодаря Тураеву мы стали заложниками в чьих-то не очень чистых политических играх.

— А как вы относитесь к тому, что Тураеву не нравится ваша самостоятельность? — улыбнулся Турецкий.

— Это не имеет никакого значения. Сейчас такие отношения — обычное дело.

— Тогда я вам, Сергей Васильевич, скажу больше: Тураев сотрудничает, если можно так выразиться, и с бандитской группировкой ныне покойного Лечо. Пирог этот, как видите, весьма многослойный.

— Да неужто?! — сделал удивленные глаза Колобов.

— Знаете Джигита?

— В общем, да, — буркнул Колобов.

— А вы сами, Сергей Васильевич, не сотрудничаете с какой-нибудь бандой? — впрямую резанул Турецкий.

— Как можно?! А престиж, деловая репутация, — покачал головой бизнесмен.

— Тогда вам, конечно, наплевать на то, что вместе с Лечо погиб и Скользкий...

Турецкий смотрел как бы в никуда, но на самом деле его взгляд прощупывал собеседника. Он уловил, что после упоминания о Скользком по лицу Колобова пробежала тень.

Значит, Скользкий тебе был роднее, чем Лечо, отметил про себя следователь.

— Говорите, Скользкий? Не слышал... — как-то вяло ответил Колобов и отвел взгляд в сторону.

— Я вам не верю, конечно, ну да ладно, — махнул рукой Турецкий. — Ответьте еще на один вопрос. Концерн «Кононг» занимается продажей военной техники?

— Нет. Камуфляж, гуманитарка... Металл

продаем. А к технике мы доступа уже не имеем... Ни концерн в целом, ни моя фирма в частности этим не занимаются, — категорично заявил бизнесмен.

— Вам о чем-нибудь говорит имя Сергей Соловьев? — спросил следователь, имея в виду боевика, потерявшего в охотничьем домике водительское удостоверение и поплатившегося за это жизнью вместе со своим товарищем.

— Конечно, знакомо, — спокойно, но несколько удивленно ответил Колобов. — Он работал у меня в отделе охраны. Полгода назад я его уволил за постоянные пьянки во время дежурств. А что, он уже и к вам успел на заметку попасть?

— Успел, да не успел, — задумчиво сказал Турецкий. — Странное дело, Сергей Васильевич, ваши люди засвечиваются совсем в иных качествах. Но об этом в следующий раз. А теперь последний вопрос. Мелькал ли на вашем горизонте человек с белыми пятнами под глазами — характерное последствие нервных потрясений?

Колобов задумался.

— Где-то я видел этого человека, но где, я так сразу сейчас не могу вспомнить. Я обещаю поднапрячься. Может, к следующей нашей встрече я вспомню. Но видел я его точно. Уж слишком мне эти пятна запомнились. Не само лицо, а именно эти вкрапы омертвевшей кожи на живом лице. Я обязательно вспомню — хотя бы где я его встречал.

Турецкий ничего больше не стал говорить, отметил повестку и отпустил бизнесмена.

Александр Борисович прочитал протокол допроса Колобова и задумался. Если директор «Каскада» откровенен, то Тураев в какой-то серьезной и преступной игре обгоняет его, как говорится, на целую лошадь. Колобов противостоит Тураеву, а люди Колобова оказывают услуги его конкуренту. Или же это ход, чтобы запутать следствие. Но ведь он намекнул на какое-то важное откровение в будущем. Следователь решил максимально приблизить это будущее и на следующий же день решил снова допросить Колобова.

6

Турецкий послал отдельное требование в МВД, чтобы в колонии допросили заключенного Остапа Орехова. В своем письме следователь перечислил вопросы, на которые должен дать ответы Орехов. Вскоре пришел ответ.

Александр Борисович начал читать протокол допроса свидетеля Орехова:

«В о п р о с. Гражданин Орехов, за что вы отбываете наказание?

О т в е т. Это указано в моем деле.

В о п р о с. Пишете ли вы письма знакомым? В частности, в Москву?

О т в е т. Имею на это право.

В о п р о с. С кем конкретно имеете переписку?

О т в е т. С родными и друзьями.

В о п р о с. Я допрашиваю вас согласно отдельному требованию, полученному из Генпрокуратуры. Вы послали письмо гражданину Колобову О. В. Однако адресат выбыл, по указанному адресу не проживает. Колобов убит. Что вам известно об обстоятельствах его жизни и смерти?

О т в е т. Подозрения у меня имеются. Раз она своих мочит, значит, с ней можно по-сучьему. Зовут ее Ангелина Ципко. Мы с ней пару дел провернули, а Олег нас на своей тачке возил. У нее хобби: за крутых замуж выходить, но чтобы с тюремным прошлым. В работе это здорово помогало. Одно дело, когда я с липовыми документами прихожу в какую-нибудь фирму, и совсем другое, когда, например, в Академию наук или, как в последний раз, на телевизионный канал приходит замдиректора по маркетингу. Мы с ней нагрели много народу. Правда, потом она стала своевольничать. Намекала, что работает больше, чем я. Мол, все у нее покруче и потому доля ее должна быть выше. Я по-хорошему пытался ей втолковать, что среди братвы у меня авторитет и лишь поэтому наша бригада работает спокойно, без наездов. А без меня не проработала бы она и трех дней: пришли бы и обложили данью. Сейчас с этим делом полный беспредел. Она меня послушалась, но я не поверил и не спускал с нее глаз. Сгорели мы на фирме «Рубин».

В о п р о с. Как это произошло?

О т в е т. Я выдал себя за главного инженера бумажно-целлюлозного комбината из Калининградской области, а она — за маркетолога от телевидения, который имеет лицензию. «Рубин» мы пристегнули за определенный процент. Якобы за то, что у них таможенные льготы. Директор «Рубина» попросился в долю. Я пообещал ему дешево продать несколько вагонов офсетной бумаги для издания художественной литературы. Он перечислил на это почти все деньги со счета «Рубина». Мы с А. Ципко их обналичили и скрылись. Потом меня взяли органы, а деньги остались у А. Ципко».

Дочитав показания Орехова, Турецкий отложил протокол допроса и произнес вслух:

— Так-так, знаменитая шоуменша. Оказывается, ты ворованными деньгами делиться не любишь. А это опасное хобби. — Про себя он отметил, что следователь грамотно провел допрос и записал только суть ответов, а не речь блатного, который наверняка завалил его блатными словечками.

Не успел Турецкий еще как следует проработать информацию, как позвонили из МВД и сообщили, что вчера в колонии в промышленной зоне был обнаружен мертвым заключенный Остап Орехов. Его живым почти целиком запихнули в плавильный тигель.

Кто-то весьма оперативно и жестоко отомстил за Ангелину.

Глава вторая

1

Внешне загородный дом профессора Шатохина выглядел не очень броско, но тем не менее в нем хозяин мог принять сразу несколько десятков гостей и добрую половину из них оставить переночевать во вполне комфортной обстановке.

Сегодня у хозяина не было хлопот с гостями, но один-единственный визит заставил его поволноваться не меньше, чем во время самых шумных вечеринок. Перед ним сидел старший следователь по особо важным делам при Генпрокуроре России. Интересовался он не хозяином, а его бывшей женой. Шатохин не совершил никаких противозаконных проступков, но не мог сдержать волнение.

— Видите ли, Александр Борисович, мы давно уже не живем с Алей. Вряд ли я смогу чем-то помочь вам, — начал он.

— А почему — Аля? — не понял следователь. — Она же Ангелина, а не Алевтина!

Профессор удивленно поднял брови и продолжал:

— Ну а как ее по-другому назвать? Анга?

— Ангел, — помог ему следователь.

— Ну что вы! Она отнюдь не ангел.

— Наверное, вы не знали этого перед женитьбой? — поинтересовался Турецкий.

— Можно полюбопытствовать, по какому поводу допрос? — насторожился профессор.

— Я обязан все знать о подследственной Ивановой. Сейчас эта гражданка под стражей, — проинформировал Турецкий.

— Что ж, нечто в этом роде я и предполагал. Во что вляпалась моя резвушка?

— Соучастие в убийстве и мошенничество.

— Даже так? Тогда начнем. Спрашивайте, — грустно улыбнулся Шатохин. — Я отвечу на все интересующие вас вопросы.

— Спасибо! Итак, что послужило причиной вашего развода?

— Причин несколько. Личные, полагаю, интересуют вас постольку-поскольку. Но семья начала рушиться, когда я сделал ей выговор за то, что она стала пользоваться моими связями и знакомствами в не очень благовидных целях. Она оскорбила меня, назвала ослом, что совершенно не обидело вашего покорного слугу, но после этого жизни уже не было. Хотя я еще некоторое время цеплялся за возможность примирения. Готов был даже унизиться, пойти ей навстречу, чтобы только она осталась со мной. К сожалению моему или к счастью, к тому времени у нее уже появился этот режиссер с телевидения, да и сын весьма ультимативно потребовал от меня решительности.

— Это ваш общий сын?

— Нет, конечно. Она ни за что не хотела обременять себя ребенком.

— Вы знали о том, чем она занимается?

— Нет. Только на уровне догадок и подозрений. Я полагал, впрочем, что теперь махинации — это не преступление, а способ быстро разбогатеть, ведь главные махинаторы страны для закона недосягаемы. Тем не менее я не оправдывал ее и не осуждал. Это не наказуемо?

— Пожалуй, нет. Скажите, пожалуйста, в последнее время она поддерживала с вами отношения?

— Весьма редко. В основном когда у нее возникали какие-нибудь проблемы.

— Можете вспомнить, когда это было последний раз?

— Это нетрудно. Чуть больше месяца назад, когда погиб ее новый муж.

— Что она хотела?

— Взять на время мою «Волгу».

— У нее не было своей машины?

— Почему же? Она достаточно состоятельна. Объяснила мне, что ее авто в ремонте, муж в отъезде, а ей, как всегда, что-то срочно надо.

— В этой просьбе было что-то необычное?

— Только то, что раньше она весьма презрительно отзывалась о моей старушке и ни за что не соглашалась ездить на ней куда-нибудь.

— Что еще?

— Вроде ничего... Ах да! Еще она попросила о какой-то услуге сына.

— Не знаете о чем?

— Он должен был в определенное время ждать ее на шоссе. Больше ничего не знаю.

— Мне показалось из ваших слов, что он не очень хорошо относился к своей моложавой мачехе...

— Ну это же естественно. К тому же, как потом оказалось, я ей вовсе не нужен. Поэтому у мальчика к ревности прибавилась естественная обида за отца.

— Почему же он согласился исполнить ее просьбу?

— Насколько я понял, она поклялась после этого навсегда исчезнуть из нашей жизни.

— Выполнила обещание?

— Исполняет пока.

— Некоего Орехова вы знаете?

— Не припоминаю.

— Одно время он обделывал делишки в паре с вашей супругой.

Профессор вздохнул:

— Много их было всяких... Но этого не приводила.

— У меня к вам просьба, Алексей Александрович. Посмотрите внимательно в доме, не спрятала ли Ангелина здесь видеокассету. Из-за нее у вашей жены начались крупные неприятности...

— Из-за них она в тюрьме? — удивился профессор.

— Нет, но из-за нее Ангелину чуть не убили. Так что хранить ее опасно.

— Понял. Посмотрю обязательно.

— Да, спасибо. Только учтите, что она тщательно спрятана.

— Понял. Скажите, гражданин следователь, если можно, кого она убила, Иванова?

— Нет, Иванова убил другой человек, а она

ему содействовала в этом преступлении, — ответил Турецкий и на этом поставил точку.

Показания профессора Шатохина уместились на полстраничке протокола допроса свидетеля.

2

— Куда это вы, сударь, в такую погоду? — поинтересовался Грязнов, застав друга, одетого в плащ.

— Прежде чем в гости приходить, звонить надо, Слава! — дружелюбно упрекнул друга Турецкий. — Я еду допрашивать Ангелину. — Да тебе, конечно, не по чину самому проводить такую операцию, как выявление продавцов нелегальных автомашин, и, разумеется, Володе тоже, но, учитывая обстановку и сложности, с которыми сталкивается следствие по делу Иванова...

— Ладно-ладно, Саня, я все понял, — перебил его муровец. — Володя Яковлев с двумя оперуполномоченными в любой момент готов выехать в Острогожск, но давай, друг, чуток повременим с этим...

— Почему? — удивился Турецкий.

— Людмила Семенова объявилась! Она, оказывается, присутствовала при допросе Бодрова. Ей чудом удалось бежать. Мои опера с ног сбились, разыскивая ее, а она отсиживалась у подруги в Подмосковье. Никита дал ей мой телефон. Оклемалась и позвонила. Молодец девка!

— Да где же она! — воскликнул Турецкий.

— В приемной у тебя сидит...

— Зови! — громко сказал Турецкий, снимая плащ.

В кабинет следователя вошла красивая девица с очень напряженным лицом. По голосу и движениям, даже не будучи психологом, можно было догадаться, что она пережила сильное нервное потрясение. Людмила подробно рассказала Турецкому все, что произошло в тот роковой день на даче Лечо. Описала внешность человека, мучившего Никиту.

Внимательно выслушав душераздирающую историю с русской рулеткой и последующим побегом Людмилы, он осторожно и как можно мягче сказал:

— Люда, мне необходимо задать вам несколько вопросов, касающихся убийства старшего лейтенанта милиции Никиты Бодрова, и не только его...

— Хорошо, — кивнула Семенова.

— В каких отношениях ваш покойный отец, работая экспедитором в фирме «Каскад», находился с директором фирмы Сергеем Колобовым?

— Они были друзьями еще с Германии. Папа там был начальником Колобова. Эти дружеские отношения, насколько я знаю, сохранились между ними до конца...

— А как вы оцениваете отношения вашего отца с директором концерна «Кононг» Тураевым?

— Они тоже были друзьями и тоже служили

вместе в ЗГВ, но примерно за полгода до гибели папы их отношения резко испортились.

— Вы могли бы назвать причину их разлада?

— У бизнесменов одна причина разлада — деньги. Собственно, разошлись не они, а их интересы...

— Людмила, мы знаем, что вы конечно же никакая не горничная из «Палас-отеля»... Какую роль вам отвели в концерне?

— Вы правы. В «Палас-отеле» мне снимали номер. Это был мой кабинет. Там я переводила на немецкий и с немецкого различную коммерческую документацию. Технически кабинет этот оснащен по последнему слову техники: компьютер, спутниковая связь и тэ дэ. Разумеется, в этом отеле руководители концерна размещали многочисленных зарубежных партнеров. Я им в этом помогала.

— Назовите основную тематику документации, которую вам приходилось переводить.

— Инвестиционные договоры, договоры купли-продажи, проекты... много всего...

— Среди товаров, которые продавал концерн за рубеж, вам встречались такие, как лом цветных металлов, автомобили, камуфляж?

— Да. Все это проходило.

— Группировка Лечо сотрудничала с концерном?

— Нет. Они имели дело только с фирмой «Каскад», с «Кононгом» сотрудничали другие. Фамилия их руководителя, кажется, Сленовский или Следовский...

— Слизовский, — уточнил Грязнов.

— Да точно — Слизовский.

Следователь и сыскарь многозначительно переглянулись.

— Людмила, а в каких отношениях состоял ваш отец с известным телевизионным продюсером Юрием Ивановым? — спросил Турецкий, откинувшись на спинку кресла.

— В очень хороших. Папа ему, помню, на день рождения два меча подарил. Он у меня любил собирать холодное оружие...

— Ангелина Иванова, жена продюсера, появилась на вашем горизонте до событий, связанных с исчезновением Иванова или уже после?

— Почему после? Я давно знаю Ангелину.

— В последнее время с какими просьбами обращалась к вам Ангелина?

— Через меня осуществлялась связь с дядей Борей — это тоже друг моего отца по ЗГВ. Теперь он занимает очень высокий пост. В Генштабе. Но все они — и Тураев, и Колобов, и мой папа — были с ним дружны там, в Германии. Продолжаются дружеские отношения и сейчас. Он помогает концерну. Обращаться напрямую к такому человеку, понятно, не стоит, тем более бизнесменам. Вот поэтому контакт шел через меня.

— Последняя просьба Ангелины? — напомнил Турецкий.

— Сначала Ангелина позвонила мне и попросила, чтобы я передала дяде Боре, что к Юре едут незваные гости, а через день попросила меня передать Авдееву, что все хорошо, но недовольным остался один хозяин. Примерно так...

— Людмила, там, на даче у Лечо, вы поняли, что деятельность концерна и его сомнительных партнеров таких, как Лечо и Слизовский, граничит с особо тяжкими уголовными и экономическим преступлениями? — тоном наставника спросил следователь.

— Да, я все поняла. Для них убить человека ничего не стоит. Я боюсь... — На глазах у девицы появились слезы, она всхлипнула и достала платочек. — А что с Никитой? — спросила она дрожащим голосом. Они его замучили?

— Нет. Старший лейтенант милиции Никита Бодров погиб от бандитской пули в спину во время передачи его нам на стрелке, — отрапортовал Грязнов и, вздохнув, отвернулся к окну.

Слезы ручьями хлынули из глаз Людмилы. Грязнов нелепо подсунул ей под нос стакан с водой. Турецкий вышел из-за стола и нервно заходил по кабинету. Когда Людмила пришла в себя, Александр Борисович попросил Грязнова отвезти ее на своей машине в Подмосковье к подруге. Муровец взял Семенову под руку и вывел из кабинета.

Турецкий спохватился и, догнав их, попросил Семенову расписаться в протоколе допроса свидетеля. Как ни странно, это благотворно повлияло на Людмилу. Лицо ее вновь обрело сосредоточенное выражение. Она расписалась в протоколе и даже, выходя из кабинета, попрощалась.

— Ну слава Богу! — вырвалось у следователя.

...Через пару часов Грязнов вернулся в кабинет Турецкого.

— Ты вот, Саня, не поинтересовался у свидетельницы Семеновой о том, видела ли она раньше этого чертового «контрразведчика», а я в машине ей такой дополнительный вопросик задал, — с нарочитым превосходством заявил он с порога.

— Ну и то ты выяснил? По радости твоей вижу, что Семенова не иначе как его любовницей была! — съязвил «важняк».

— Видела она его до этого лишь один раз в прошлом году на дне рождения покойного Юрия Иванова. Там были все, и генерал Авдеев.

— Благодарю за службу, товарищ полковник! — улыбнулся Турецкий.

— Вот, Саня, я тебе не зря говорил, что надо погодить с командировкой Яковлева в Острогожск.

— Да, я понял. Срочно делаю запрос в ФСБ насчет этого пятнистого «контрразведчика». Я тоже склоняюсь к мысли, что он выкормыш старого КГБ. Если мы его возьмем, то целый ряд преступлений по делу Иванова будет раскрыт, — задумчиво, словно сам себе, сказал «важняк», подходя к факсу.

— Плюнь через левое плечо, — посоветовал Грязнов.

Отфаксовав запрос в ФСБ насчет пятнистого «контрразведчика», Турецкий взглянул на часы и вновь засобирался.

— Неужели еще и Ангелину поедешь допрашивать? — удивился Грязнов.

— Две женщины в день — это немного, Слава, — отмахнулся Турецкий.

— Ушам не верю! И это говорит мне человек, обладающий высокими моральными качествами! — воскликнул муровец.

— Ладно, поехали. У тебя, я вижу, как у голодной кумы, одно на уме...

3

Турецкому по долгу службы приходилось общаться со всякими женщинами: важными и простыми, наглыми и несчастными, уверенными и совершенно подавленными. От страха или от большого ума, но Ангелина Иванова держалась безукоризненно. Перед следователем предстала раздавленная бедой женщина. Не посочувствовать ей было просто невозможно.

— Милая дама, зачем вы ввязались в это дело? — мягко спросил Турецкий.

— Я запуталась, гражданин следователь. Я совершенно искренне помогала своему мужу. А в конце концов оказалось, что я сообщница в убийстве! Это Юрка его убил, этого Колобова. Я тут ни при чем! — воскликнула она.

— Успокойтесь, гражданка Иванова, — оборвал ее Турецкий. — Во-первых, вы обвиняетесь не в убийстве, а в соучастии в убийстве, во-вторых, вы сами сознались в своих преступных действиях в тот вечер и ваши показания зафиксированы в протоколе, вами подписанном, и, в-третьих, судмедэксперты обнаружили в крови покойного Олега Колобова клофелин, который вы ему в коньяк добавили. Так что сегодняшнее ваше заявление уже не имеет никакого значения: факт доказан, — сурово подытожил следователь. — Я пришел вам сообщить, что возбудил против вас еще одно уголовное дело. На сей раз вы обвиняетесь в мошенничестве.

— А, и про «Рубин» разнюхали, — зло фыркнула Ангелина. — Но это мог только сучонок Остап мне такой подарочек сделать. Я угадала? — с вызовом спросила она Турецкого, постепенно из несчастной женщины превращаясь в мегеру, кем, по сути, она и была.

— То есть вы признаете свое участие в афере против фирмы «Рубин»? — поинтересовался он.

— Вам необходимо мое признание? Да этот сучонок Остап ведь и так все вам рассказал. И еще порасскажет не хуже Ильфа и Петрова...

«Неужели ей неизвестно о гибели Остапа?» — подумал «важняк» и спросил:

— Так что? Очную ставку делать будем?

— А давай, начальник, вези его сюда. Хоть одному подонку в рожу плюну. Тоже мне вор — на бабу наклепал...

— Ну вы с ним тоже не лучшим образом поступили, гражданка Иванова. Сейчас вы сами убедились, что в неволе живется несладко, когда передачку некому принести... Но мне очень не нравится перемена в вашем настроении, Ангелина Николаевна. Еще совсем недавно, ощутив страх возмездия, вы прибежали искать у нас защиты, а сегодня вновь в боксерской стойке. Мне кажется, вы не вполне отдаете себе отчет, что делаете, — покачал головой Турецкий.

— Когда человек спасает свою шкуру, ему уже на все наплевать, начальник, — вновь зло фыркнула Ангелина.

— Вы прекрасно понимаете, что находитесь в относительной безопасности, пока ваши преследователи не знают, где вы. Но утечка информации рано или поздно произойдет, и тогда все будет зависеть от того, что́ именно вы задолжали. Я вас ни в коей мере не пугаю, а лишь призываю с полной ответственностью подумать о своей судьбе. Чтобы мы могли вас защитить, вы сами должны этого захотеть.

Ангелина попыталась улыбнуться, но получилось не очень впечатляюще.

— Нет, вы хотите меня запугать, я чувствую! — бросила она.

— Это реальность, — пожал плечами Турецкий. — Реальность, с которой, не дай, конечно, Бог, вам придется столкнуться. Лучше для вас будет, если вы дадите правдивые показания.

— Бог не выдаст — свинья не съест, — отрезала Иванова.

— А это-то здесь при чем? Вас жадность сгубила как в первый, так и во второй раз — не прислали, например, подельнику ни одной передачи. Вот он и пожаловался на вас Олегу Колобову. Правильно вы догадались: от Остапа и уз-

329

нали мы о том, что вы не всегда трудились на ниве средств массовой информации.

— Вы меня разжалобить хотите, гражданин следователь?

— Нет. Я знаю, что вы — железная женщина, — с некоторым сожалением в голосе сказал Турецкий. — Кстати, Остапа Орехова вчера обнаружили в плавильном тигле. Запихнули его туда живым. От нижней части тела ничего не осталось. Мистика! Второй обгорелый труп, и снова это связано с вами.

— Почему со мной? Я не живодер! — буркнула Ангелина. — По мне, так хватило бы и удавки.

— Кроме нас, работников правоохранительных органов, никто не знал о том, что Орехов дал правдивые показания. У вас есть друзья в правоохранительных ведомствах?

— Нет, — мотнула головой Ангелина.

— А мне видится несколько иное. Вы унаследовали от своего покойного супруга нечто такое, что не дает спокойно спать сильным мира сего.

— Видится так видится. Ваше право! — продолжала дерзить Иванова.

— Вновь призываю вас дать правдивые показания! — четко выговорил Турецкий.

— Этим себе только и могу пока помочь, — парировала она.

— Если вы связаны каким-то обещанием, Ангелина Николаевна, позвольте облегчить ваше бремя, ведь, как вы понимаете, некоторые лица будут настойчиво продолжать искать видеокассету, ту самую, из Германии.

330

Ангелина вскинула на следователя растерянные глаза. Этот взгляд лучше всяких слов сказал следователю, что он попал в точку.

— Сейчас я не готова обсуждать этот вопрос, — заволновалась она. — Можно я подумаю?

— Думайте. Только недолго. Сами знаете — от этого зависит судьба вашего дела, а возможно, и ваша жизнь. Но прежде чем мы попрощаемся, я хочу задать вам еще один вопрос, — сказал Турецкий, уперев подбородок в руки и пристально взглянув на подследственную. Ангелина тоже напряглась. — Нет ли среди ваших знакомых мужчины, у которого под глазами бледные пятна проступили, видимо, после какого-то сильного стресса?

— Это Цезарь! Страшный человек! Мне о нем Юрка рассказывал. Цезарь — прозвище, а фамилия его не то Графов, не то Князев... Я так поняла, что он бывший чекист, а сейчас обыкновенный киллер! Я же говорила, что вокруг столько мерзости крутится, что голова кругом идет. И все деньги...

— Где вы с покойным мужем с ним встречались? — спросил Турецкий.

— В прошлом году на Юркин день рождения приперся. Народу было человек тридцать, и я даже не знаю, с кем он приехал...

Турецкий понял, что на сей раз Ангелина говорит правду, потому что, видимо, знала, какую роль выполняет в концерне Цезарь...

Но из следственного изолятора он уходил все

же недовольный собой. Ему показалось, что он, как ни старался, не смог построить допрос более четко. Наверное, и в самом деле, две женщины в один день — это перебор, — улыбнулся «важняк», вспомнив Грязнова.

4

В конце рабочего дня Турецкий вызвал к себе Колобова.

— Сергей Васильевич, следствие стремительно идет вперед, боюсь, что ваши обещанные откровения по делу Иванова могут просто устареть.

— Согласен, — кивнул Колобов и подозрительно огляделся по сторонам. — Здесь можно говорить?

— Безусловно, — успокоил его следователь. — Вы вспомнили, где видели человека с белыми пятнами под глазами?

— Да, я видел его в прошлом году на дне рождения у Юрия Иванова.

— Больше вы ничего мне об этом человеке не можете рассказать? — спросил Турецкий.

— Нет, наши пути с ним больше не пересекались, — покачал головой бизнесмен.

— Что кроме экономических интересов подогревает ваш конфликт с Тураевым?

— У нас с моим заместителем Траубергом есть сведения, что Тураев, пользуясь транспортными услугами «Каскада», переправляет за границу какой-то весьма серьезный нелегальный груз. В последнее время мы пытаемся его контролировать. Никому неохота быть заложниками в чужой игре... И вообще, нас с Тураевым слишком много связывает, чтобы мы могли вот так просто взять и расстаться. Льготы, ресурсы. И того и другого с каждым годом становится все меньше и меньше, но до недавнего времени мы жили хорошо, а теперь пришлось потуже затянуть пояса.

— Вам обидно? — спросил Турецкий.

— Не то слово! Вдвойне обидно еще и то, что наше лобби в правительстве, в Думе, исправно получавшее финансовую подпитку, сейчас озабочено своей судьбой. Поэтому мы все меньше получаем экономической поддержки из-за рубежа. Внутри концерна идет экономическая война, временами переходящая в вооруженную. Надеюсь, магнитофон у вас где-нибудь в укромном месте не включен?

— Нет, — успокоил его Турецкий. — Если я записываю показания на магнитофон, то предупреждаю об этом. Таков закон.

— Я потому спрашиваю, что если вы захотите пристегнуть мои слова к материалам о терактах против руководителей концерна (вы ведь знаете, что на Тураева недавно было совершено покушение), то я просто откажусь от показаний. Время такое, что не до принципов. Мне семью надо кормить и самому лечиться.

— Только чем кончится ваше взаимное истребление?! — спросил Турецкий.

— Не знаю, стараюсь об этом не думать. Было бы идиотизмом заниматься самокопанием, когда вокруг делают бабки. Все это можно сделать потом, на покое. И раскаяться можно будет, и пожертвовать на строительство храма. Все потом...

— А если не будет этого «потом»?

— Значит, не судьба.

— А семья?

— Давайте лучше о деле поговорим, Александр Борисович. Что вас еще интересует?

— Я бы хотел понять механизм получения прибыли вашими фирмами.

— Информация известна многим и, случись что, далеко не все будут молчать. А схема проста. Учрежденные Союзом ветеранов ЗГВ предприятия занимаются в основном созданием хозрасчетных объектов, например, мы вместе с немцами хотим построить в Ялте профилакторий для офицеров запаса и их семей. Под это нужны большие деньги, потому что такие объекты окупаются и начинают приносить прибыль не скоро. Поэтому мы вынуждены работать с импортно-экспортными компаниями, которые под нашей крышей быстро и выгодно совершают свои операции и отдают нам часть своей прибыли. У нас не было пока конфликтов с партнерами, но совсем недавно мы узнали, что фирму, с которой мы работаем, контролирует местная банда Скользкого...

— Скользкого убили, — уточнил Турецкий.

— Да, я знаю, но банда-то осталась. Я, конечно, был в шоке. Не знал, что делать. Надо бы от них как-то отделаться, но столько договоров в работе, что себе дороже станет. Поэтому хочешь не хочешь придется мне с ними дружить. До поры до времени, разумеется.

— Скользкого на троне сменил некий Шнапс, — заметил Турецкий. — Так что на скорый развод с бандитами не надейтесь. Они будут с вами, пока вы им будете нужны, а не наоборот.

— Я вам скажу больше: есть в сфере интересов концерна еще одна фирма. Так вот она находится под колпаком у банды, которую возглавлял Лечо. Они имеют прямое отношение к Тураеву. Вот такой расклад! — улыбнулся Колобов. — Но есть еще и третья сила, которая внимательно следит за нашей сварой и даже корректирует ее.

— Так-так, продолжайте, — насторожился Турецкий.

— Однако вы же сами уже до этого дошли, Александр Борисович. Кто расстрелял муровца и бандитских авторитетов? Не ждите, что я сейчас скажу, что знаю, кто это сделал, — добавил Колобов. — Скажу только, что среди убитых на стрелке у бетонного был мой человек из «Каскада». Что он там делал? С кем встречался?..

— Я могу только предположить, — перебил его следователь, — что ваш человек был на даче у Лечо, где допрашивали Бодрова. Стало быть, не такой он был и ваш. Кем он работал в «Каскаде»? Как его фамилия?

— Хозяйственные вопросы решал. Одним словом, завхоз, — ответил Колобов. — А вот фамилию запамятовал.

— Странно не знать фамилию своего сотрудника, — хмыкнул Турецкий.

— А вы-то сами, Александр Борисович, имеете в голове какой-нибудь вариант насчет этой третьей силы. Кто они? — с вызовом бросил Колобов.

— Считаю, что это хорошо организованное и оснащенное соединение. Ни Тураеву, ни вам не было никакого резону делать такой кровавый ход в этой игре. А также о многом говорит тот факт, что боевиков Скользкого и Лечо не убрали вдогонку за авторитетами. То есть традиционной зачистки не было...

— Послушайте, Александр Борисович, так, возможно, работа Юрия Иванова имела прямое отношение к этой проблеме?

— Вы это знаете лучше меня, Сергей Васильевич. Поэтому я жду от вас откровенных признаний. Зря вы продолжаете секретничать. Ваш конкурент Тураев сам первый вышел на меня.

— Неужели? — искренне удивился Колобов.

— Да. Он даже предложил мне сделку. Он сообщил, что Иванов выполнил для него работу, снял кое-что на видокассету, а пленку не отдал. Вы случайно не знаете, что там снято?

— Честное слово, не знаю. Могу только сказать, что Тураев очень рассчитывает на этот материал. Он как-то сказал мне, что если иметь этот материал в руках, то можно больше ничего не бояться.

После долгой паузы Турецкий доверительным голосом сказал:

— В этой ситуации, Сергей Васильевич, нам следует действовать сообща. Ясно: тот, кто знает о пленке, пойдет на все, чтобы ее найти и уничтожить.

— Вы только эту мадам Иванову не выпускайте... Есть у меня один выход, — оживился Колобов. — Я обязательно вам о нем расскажу.

Глава третья

1

— Что нового, Саша? — спросил Меркулов.

— У меня такое ощущение, Костя, что меня все время опережают на шаг, а то и на два. Уже столько трупов навалено, а я не могу толком расследовать ни один из этих эпизодов, — раздраженно сказал Турецкий.

— Это значит только одно: какие-то силы мешают нам детально расследовать все эти убийства и операции.

— Вот именно, — кивнул «важняк». — Убийства Иванова, Бодрова, а также двух боевиков, а потом и доктора Чижа, я уверен, дело рук того самого «контрразведчика», который допрашивал Никиту на даче у Лечо. Вот он-то и маячит на шаг впереди нас. Я временами чувствую себя ангелом смерти, Костя. Стоит мне выйти на человека, как его убивают или он исчезает бесследно!

— Да. Дело сложное, но мы обязаны довести его до конца, — сказал Меркулов.

— Не говори. Каждый новый шаг следствия расширяет рамки этого и без того сложного дела. Все отчетливее начала вырисовываться Германия... ФСБ прислала любопытную информацию, которая красноречиво говорит о связи тогдашней нашей ЗГВ с международной мафией. Летом 94-го был арестован начальник торгового отдела наших дрезденских воинских соединений, некий капитан Лосев. С помощью фальшивых авизо он попытался обворовать немецкую казну на пять миллионов дойчмарок. Когда его взяли, он, спасая свою шкуру, заявил, что взамен на более мягкое наказание готов сообщить следствию кое-что о торговле оружием. Тут же произошла утечка информации. Несколько российских офицеров пришли на следующий день к жене Лосева и сказали, что, если ее муж все расскажет, они убьют ее и дочь. Перепуганная женщина заявила в полицию, но преследования не прекратились. Наши военные вели себя так, как будто они были у себя в стране. Когда несчастное семейство решило спрятаться от преследования в стенах военной прокуратуры, на хвосте джипа, в котором везли жену и дочь Лосева к воротам прокуратуры, подкатили два наших «газика». Из них выскочили люди в штатском и долго ругались, грозя охране кулаками. Потом один из «газиков» протаранил стоявший рядом «БМВ» и уехал. Но этим дело не кончилось. Военная прокуратура была блокирована дежурившими возле нее день и ночь людьми в штатском, похожими на рэкетиров. А прокурора хотели похитить. Он просто случайно избежал этого. Лосева решили перевести в тюрьму службы безопасности в Штутгарте, так как в Дрездене за его жизнь уже никто не ручался. По дороге машину, где находился Лосев, изрешетили из автоматов. Потрясенная такими событиями немецкая пресса подняла шум по этому поводу, но все потонуло в триумфальном, под грохот барабанов, прощании советских войск с Германией. Почти все высокие начальники ЗГВ получили высокие посты в Министерстве обороны.

Турецкий замолчал.

— Ну и что ты, Саша, этим хочешь сказать? — спросил Меркулов.

— А то, что наша ЗГВ открыла русской мафии дорогу на Запад. Я почти уверен, что эти Тураевы и Колобовы выполняют роль «челноков», возможно, в торговле оружием, нашим оружием. Пока этим занимался только один Тураев, все шло гладко. Но теперь они занимаются торговлей оружием оба и являются конкурентами. В своей тайной войне каждый из них старается перетянуть на свою сторону ту, третью силу. Юрий Иванов, очевидно, просто подлил масла в огонь. Помнишь, Костя, я тебе рассказывал про фотографию, которая висит на стене в кабинете Тураева? Так вот пятым персонажем на этом снимке был тот самый капитан Лосев. И Тураев его отчекрыжил ножницами.

— Каким образом ты это установил? — удивился Меркулов.

— Это Никите Бодрову спасибо надо сказать, царство ему небесное. У его Людмилы Семеновой дома на стене висит точно такая же фотография, но без купюр. На ней сослуживцы по ЗГВ — в полном составе — впятером.

— Кстати, про Людмилу тебе что-нибудь известно? — спросил Меркулов.

— Известно. Она недавно была у меня. Никита успел сообщить ей телефон Грязнова. Людмила присутствовала в тот день на даче Лечо... Никита наш — геройский парень, но выучки, к сожалению, не хватило, — вздохнул Турецкий, подробно пересказав Меркулову информацию, полученную от Людмилы Семеновой.

— Да. Такого парня потеряли! А ведь по виду не скажешь... — покачал головой Меркулов.

— Так что мы теперь знаем, кто виноват в гибели Бодрова. Сначала думали, что тот, кто допрашивал Никиту, погиб вместе с авторитетами на стрелке у бетонного завода. Но по описанию Людмилы, там погиб русский водитель Ваграма. Тот «контрразведчик» — так он себя представил Никите — на стрелку не поехал. Конечно, любопытно и то, что один из людей Колобова засвечен в качестве водителя Ваграма. Сергей Васильевич сами признался, что на стрелке погиб его завхоз. — Турецкий немного помолчал. — Нам сейчас важно не упустить этого «контрразведчика». Он на многое прольет свет. Я обратился в ФСБ и просил проверить информацию, полученную от Людмилы. ФСБ установила, что человек с белыми пятнами под глазами — бывший чекист, подполковник госбезопасности Виктор Князев. После упразднения КГБ стал на преступный путь: совершил налет на инкассатора универмага. Князева взяли. Дали десять лет строгача. В 94-м бежал из лагеря. Полагаю, у этой третьей силы он действительно своего рода контрразведчик. Информацией, конечно, располагает богатой. Думаю, что у бывших чекистов есть в России и за границей свои организации. Прозвище Князева — Цезарь. Живет в Латвии. Засвечивался в качестве киллера, выполнял заказы в разных странах СНГ. Сейчас он по документам — Зольниш.

— Чтобы арестовать этого Зольниша, надо тщательно подготовить документы. Обратиться в МИД Латвии...

— Я боюсь, что, если наделаем много шума, он уйдет от нас. — Турецкий покачал головой. — Подполковник Яковлев самостоятельно готовит операцию. С ним поедут два оперативника, которые хорошо проявили себя на стрелке у бетонного завода.

2

Турецкий ждал звонка от Грязнова. В очередной раз подняв трубку с надеждой услышать голос полковника, он узнал басок Тураева:

— Добрый день, Александр Борисович! Я слышал, что вдову Иванова задержали?

— У вас хороший слух, — съязвил Турецкий.

— Все шутите. Понимаю. Радостно вам теперь. Ведь на эту бабенку всех собак повесить можно.

— На ней будут висеть только ее собственные собаки. Мы предъявим ей только доказанные обвинения, — сухо проинформировал следователь.

— И что, если не секрет, вы на нее вешаете?

— Мошенничество в особо крупных размерах, — спокойно ответил Турецкий.

— Вот как? — деланно удивился Тураев. — Но это ее проблемы. Как наш договор про кассету...

— Обыск в доме Ивановой уже проведен, но результатов никаких нет. А что, собственно, нам там было искать после ваших бойцов, — рубанул Турецкий напрямую.

Тураев с минуту молчал. Потом тихим голосом спросил:

— А с чего вы взяли, что мои бойцы там были?

— На ваши, так бойцы Колобова. Я в последнее время между вами большой разницы не вижу, — заметил следователь.

— Я не понял, что вы имеете в виду? Это значит «большой разницы не вижу»? — раздраженно спросил Тураев.

На сей раз длинную паузу позволил себе Турецкий.

— Я имею в виду только то, что сейчас ваша тайна принадлежит не только вам, — отрезал «важняк» и немного погодя добавил: — Вообще-то подобные телефонные разговоры с подозреваемым следователь вести не должен. Но ввиду необычности этого дела мне приходится вести с вами эти странноватые разговоры. Удивительно, почему вы думали, что Колобов не знает о существовании этой кассеты? Еще папа Мюллер утверждал: знают двое — знает и свинья.

— Да, — мрачно согласился Тураев. — Я звонил вам действительно только с одной целью: попросить вас беречь мадам Иванову пуще глаза.

Положив трубку Турецкий задумался: что кроме обыкновенного любопытства могло заставить Тураева сделать этот звонок? Он допускал, что Тураев почувствовал, что следователь с муровцами где-то наступили ему на хвост.

Его размышления прервал еще один звонок. На сей раз в трубке зазвучал голос Сергея Колобова. Бизнесмен был приятно удивлен тем, что следователь узнал его голос, но особой радости это ему не принесло.

— Все равно я богатым не буду, Александр Борисович, — с грустью заметил он.

— Ну это только сегодня, — попытался приободрить его Турецкий. — Что у вас случилось?

— Понимаете, новости такие ошеломляющие, что в двух словах не расскажешь. Короче, ко мне за помощью пришел человек, который во время съемки скрытой камерой подстраховывал Иванова, охранял, значит.

Турецкий до боли прижал трубку к уху, словно так мог больше услышать.

— Этот человек все это время прятался, — продолжал Колобов. — Пришел ко мне в четыре утра, оборванный, как бомж. Такое впечатление, что у парня мания преследования. За него взялись сразу же после того, как Иванов ушел в бега.

343

Словом, этот человек узнал одного из тех, кого Иванов снимал в Германии.

— Кто он? Кто за него взялся? Как этого свидетеля зовут? — Турецкий засыпал Колобова вопросами.

— Все потом! Давайте встретимся...

— Приезжайте срочно ко мне.

— Нет, Александр Борисович, я больше никаким стенам не доверяю...

Турецкий и Колобов встретились на Воробьевых горах. До зимы оставался еще почти месяц и сейчас в парке было серо, сыро и зябко.

— Неуютное местечко, — отметил Турецкий.

— Да, но зато здесь трудно подслушивать.

Следователь кивнул, но не обмолвился об организованной на всякий случай охране из СОБРа. Оперативники были рядом на случай непредвиденных обстоятельств. Да и сам Турецкий, как мог, страховал себя от неожиданностей. Старался идти хоть и рядом с собеседником, но так, чтобы тому было неудобно ударить его кулаком или ножом. Однако он ясно понимал, что для настоящего профессионала, каким, наверное, и был Колобов, все его ухищрения просто смешны.

Настороженно оглядываясь, Колобов заговорил:

— То, что я вам скажу, Александр Борисович, не знает даже Тураев. Вам скажу первому это, потому что больше никому не доверяю, а Тураеву больше всех...

Колобов вдруг резко остановился, дернул головой и выкрикнул:

— Прицел!

В следующее мгновение он, сильно толкнув Турецкого, стал падать сам. Но его замедленное падение опередили две громкие автоматные очереди, прозвучавшие неожиданно близко. По свисту пуль и обрубкам падающих рядом веток Турецкий сразу понял, что бьют по ним. Он заметил, что кто-то со стороны стрелявших побежал было к ним, но неожиданный автоматный огонь собровцев заставил боевика ретироваться.

Турецкий поднялся и подошел к Колобову. Тот лежал навзничь на мокрой палой листве. Его светлое пальто потемнело от крови, на синюшных губах пузырилась кровавая пена. Но глаза умирающего еще глядели осмысленно.

— Как вы, Сергей Васильевич? — громко сказал Турецкий, нагнувшись над раненым и лихорадочно расстегивая непослушными пальцами пуговицы пальто.

Колобов мучительным усилием воли разлепил губы и еле слышно выговорил:

— Мне хана, следак... Ты запомни... запомни... операция «Ошейники для волков», Генштаб...

Он закашлялся, и кровь ручьем хлынула изо рта.

3

На операцию по захвату Цезаря и вывоза его из Латвии Яковлев взял с собой двух молодых оперативников Юру и Диму, которые уже успели побывать с ним в деле на стрелке возле бетонного завода. Из оружия взяли только пистолет-автоматы и электрошоковые дубинки.

Грязнов выдал подполковнику две тысячи долларов со слезной просьбой по возможности экономить.

— Мне за них, Володя, отвечать надо перед финчастью.

Свой «форд» Яковлев оставил в укромном месте на границе. Муровцев встретил проводник, бывший сыскарь из Риги. Он провел их через границу. На ближайшем хуторе в распоряжение гостей из Москвы поступил вполне приличный «БМВ», и они, договорившись с проводником о встрече, помчались к морю. Там на живописном берегу в Юрмале стоял загородный дом Цезаря.

— Никакого сценария у нас пока нет, — сказал Яковлев. — Поэтому работать начнем экспромтом. Каждый должен действовать так, будто именно от него зависит успех операции. И нечего глазеть, разинув рот, на дядю Володю. Уяснили?

— Ясно, Владимир Михайлович, — ответили оперативники.

— Значит, так: сценария у нас нет, но тактика есть — засада, — продолжал Яковлев. — Оружие применять лишь в самом крайнем случае...

Муровцы довольно быстро разыскали на берегу моря особняк Цезаря. По двору без привязи бегали две немецкие овчарки. Оперативники, перемахнув через ограду, смело пошли на собак и встретили нападение дрессированных псов ударами электрошоковых дубинок. Затем подождали

Яковлева, и все вместе проникли к особняк, где и расположились в прихожей. Чтобы не оставлять лишних следов, решили в дом не проходить, но нужда заставила. Обстановка бандитского логова потрясала своим богатством.

За разговорами проторчали они до одиннадцати часов вечера. Наконец раздался шум подъезжающей машины, и к решеткам ворот подкатил «мерседес» хозяина дома. Муровцы прильнули к небольшому узкому окну в прихожей. Цезарь вылез из машины, подошел к воротам и, бренча цепями, открыл замок. Хорошо освещенная дорожка к дому и пространство перед решетками ворот давали возможность хорошо разглядеть Цезаря. Это был высокий, широкоплечий мужчина с некоторой даже вальяжностью. Открыв ворота, хозяин сел в машину, и «мерседес» медленно подкатил к крыльцу.

«По всем повадкам видно, что это опытный зверь», — подумал подполковник и оценивающе взглянул на своих оперков. Они с азартом глядели в окно. И здесь произошло непредвиденное: из «мерседеса» вслед за Цезарем вылез огромный парень в белом свитере, а за ним выпорхнула болтающая без остановки девица. Цезарь окликнул собак. Оглушенные псы на заплетающихся лапах медленно подошли к хозяину.

— Зажрались, сучьи морды, — выругался хозяин, — надо вас на доберманов поменять. Ладно, я пойду закрою ворота, а потом спать — никаких больше удовольствий. Завтра утром в аэропорту нам надо быть в лучшем виде, — добавил он.

Закрыв ворота и вернувшись, Цезарь стал открывать дверь прихожей, говоря:

— Кристина, сейчас ты пожелаешь своим мальчикам спокойной ночи.

Но девица была так пьяна, что не могла ничего толком ответить и лишь продолжала махать своему огромному спутнику ручкой. Громила в белом свитере тоже выглядел тяжеловато. Видимо, компания возвращалась из ресторана. Цезарь отомкнул замок, но не открыл дверь, а вернулся к машине и взял с сиденья два короткоствольных автомата. Один он сунул в руки громиле. Яковлев определил систему оружия. Это были АКС-74 У — очень дорогие «игрушки», используемые президентской охраной. Тут же он вспомнил, что фура Семенова с медным ломом была обстреляна именно из таких «игрушек». Сердце сыщика томительно сжалось в предчувствии большой удачи.

— Менять декорации слишком поздно, — шепнул он оперативникам. — Я беру на себя Цезаря, а вы этот шкаф в белом свитере.

В это время Цезарь открыл дверь и, пропустив впереди себя парня с девицей, зашел в прихожую. Отойдя к стене, он нажал на клавишу выключателя. Вспыхнул яркий свет. Яковлев, пронзительно вскрикнув, прыгнул на Цезаря. Раздался хруст переломанной кости, и автомат Цезаря, тяжко грохнувшись на пол, заскользил по паркету в глубь прихожей. Цезарь со стоном рухнул на колени. Все это произошло в доли секунды. Оперативники замешкались. Этого их замешательства было достаточно, чтобы громила успел одной рукой за горло прижать свою спутницу к себе и прикрыться ею, как живым щитом, а другой — подхватить болтающийся у него за спиной автомат.

В этот момент к нему подскочили оперативники. Дима буквально повис на руке громилы, сжимающей автомат, а Юра нанес бандиту удар рукояткой пистолет-автомата по голове. Громила осел на пол. Рядом, сжимая сломанную руку и постанывая, валялся Цезарь.

Яковлев нагнулся над Цезарем и, уперев ствол пистолета ему в подбородок, громко произнес:

— Привет тебе от Никиты Бодрова, падаль. Он попросил меня, чтобы я докрутил тебе бесплатное кино до конца. А то у Никиты тогда, извини, времени не хватило...

Яковлев чувствовал, что Цезарь уловил только имя Никиты Бодрова, а остальные слова муровца уже не доходят до него, но остановиться он уже не мог.

— Видишь, монстр, Никита переиграл тебя, сука! Согласен, мразь?! Отвечай, согласен?! — Яковлев сильно пнул бандита в бок и, видимо, задел сломанную руку. Раздался звериный вой. Глаза бандита вылезли из орбит от боли и страха.

— Владимир Михайлович, хватит! Время идет! — крикнул ему прямо в ухо Юра. А Дима присел рядом с Цезарем, разжал ему стволом пистолета зубы и впрыснул содержимое баллончика. Бандит отключился. Девицу и уже начавшего приходить в себя парня оперативники надежно скрутили.

Яковлев пришел в себя и скомандовал:

— Уходим! Дима, возьми ключи от ворот, выруби свет. Это дерьмо — в машину, — кивнул он на Цезаря.

Дима подогнал «БМВ», и муровцы запихнули бандита на заднее сиденье.

— Ну вот что, теперь нам на всякий случай нужна легенда. А она такова: я живу в Риге, а вы три русских беженца, которых я временно приютил. — Он достал из кожаной сумки бутылку коньяку и, протянув оперативникам, сказал: — Отхлебните по глоточку для запаха. В случае чего за пьяниц себя выдавать будете. А этот вообще в отрубе, — кивнул он на Цезаря.

«БМВ» плавно тронулся с места и, набрав бешеную скорость, помчался в сторону Риги.

Через полчаса езды впереди показались огни города. Встречная машина помигала фарами. Яковлев сразу притормозил и подошел к водителю иномарки. Вернувшись, он сообщил:

— Парень сказал, что на ближайшем посту ГАИ дорогу перегородил бронетранспортер с автоматчиками и собаками. Кстати, объездной дороги здесь нет... Но, собственно, она нам и не нужна. Поедем по целине в направлении вон того хутора.

«БМВ» съехал в кювет и медленно покатил по траве в сторону мерцающих вдали огней. На хуторе, возле самой границы, в условленном месте их ожидал проводник. Он перевел муровцев на нашу территорию. Там их уже ждала оперативная группа. Муровцы сдали бандита с рук на руки, сели в «форд» Яковлева и помчались к Москве.

4

Боясь утечки информации, Турецкий попросил Грязнова и Яковлева провести операцию по выяснению факта продажи японского джипа, засвеченного в районе стрелки возле бетонного завода. Сам Александр Борисович в это время решил работать с Цезарем.

До Острогожска муровцы поехали на «мерседесе» Грязнова, а там пересели на «ауди», которую предложили им острогожские коллеги из уголовного розыска. Искомый автобатальон они обнаружили на окраине городка. Территория батальона была обнесена серым бетонным забором без видимых изъянов и брешей. На КПП стоял солдатик со штык-ножом.

Покрутившись возле КПП и поймав на себе недобрый взгляд солдатика, муровцы отошли в сторону и все-таки обнаружили довольно широкую щель на стыке между бетонными плитами забора. Через нее были хорошо видны припаркованные возле штаба сверкающие на солнце не по-уставному яркими расцветками иномарки.

— Видно, здешние офицеры успешно используют в своих интересах новые веяния времени, — отметил Грязнов.

— В лоб эту крепость не взять, Слава. Надо что-то придумывать, — сказал Яковлев и с досадой глянул на злого солдатика. — Откуда только таких заморышей берут...

Муровцы решили разделиться. Яковлев должен был подвезти Грязнова до ближайшей станции обслуживания автомобилей и отправиться на поиски гостиницы. А Грязнов решил поспрашивать совета у знающих людей. Как-то надо было выходить на криминальный автобат.

Яковлев укатил, пообещав часа через два вернуться.

На станции техобслуживания царило затишье. Правда, в цеху на эстакадах торчали три автомобиля, и возле них бродили задумчивые от недопития техники. Некто более праздный и явно принявший больше на грудь, чем трудяги, сидел в застекленной конторке и остекленело глядел прямо перед собой.

Грязнов деликатно постучал в стекло.

Не поворачивая головы, мужик сделал вращательное движение глазами и еле заметно кивнул. Мол, заходи.

Муровец проник в комнатушку-закуток, сел на свободный табурет.

— Здравствуйте. Водку пьете?

— А... кгм... хр-р... у-у... Да!

— Здесь можно? — на всякий случай осведомился гость.

— А че ж? Чай, не бензин.

Грязнов вытащил из карманов кожаной куртки бутылку водки и нарезку салями.

Колбасу мужик не одобрил:

— Домой отнеси. Собаке.

— Нету собаки.

— Тогда жене. Тоже домашнее животное.

Расплескав водку по стаканчикам, проворно вынутым мужиком из ящика стола, гость провозгласил тост:

— За знакомство! Я Слава.

Выпив, мужик понюхал рукав замасленной телогрейки и представился:

— А я мастером тут...

В руках гостя бутылка сделала еще два проворных наклона.

— За мастеров!

Выпили по второй. Через минуту мастер спросил односложно:

— Ну?

— Чево? Следующий тост?

— Успеем. Ради чего поишь, интересуюсь.

— Посоветоваться надо.

— Тогда не мельтеши. Советуйся, пока я не свалился.

— Виноват, исправлюсь!

— Военный, что ли?

— В отставке. Мне машину надо купить.

Мастер попытался удивленно приподнять брови, но только перекосил лицо.

— И какие же машины тебе здесь по сердцу пришлись?

— Ты не понял, мастер. Мне нужен «ЗИЛ».

— Тогда я тем более не понял. Откуда у меня грузовик?

— Не у тебя. Подскажи человека, который может помочь.

— Ты видишь, что я старый и больной?

— Не вижу.

— Вот и плохо.

— Ты будешь иметь свой процент от сделки. Ну как, мастер?

— Подожди.

Мастер приподнялся, опершись ладонями о стол, повисел так некоторое время, будто раздумывая, не опуститься ли назад, но затем мужественно выпрямился и медленно, осторожно, словно шел по канату, отправился в другое помещение.

Его не было так долго, что Грязнов заподозрил неладное: может, заснул там где-нибудь или забыл по пьяни о госте да и свалил домой, к жене под скалку. Он собирался уже выйти в цех и поговорить с техниками, но с облегчением увидел, что мастер возвращается, наплывая на стекло кабинки медленно, словно призрак. Но вот оперся широкой ладонью о кабинку, и она сразу качнулась, так что Грязнов испугался, как бы эта хлипкая, но тяжелая и опасная конструкция не рухнула ему на голову вместе со смертельно усталым мастером.

Медленно продвигаясь, мастер нащупал дверцу, вошел, затем потрогал стул, удостоверился, что тот ему не снится, тяжело сел и уставился на гостя, пытаясь вспомнить, кто это и зачем он здесь. Нечеловеческое напряжение ума принесло свои плоды.

— А... — произнес мастер удовлетворенно и поискал глазами бутылку, которую Грязнов на всякий случай убрал со стола.

Когда злодейка с наклейкой снова появилась среди стаканчиков и совершила очередные наклоны к ним, мастер кивнул и, покрепче взяв стопку в руку, спросил:

— Ты не мент?

— А ты? — в тон произнес Грязнов.

Мастер затрясся от смеха, расплескивая водку.

— Ш-шутник, едрень!..

Выпив, мастер успел сообщить гостю, что в ресторане «Сатурн» в семь вечера его будет ждать человек. Чтобы встреча состоялась, клиент должен заказать греческий коньяк, который в кабаке никто не берет со дня его основания. За тем коньяком и может состояться весьма содержательный разговор.

Тут мастер уронил голову на стол и уснул, а Грязнов подался восвояси.

Возле ворот автостанции его уже поджидал Яковлев.

— С гостиницей все в порядке. Что будем делать дальше? — спросил он.

— Дальше, Володя, мы будем знакомиться с достопримечательностями города, в основном его улиц и переулков, на случай, если удирать придется, — весело ответил Грязнов. — А вечером пойдем в ресторан на встречу с торговцем автомобилями от вооруженных сил. В ресторане, как ты понимаешь, мы с тобой друг друга не знаем.

Только совершенно незакомплексованный и не обремененный чувством меры человек мог назвать старое полуподвальное помещение в обшарпанном трехэтажном доме рестораном с громким космическим названием «Сатурн».

В прокуренном, длинном, как вагон, зале было немноголюдно. Несколько бездельничающих парней с бритыми затылками проводили нового человека взглядами. Вели они себя здесь вызывающе развязно. Вероятно, какая-нибудь местная банда.

Грязнов уселся за стол с несвежей, но в отличие от других более чистой скатертью так, чтобы вход и парни были перед глазами.

Притащился официант, такой же несвежий, как скатерть на столе.

— Что будете заказывать?

— А меню у вас есть?

— Есть.

— Может, лучше дать карту блюд, а потом подойти и взять заказ?

Официант помолчал, мысленно переводя сказанное клиентом на более понятный ему язык.

— Меню есть, только того, что в меню написано, нету. Лучше скажите сразу: водку будете брать?

— Это обязательно? — поинтересовался Грязнов.

— Ну-у, — неопределенно протянул официант.

— Ладно. Давай бутылку «Метаксы» — заказал Грязнов.

— Чево? — не понял официант.

— Вон там у вас в буфете стоит греческий коньяк в длинной бутылке. Его и неси, — уточнил муровец. — Да к нему лимон порежь и шпротов пару банок с луком сваргань, пожалуйста.

Официант направился исполнять заказ. Грязнов крикнул ему вслед:

— Але, Митрофан! Не вздумай в графин переливать! Знаю я вас!

В это время в зал вошел Яковлев, оглядевшись, сел за свободный столик, вытащил потрепанную газетку и стал ее просматривать.

Парни поглядели в его сторону и с презрением отвернулись. Решили, что это какой-то местный интеллигентик. Они вновь нагло уставились на Грязнова. Вдруг двое парней из компании встали из-за стола и подошли к его столику. Грязнов по их походочке сразу догадался, что имеет дело с бывшими зеками. Эта походка прилипает к уголовникам, как кличка. Серьезные люди, выходя на волю, стараются от нее избавиться, а иные просто тешатся этим, так сказать, для куража.

Как Грязнов и предполагал, зацепились они за его грубый разговор с официантом.

— Ты че, козел, нескромно себя ведешь? — бросил один. — Крутой, что ли?

— Почему нескромно? Сижу себе спокойно, — ответил муровец с улыбкой.

357

— А халдея зачем обидел? — не унимался блатняк.

— А, Митрофана вашего? Так он же с людьми работать не может! Кто его сюда устроил? — пожал плечами полковник.

— Не-е, тебя вежливости учить надо, а не его, — заметил второй блатняк.

— Ладно, — легко согласился муровец. — Пошли в сортир!

Немного удивленные нахальством внешне не слишком богатырского сложения незнакомца блатняки козырной походочкой направились в туалет. По пути к ним присоединился третий. На всякий случай. Уж слишком нагло повел себя незнакомец.

Яковлев внимательно наблюдал за ситуацией.

— А ты че зенки пялишь, петух долбаный? Тебе че, кино здесь? — грубо выкрикнул один из парней, оставшихся сидеть за столом.

— Извините, господа, у меня свои проблемы... — как бы испуганно пробормотал Яковлев и уткнулся в газетку.

Тем временем Грязнов под конвоем, так сказать, вошел в туалет, в котором шибало мочой, как на конюшне, и, сунув руку под куртку, выхватил свой личный вальтер с глушителем.

Блатняки остолбенели. Один так и остался стоять со шваброй наперевес, которой хотел подпереть входную дверь, а другой выронил на пол деревянные восьмиугольные нунчаки.

— Зря вы, парни, затеяли ссору, — вздохнул

Грязнов. — Я ведь хотел вас морально повоспитывать, но раз вы вооружены, не получится.

Грязнов поочередно навел ствол на каждого и выстрелил поверх головы последнего. Легкий щелчок, сопровождаемый градом кафельных осколков, окончательно деморализовал парней: они стояли с выпученными в ужасе глазами и открытыми ртами.

— Не ссыте, ребята! — улыбнулся Грязнов. — Кончать вас не буду, но и дружить пока воздержусь. К моему столику не лезьте! А теперь выходите и улыбайтесь как ни в чем не бывало.

В зале ресторана по-прежнему было дымно и пустынно. На крохотной эстраде лениво расхаживали два доморощенных лабуха. Грязнов незаметно подмигнул Яковлеву и уселся за свой стол. Официант уже принес коньяк, рядом в тарелке желтел грубо порезанный лимон. Официант ошеломленно взглянул на невредимого «борзого» клиента и быстро подошел к столу.

— Имеется также балычок... — услужливо промолвил он.

— Годится, — кивнул Грязнов.

Через минуту появилась хорошая рыба. Полковник налил себе коньяку и, сделав жест, как будто с кем-то чокается, выпил.

Вскоре к его столу подошел мужчина. По виду местный бизнесмен.

— Разрешите присесть за ваш столик? — осведомился он.

Грязнов кивнул. Прямая спина и несколько механические, заученные движения выдавали в незнакомце бывшего, а возможно, и действующего военного.

— Добрый вечер! Меня зовут Павел.

— А меня Вячеслав, — коротко ответил Грязнов.

— Вы, наверное, догадались, Вячеслав, что это я назначил вам встречу?

— Догадался. Ну и что?

— Насколько я наслышан, вам нужен автомобиль.

— Есть такая нужда, — кивнул Грязнов. — Может, выпьем, коль заказано?

Павел взглянул на официанта, и тот заметался. Через пять минут их столик был сервирован добротными закусками, а венчал все это пиршество поросенок с хреном.

— Ого! Вас тут уважают! — польстил Грязнов.

— Не только здесь, — улыбнулся Павел. — Но это неважно. Так вы какой автомобиль предпочитаете? — перешел он к делу.

— Желательно «зилок» с тентом.

— Понятно. Вы сами по себе, Вячеслав, или фирму представляете?

— Я директор небольшой фирмы, мне нужны грузовики, — проинформировал Грязнов.

— Как вы на нас вышли? — сощурился Павел.

— Моим друзьями из Москвы удалось удачно купить здесь легковушку, но парни вернулись от вас с горящими глазами и сказали, что в Острогожске купить можно все.

— А что за парни, если не секрет? — спросил Павел.

— Из Союза ветеранов ЗГВ. Слышали про таких?

Грязнов прекрасно знал, под каким липовым названием осуществляли сделку те неизвестные, что прикатили на приобретенной в Острогожске машине к месту кровавой бойни на пустыре у бетонного завода. Знал он также, что эта фирма нигде не значится. Но он интуитивно чувствовал, что все равно это каким-то боком связано с Союзом ветеранов ЗГВ.

— Союз ветеранов, говорите? — повторил Павел. — Расплывчато...

— Послушай, друг, — сменил тон Грязнов, — ты мне, я вижу, не доверяешь, а почему, собственно, я тебе должен доверять? До этого кабака я тебя в глаза не видал!

— Не напрягайся, Вячеслав. Дело серьезное. Мне надо проверить твои данные. Ты пару деньков имеешь?

— Изыщу, — сухо ответил Грязнов. — Только вот в чем дело: я тут, тебя дожидаючись, немного повздорил с теми парнями. Они на мне не отыграются?

— Нет. Они наехали на тебя по моей просьбе. Так что не волнуйся. Столик уже оплачен. Ты в гостинице остановился?

— Да. В центральной. Восемнадцатый номер, — сообщил Грязнов.

Павел пожелал ему приятно провести вечер и ушел. Грязнов, перехватив алчущий взгляд Яковлева, сидевшего перед рюмкой водки и банкой шпротов на блюдце, демонстративно громко позвал:

— Эй, человек, прошу за мой стол, а то мне одному многовато угощений... Вот и встретились два одиночества, как в песне поется, — добавил он весело.

Компания блатняков оценила жест Грязнова и дружно загоготала.

— Ну и подфартило тебе, чувак. Шел на шпроты с водкой, а угодил на коньяк с поросенком! — бросил кто-то проходящему мимо Яковлеву.

6

Фирму «Каскад» Турецкий разыскал в каком-то глухом дворе, в совершенно обшарпанном, невзрачном здании. Следователь подумал, что по странной закономерности все эти новые общественно-экономические образования выбирают себе местом обитания именно такие тихие уголки столицы. Стесняются или прячутся от излишне любопытных глаз?

Напротив Турецкого сидел охранник с оттопыренным под мышкой пиджаком. Он специально так прятал свой пистолет, чтобы все видели и боялись. Самым надежным бронежилетом для Турецкого до недавней поры была его должность. Но в последнее время он с грустью почувствовал свою все более явную незащищенность. Приоритеты резко изменились. И его голова тоже имеет свою цену, от которой кто-то не откажется...

Из обитых дерматином дверей выглянула секретарша и спросила:

— Вы Турецкий?

— Мы, — кивнул «важняк».

Аркадий Альфредович Трауберг совсем не был похож на своего предшественника Колобова. И не только потому, что он был типичным немцем. В отличие от бывшего офицера Колобова он был сугубо штатским человеком. Рыжеватые его волосы были прилизаны, из наружного кармана пиджака торчал белоснежный косячок платка, заколка на галстуке сверкала бриллиантом.

— Проходите, Александр Борисович, не тушуйтесь, — добродушным голосом предложил Трауберг.

— Вообще-то тушеваться положено подозреваемому, а не следователю, — заметил Турецкий.

— Что вы сказали? — В голосе Трауберга промелькнула настороженность. — Я вовсе не хотел вас принизить.

— Это у меня от излишнего знания, — съязвил следователь, — точнее, от знания того, что передо мной человек, который служил в серьезной организации.

— Вы имеете в виду КГБ?

— Его, батюшку, — не меняя язвительного тона, уточнил Турецкий.

— Ну это дело давнее, — отмахнулся Трауберг.

— Не скажите, Аркадий Альфредович, чекист

363

до самой смерти остается чекистом. Это я такое выражение слышал...

— Чувствую, куда вы клоните, Александр Борисович, но нет, Лубянка была одна, а отделы-то разные. Я разведчик, — с гордостью добавил Трауберг.

— Наслышан, наслышан, — продолжал Турецкий. — А может быть, вы тут посажены, чтобы, так сказать, отслеживать, а не отходами цветных металлов торговать? А, Аркадий Альфредович? Какой из разведчика торговец?

— Лукавите небось, Александр Борисович? Знаю я вас, хоть и до сегодняшнего дня заочно. Слава о вас идет как о беспроигрышном бойце.

— Когда-то, быть может, и был беспроигрышным, — искренне ответил следователь. — Теперь же что-то запутался. Вот вы, например, — бывший офицер КГБ, стояли на защите военных тайн родины. Святое дело, можно сказать. Наверное, и награды у вас имеются. И вдруг вы сегодня — коммерсант. Не знаю, мне это трудно понять.

— Ах вон оно что! — воскликнул Трауберг. — да вы, дорогой мой, просто еще не пробовали получать больших денег. Деньги быстро и безболезненно меняют мировоззрение человека.

— Возможно. Только я не представляю себе, как это можно сделать.

— Ну что вы, все просто. Пойдите в адвокатуру или в частный сыск. Тут вам и любимое дело, и совсем другие деньги.

Турецкий кашлянул и резко перевел разговор в другое русло.

— Собственно, речь сейчас не обо мне, а о вас, Аркадий Альфредович, — четко проговорил он, подчеркивая каждое слово. — Уже само мое появление в вашем кабинете должно говорить о многом. Например, о том, что мы не собираемся похерить дело, уже обагренное кровью наших товарищей. Скажу вам прямо: судя по вашему виду, можно сказать, что со смертью Сергея Колобова ваша распря с Тураевым либо сошла на нет, либо успех безраздельно перешел на вашу сторону. Так вот, если взять первое, то выходит, что вы вели игру против своего начальника и все это время были тайным союзником Тураева. Если же второе, то Тураев или образумился, что мало вероятно с его амбициями, или его уберут.

— А вы, Александр Борисович, сами-то в каком качестве хотели бы меня видеть? — улыбнулся Трауберг.

— Я бы хотел вас видеть в качестве человека, пришедшего в мой кабинет с чистосердечным рассказом о причинах, повлекших за собой несколько смертей. Думаю, вы могли бы многое мне рассказать. Вот так, Аркадий Альфредович. А вы сейчас мне будете говорить совсем о другом, и не один мускул не дрогнет на вашем лице. Но это всего лишь хорошая школа, но не разумный ход...

Турецкий замолчал и стал черкать карандашом на листе бумаги. «Важняк» явно переоценил стойкость Трауберга, потому что после его слов тот побледнел как полотно, не зная, с чего начать разговор.

— В какой связи вы и ваша фирма «Каскад» находятся с членом Генерального штаба генералом Борисом Авдеевым? — резко спросил Турецкий, и, не дожидаясь ответа, продолжал наседать: — Вы негласно подчинены этому человеку?

— Вы хорошо поработали, — наконец заговорил Трауберг. — Возможно, вы правы. Но я повторяю — возможно. Мне трудно говорить с вами, потому что я не знаю, насколько вы осведомлены о наших делах. Да и вообще, догадки — это дело философов и писателей, дорогой Александр Борисович, а не юристов, — заметил несколько пришедший в себя Трауберг.

— Складно сказано, — кивнул следователь. — Но разговор наш еще не окончен, и сейчас я буду конкретен. Следствие установило, что и вы и Тураев не особенно скрывали и скрываете сферу своих экономических интересов. Потому что внутренняя экономическая деятельность — это всего лишь ваше прикрытие. Сфера ваших истинных интересов находится за границей, и движение этих капиталов не проходит по вашей документации. Но мы нашли некоторые из этих договоров и инвестиционных документов, в которых фигурируют вместе с подписями Тураева и Колобова и лично ваши, дорогой Аркадий Альфредович.

— Откуда у вас взялись эти договора? — дрогнувшим голосом спросил Трауберг.

— Их передала нам Людмила Семенова, —

проинформировал Турецкий. — Она занималась переводом и движением этой документации.

— И этим сейчас занимается Генеральная прокуратура? — тихо спросил бизнесмен.

— И этим тоже, но в данный момент следственную бригаду по делу Иванова особо волнуют имена убийц, буквально усеявших трупами поле боя.

— Неужели, Александр Борисович, вы пришли мне сказать, что нашли убийцу Сергея Колобова? — насторожился Трауберг.

— Да мы взяли этого человека. Сутки назад. Я уверен, что он причастен почти ко всем убийствам, которые были совершены в связи с делом Иванова. Это Виктор Князев. Цезарь. Вы хорошо его знаете... Знайте же и причину, по которой я открываю вам следственную тайну, Аркадий Альфредович. Князева я буду допрашивать сегодня во второй половине дня. Он на многое прольет свет, в том числе и на вашу роль во всех этих событиях. Предлагаю вам в чем-то его опередить и помочь следствию. — Турецкий замолчал.

— Может, кофе, — предложил Трауберг.

— Если без цианистого калия и без сахара, то не откажусь, — кивнул Турецкий.

— А может, коньяку, Александр Борисович? — спросил бизнесмен.

— Нет. Я в рабочее время не пью, — отрезал следователь.

Длинноногая девица принесла кофе на серебряном подносе.

— Итак, я жду ваших вопросов, — грустно улыбнулся Трауберг.

— Начнем с Иванова. Имели ли вы с этим продюсером, а вернее, с телекомпанией «Спектр» экономические отношения или вообще какие-нибудь отношения? — Турецкий вынул из папки протокол допроса и приготовился записывать показания свидетеля.

— Нет, мы даем рекламу в другом телеканале, но мне и Колобову хорошо было известно, что Тураев в тесных контактах со «Спектром». Он даже хвастался однажды, что скоро Президент пригреет «Спектр» за заслуги в предвыборной кампании, и тогда ему сам черт будет не страшен.

— Получается, «Каскаду» в лице вашего предшественника Сергея Колобова даже было бы выгодно, если бы на «Спектр» навалились неприятности? — спросил Турецкий.

— Да. Если бы Иванову удалось подняться, он резко бы стал сбивать цены на рекламу, но, собственно говоря, за это Иванова могли бы убрать и коллеги по ремеслу.

— Почему вы решили, что Иванова убрали? — поинтересовался следователь.

— Читал газету «Московский комсомолец», там столько вокруг Иванова чертовщины наворочено!

— Вы допускаете, что Иванов еще жив? — продолжал Турецкий.

— Вполне может быть, хотя его жизнь уже никому не нужна, — пространно ответил Трауберг.

— Как это понять? — насторожился следователь.

— Сыр-бор, Александр Борисович, разгорелся из-за видеокассеты с компроматом, которую скрытой камерой Иванов отснял в Германии. Я могу назвать вам только одного персонажа этой ленты. — Трауберг с минуту подумал и резко сказал: — Это генерал Авдеев! Остальных я не знаю, предположительно — представители концернов, занимающихся покупкой и продажей оружия. Сами понимаете, что Тураев явно переборщил, не подстраховавшись...

— Откуда Авдеев узнал, что его снимали? — поинтересовался Турецкий.

— Сначала Тураев хотел сделать все тихо. Но, как вы знаете, Иванова понесло... Захотел заработать бешеные деньги на этом компромате. Но мне кажется, он испугался, поняв, что никаких денег он не получит, а просто будет устранен как ненужный свидетель. Скажу больше: Юрий Иванов наверняка занимал пассивную позицию в этих событиях. Его супруга Ангелина, на мой взгляд, играла во всем этом более значительную роль. Я не исключаю, что это она поставила Авдеева в известность о существовании данного компромата.

— С какой целью?

— Цель у нее сначала была одна: не попасть под тураевские колеса. Ведь это по просьбе Тураева Олег Колобов ходил к Иванову. Сергей Колобов об этом не знал, но я знал. Олег со мной посоветовался после того, как Ильяс попросил

369

его об этой услуге... Я вообще провожу беседы со всеми вновь приходящими к нам на работу сотрудниками. Главное условие работы в нашей фирме, если хотите, девиз: прежде всего посоветуйся с руководством. Олег сделал все правильно, но я не ожидал, что известный шоумен выкинет такой смертельный трюк.

— Что произошло с фурой Семенова? — напирал Турецкий.

— Тураев год назад решил, что его постепенно стали выводить из игры. Я имею в виду патронаж Авдеева. Ильяс решил, что экономические трудности, которые все ощутимее испытывал «Кононг», напрямую зависят от того, что Авдеев отдал предпочтение «Каскаду». Проверить это Тураев мог только одним способом: узнать, какой груз переправляет Семенов за границу. Авдеев, как вы сами должны понимать, с ломом цветных металлов связываться не будет, — продолжал Трауберг.

— Кто осуществил операцию по захвату фуры Семенова? — перебил его Турецкий.

— Тогда еще Цезарь оказывал подобные услуги Тураеву. Всего лишь год, как Князев работает исключительно на Авдеева.

— Значит, это дело рук Цезаря? — перебил Трауберга следователь.

— Да. Это его боевики обстреляли фуру Семенова. Глупо! Там действительно, кроме лома цветных металлов, не было ничего, — вздохнул Трауберг.

— Извините, но откуда у вас такие сведения? — удивился Турецкий. — Тураев же не делился планами со своими конкурентами?

— Я на Лубянке работал, Александр Борисович! — спокойно сказал Трауберг. — Кое-какой информацией владею. Да и с Ильясом, когда началась эта неразбериха, я позволил себе поиграть в сотрудничество. Вот, собственно...

— Неудачное покушение на Тураева — это месть за Семенова? — спросил Турецкий.

— Да, конечно. Колобов попытался отомстить, но я понимал, что этого допустить нельзя, поэтому покушение на Тураева оказалось неудачным. Вскоре и сам Сергей Колобов понял, что это к лучшему. Потому что Тураев, как, собственно, и мы, оказался втянутым в какое-то масштабное преступление. Наша война специально провоцировалась. Все роковые события по делу Иванова, полагаю, есть лишь прикрытие того масштабного преступления...

— Я хотел бы проверить данные обстоятельства гибели двух боевиков, которые были застрелены на глазах подполковника Яковлева. Следствие установило, что они работали в «Каскаде». — Турецкий перевел разговор ближе к событиям в охотничьем домике.

Узнав их фамилии, Трауберг позвонил в отдел кадров, и через пять минут выяснилось, что парни действительно работали в «Каскаде», но уже полгода прошло со дня их увольнения. Сергей Колобов распрощался с ними за пьянство во время дежурств.

— Наверное, к Тураеву подались, — вздохнул Трауберг.

— Вы догадливы, — уточнил Турецкий.

— За что же их убили? — поинтересовался Трауберг.

— Хотите сказать, что вам ничего не известно о роковых событиях, произошедших в охотничьем домике, где до недавнего времени скрывался Иванов? — несколько язвительно спросил Турецкий. — Тогда, конечно, вы не знаете, что эти парни находились там, где был зверски убит Юрий Иванов.

— Действительно, не знал. Значит, они на самом деле переметнулись к Тураеву.

— Тураев тоже от них открещивается, — заметил следователь.

— Понятно, мавры сделали свое дело...

— Эти парни не убивали Иванова, они были лишь свидетелями этого убийства и своей жизнью поплатились за одну оплошность, — проинформировал следователь весьма озадаченного бизнесмена. — Настоящего убийцу следствие вскоре выявит. Я надеюсь, Аркадий Альфредович, вы не станете уверять меня, что вас тоже не интересует судьба этой видеокассеты?

— Как раз напротив, — оживился Трауберг. — Чем скорее вы ее найдете, тем мне будет спокойнее.

— Как вы считаете, у кого она может сейчас находиться? — спросил Турецкий.

— Она может сейчас находиться у самого Авдеева, но скорее всего, хранительницей этого компромата как была, так и осталась Ангелина Иванова.

— Моя задача найти эту кассету и приобщить ее к делу, а вовсе не вручить ее за вознаграждение вашему конкуренту Тураеву, как он предполагал, — улыбнулся Турецкий. — Распишитесь в протоколе допроса свидетеля. Следователь пододвинул протокол ближе к Траубергу.

После этого допроса Турецкому стало ясно, что Трауберг и Тураев остаются врагами, одновременно стараясь противостоять той третьей силе, против которой был направлен компромат, отснятый Ивановым. Четче проявилась и роль Цезаря во всех этих событиях.

Турецкий ехал во внутреннюю тюрьму МУРа допрашивать Цезаря.

7

Хорошо подкрепившись за счет местного мафиози, муровцы направились в гостиницу. Яковлев сразу же завалился спать, а взбодренного коньяком Грязнова тянуло на подвиги. Он подался в мотель поговорить с народом и раздобыть еще какую-нибудь информацию.

Таксист охотно подвез полковника к спрятанному в лесу теремку из стекла и бетона. И здесь в ресторане почти никого не было. Назойливо гремел магнитофон. У стойки бара скучала местная путана. Грязнов подсел за столик, где выпивали мужики, похожие на водителей. Так оно и оказалось. Мужики уже были слегка поддаты и склонны к общению.

Грязнов выяснил, что они возят из Грузии в Москву мандарины.

— На себя работаете, ребята? Или на государство? — поинтересовался Грязнов.

— На себя. У нас машина своя. Купили, — охотно ответил один.

— Я вот тоже хочу купить, — поделился Грязнов. — Говорят, здесь у военных можно взять... И не так дорого...

— Верно говорят. Мы в свое время поторопились. Еле рассчитались за фуру. А с Макаром договориться можно. Он своим и в рассрочку может уступить.

— Кто этот — Макар? — спросил Грязнов.

— Полковник Макаров. Вот кто тебе нужен, браток. Он зампотехом здесь служит в автобате.

— А его случайно не Павлом зовут? — поинтересовался муровец.

— Нет. Паша уже в отставке. Макар его по старой дружбе в долю взял. Опять же сам нигде не светится. Все сделки идут через Пашу.

— Наверное, часть расформировывается. А чтобы техника не простаивала, ее — народу? — рассудил Грязнов.

— Святая ты простота! — засмеялись водители. — Когда расформировывают, все бросают на месте, пусть гниет. Нет, там не какой-то шахер-махер. Они эти машины то ли списали, то ли украли...

— А если командир батальона узнает! — сделал страшные глаза Грязнов.

— Да комбат с ними заодно. Неужели не понимаешь?

— Теперь ясно. Что ж, спасибо за совет, мужики. Теперь знаю, к кому обратиться, — поблагодарил начальник МУРа.

Грязнов вернулся в гостиницу. Яковлев сотрясал воздух богатырским храпом, и полковнику пришлось дернуть своего зама за руку. Тот повернулся на другой бок и затих.

Павел явился в гостиницу уже на следующее утро.

— А говорил: через два дня, — зевая, посетовал Грязнов.

— А что тянуть, время — это деньги! — улыбнулся гость.

— Здесь неудобно говорить, — кивнул Павел на Яковлева. — Пойдем в кафе, позавтракаем.

— А там пивко холодное есть? — поинтересовался Грязнов.

— Что, перебрал вчера? Есть, конечно, пивко...

Они вышли на улицу, сели в «УАЗ» Павла и поехали. Грязнов обратил внимание, что салон машины был оборудован по последнему слову техники.

— Прямо передвижной штаб, — похвалил он. — Ну что же ты, Паша, не сообщаешь результаты вашей проверки? — добавил он.

— Не такие уж мы, Слава, бюрократы, чтобы проверками себя слишком утруждать. Просто проверили твои слова, и все. Ты, конечно, приврал в рамках дозволенного, — ухмыльнулся он.

Грязнов успокоился. Он понял, что никаких неожиданностей не будет.

— Ну а в чем я наврал? — спросил он весело.

— Видишь ли, друг, мы действительно продали одну машинку, но не Союзу ветеранов ЗГВ. Просто их фонд оплатил стоимость этой машины и заказал для той же фирмы большую партию грузовиков «ГАЗ-66».

— Да? А где они бабки нашли? Как разрешение получили? Эти ветераны вроде бы общественная организация, им коммерция запрещена, — засыпал Грязнов собеседника наивными вопросами. Он это делал в надежде, что, увидев перед собой такого наивняка, Павел проболтается. И он не ошибся. Павел стал объяснять:

— Нет, Слава, они далеко не дураки. С них спросу нет, а под крышей их фонда одна фирма шустрая работает, — поведал Павел. — Видимо, неплохо работает, раз способны караван машин купить. Даже разрешение на продажу лома цветных металлов за границу себе спроворили!

— Уж не «Каскад» ли? — перебил его Грязнов.

— Он самый. Вот ведь все знаешь, а что скрывал? — пожурил муровца Павел. — Сказал бы честно все, день бы не потеряли.

— Ладно. Я ведь тоже тебе сначала не очень доверял, — отмахнулся Грязнов. — А «Каскад» действительно крутая фирма. У меня там дружок в охране служит.

— Мир тесен, — философски изрек Павел и припарковался возле кафе.

Попив пивка и перекусив, они поехали смотреть машину.

...Зампотех Макар поставил дело с размахом, но и с умом. Он продавал автомобили, которые ему удалось списать на чеченскую войну. Целехонькие машины в смазке стояли рядами в недостроенном цехе так и не вступившего в строй завода крупнопанельного домостроения. Завод должен был выпускать материалы для строительства жилья для военнослужащих, которые три года назад вернулись на родину из ГДР и других бывших соцстран Восточной Европы.

Цех, превращенный в склад, выглядел прилично, все было на месте: на окнах решетки, сигнализация, пожарный щит и два охранника с помповыми ружьями на входе.

Охранники еще издалека узнали «мерседес» Макара и «УАЗ» Павла.

8

Перед допросом Цезаря Турецкий уже получил информацию из Острогожска от Грязнова с Яковлевым: они обнаружили гараж неучтенных автомобилей. Муровцы назвали имена людей, замешанных в проведении незаконных операций. Но самым важным в сообщении было то, что японский джип, засвеченный возле стрелки на бетонном заводе, купил мужчина, по приметам смахивающий на Цезаря. Более того, Грязнов привез накладные с почерком покупателя джипа. Это уже доказательства!

Но Турецкий был крайне обеспокоен — Яковлев остался в Острогожске выполнять еще одну операцию. Они с Грязновым решили доставить в Москву в качестве вещественного доказательства «УАЗ» Павла. Муровцы сделали все правильно: обнаружили преступников и вызвали на место преступления сотрудников Главной военной прокуратуры. Но нельзя было не предположить, что и в военной прокуратуре имеются стукачи и к приезду следственно-оперативной группы гараж Макара мог превратиться в пепелище... Это-то и волновало Турецкого. Он всецело подчинялся закону, но дело Иванова, как он понимал, требовало от него и муровцев следственных и оперативных экспромтов.

В это время подполковник Яковлев уже гнал «УАЗ» Павла к Москве, а преступник сидел рядом, прикованный наручниками к поручню.

Цезарь сидел напротив следователя в комнате допросов и поглаживал сломанную правую руку, в шинах и бинтах.

«Рука-убийца», — мельком взглянув на эту руку, подумал Турецкий, а вслух сказал:

— Фамилия, имя, отчество?

— Князев Виктор Григорьевич.

— То, что вы находитесь здесь, уже должно вам сказать о многом, гражданин Князев, — сурово заметил Турецкий. — Поэтому в ваших интересах быть предельно откровенным и помочь следствию.

— Кроме вышки, у меня никаких интересов не остается, — криво улыбнулся Цезарь, продолжая поглаживать забинтованную руку.

— Почему же? Вы — исполнитель. Будут учтены мотивы ваших преступлений. Обещать я вам ничего не могу. Это решит суд. Но ваша откровенность — ваш последний шанс. Это я вам говорю совершенно точно. — Следователь попытался задать тон разговора.

— Спрашивайте, — буркнул Цезарь.

— Кто дал вам задание убить Юрия Иванова в охотничьем домике? — напрямую рубанул «важняк».

— Какие у вас доказательства, что это сделал я? — удивился Цезарь осведомленности следователя.

— Возле дома обнаружены следы японского джипа, который вы купили у острогожских военных. Там запомнили ваши приметы, а также есть накладные с вашим почерком. На холодном оружии боевиков, которые вернулись в дом за оброненным водительским удостоверением, судмедэксперты не обнаружили следов крови Юрия Иванова. Иванова убил тот, кто приезжал на японском джипе. Кроме «скорой помощи», на которой в охотничий домик приехали Яковлев, Бодров и Чиж, там не было больше никаких машин. Чье задание вы выполняли? — четко произнес Турецкий.

— Иванова приговорил дядя Боря, — проговорил Цезарь сдавленным голосом.

— То есть генерал Борис Авдеев? — уточнил следователь.

— Да, Авдеев...

— За что приговорил?

— Юрий Иванов совершил предательство по отношению к своим компаньонам.

— Конкретно?

— Отснял **скрытой** камерой компромат на шефа, то есть Авдеева. Таким образом, могла сорваться серьезная сделка...

— Какая **сделка**? — **поинтересовался** Турецкий.

— Этого я не знаю и знать был не должен, потому что исполнял определенные обязанности. Могу только предположить, что если член Генштаба тайно встречается за границей с какими-то людьми, то речь может идти лишь о товаре военного назначения.

— Перед тем как убить Иванова, вы уполномочены были задать ему какие-то вопросы? — поинтересовался следователь.

— Да. Я спросил, кто его попросил осуществить такую съемку, а также у кого сейчас на хранении пленка? Он сразу сознался, сказав, что заказчиком был Тураев, а сейчас видеокассета находится у его жены Ангелины.

— Вы уже сообщили об этом Авдееву?

— Нет.

— Почему? — в свою очередь удивился следователь.

— Решил из-за экономических соображений подержать Тураева на крючке. Потом Авдеев приблизил к себе Тураева — причиной могла быть только крупная сделка. Я не рискнул засветить Тураева. Тем более я уже знал, у кого кассета с компроматом.

— Теперь мне понятно, почему вы убрали и этих двух несчастных боевиков. Они явились свидетелями признания Иванова? — перебил Цезаря Турецкий.

— Да. Возникла такая необходимость.

— О событиях на даче Лечо, когда вы допрашивали Никиту Бодрова, следствию все известно. Людмила Семенова чудом осталась жива и все рассказала.

Цезарь покачал головой и язвительно заметил:

— Все эта офицерская дочка рассказать не могла...

— Что ж, я жду ваших дополнений к событиям того дня, — кивнул Турецкий.

— Пока эти незадачливые сыны Кавказа обсуждали, как вести себя на стрелке, я уже мчался к бетонному заводу. Засада была запланирована заранее. Я должен был руководить операцией...

— Кто стрелял в спину Бодрову? — сурово спросил «важняк».

— По приказу шефа я не должен был оставлять Бодрова живым еще там, на даче, когда выяснил, что следствию стало что-то известно об Авдееве. Но в последний момент шеф все переиграл. Стрелка должна была состояться, но вместе с Бодровым там должны были погибнуть и все эти авторитеты с русской и кавказской сторон. Видимо, какая-то их функция в делах шефа себя исчерпала.

— Какая функция? — уцепился за фразу следователь.

— Не знаю. Но они постоянно шли в пристяжку с «Каскадом» и «Кононгом».

— Так, значит, в Бодрова стреляли вы? — повторил свой вопрос Турецкий.

— Разумеется, — тихо произнес Цезарь.

— А почему не открыли огонь по муровцам?

— Такого приказа не было, а, напротив, было предупреждение от шефа: по муровцам ни в коем случае не стрелять.

— Операцию по устранению доктора Чижа выполнили тоже вы?

— Да. Это последняя моя операция, хотя никакой необходимости убирать его не было, но шефу видней, — задумчиво изрек Цезарь.

— Что помешало вам достать Ангелину и вытрясти из нее эту видеокассету? — продолжал допрос Турецкий.

— Видимо, шеф поделился с Тураевым некоторой информацией и тот засуетился. Люди Тураева все испортили. Завалились на квартиру к Ангелине, ничего не нашли, а ее спугнули. Я опоздал буквально на несколько часов и сейчас не знаю, где она может быть, — пожал плечами

Цезарь, как будто следователь уже спросил его об этом.

— Сергея Колобова убили не вы? — спросил следователь.

— Нет, — твердо ответил Цезарь.

Глава четвертая

1

После допроса Цезаря Турецкий поспешил к заместителю генерального прокурора.

— Чайку? — радушно спросил Меркулов вошедшего Турецкого.

— Пожалуй, — сказал Турецкий, но прежде, я думаю, ты захочешь, Костя, выслушать результаты допроса Цезаря. Я только что от него...

Выслушав «важняка», Меркулов задумчиво сказал:

— Итак, все убийства раскрыты, а теперь нам предстоит выяснить роль во всем этом генерала Авдеева. Но ты же понимаешь, Саша, что, пока у нас в руках не будет таинственной видеокассеты, Авдеева мы не достанем. Цезарь — единственный свидетель его приказов. Этот дядя Боря просто откажется от того, что давал кому бы то ни было такие приказы, и все...

— Кассета у Ангелины, Костя. Но как вынудить передать ее нам? Она перепугана и справедливо считает, что данная кассета — ее последняя соломинка в водовороте событий.

— Надо внушить ей, что отдать кассету — это

и есть ее единственный шанс, — продолжал Меркулов. — Кстати, что ты скажешь на это. — Меркулов протянул Турецкому листы бумаги.

«Президенту Российской Федерации

По информации, полученной нами из комиссии при Правительстве РФ по экспортной оценке инвестиций в российскую экономику, к вам уже обращался руководитель закрытого акционерного общества «Каскад» А. А. Трауберг. Он предлагал реализовать ряд экологических и энергетических программ за счет имеющихся в его распоряжении свободных средств в объеме 1000 миллиардов рублей.

При этом он просит предоставления его акционерному обществу исключительных прав по трансферу и конвертации рублей в валюту, освобождения от налогообложения, введения квот и получения ряда лицензий на бартер различного сырья.

Однако проверкой установлено, что данное предприятие имеет на своем счету всего 10 миллиардов рублей и проводит операции по приобретению грузовых автомобилей. Предприятие, в котором приобретаются автомобили, не указывается и не установлено. По оценкам специалистов, предлагаемые Траубергом проекты будут использованы для получения широкого спектра льгот и зарабатывания валюты и рублей на бартерных сделках без реализации программ.

Полагаем, что было бы целесообразным впредь принятие решений или выдачу указаний по реализации тех или иных программ руководством государства осуществлять только после проведения специальной экономической экспертизы поступающих предложений специально созданной для этой цели правительственной комиссией.

Мы неоднократно сталкиваемся с порочными предложениями, вносимыми руководству России. При этом используются личные контакты коммерсантов с должностными лицами из числа президентского окружения, что постоянно приводит к дискредитации руководителя государства».

Турецкий на всякий случай проверил трескучую термобумагу и удовлетворенно сказал:

— Подписи-то нет, Костя!

— Знаю, что нет, — кивнул Меркулов.

— Анонимка Президенту? — спросил «важняк».

— Сам понимаешь, Саша, что говоришь несерьезные вещи. Думаю, что этот человек в последний момент передумал отправлять письмо.

— Где же ты его взял?

— Кто-то генеральному прислал частным порядком.

— Интересно — кто?

— Уж во всяком случае, не Тураев, Саша.

— Это понятно. Понятно, мне кажется, и другое. Вряд ли так поступил бы российский патриот. Он пошел бы в открытую. Это кто-нибудь имеющий свой интерес в этом деле, Костя.

— Я с тобой согласен, но автор послания не врал.

— Не врал, — согласился Турецкий. — Про машины намекнул. Не сказал только, зачем они приобретаются этой фирмой.

— Ты ведь тоже сейчас не можешь ответить, зачем Траубергу военный караван, — заметил Меркулов.

— Правда. Этого сказать я пока не могу, — согласился Турецкий. — Но могу предположить другое: после подставки с анонимкой с таким коммерсантом, как Трауберг, наверху никто разговаривать больше не будет. Даже если он станет обладателем важной для государства информации. Во всяком случае, ему это очень сложно будет сделать.

— Вот видишь, раз-два — и версия готова! — похвалил Меркулов «важняка». — А что сейчас думаешь делать?

— Жду не дождусь появления подполковника Яковлева с арестованным сообщником Макара. Надеюсь выяснить, какие машины от Макара перекочевали в Москву и для каких целей предназначен этот караван, — ответил Турецкий.

— Хорошо, — одобрил Меркулов.

В этот момент зазвонил телефон, замгенерального взял трубку. Меркулов представился и стал внимательно слушать сообщение. В это время Турецкий наблюдал, как лицо друга, меняясь, отражало целую гамму чувств.

Не сказав в трубку ни слова, Меркулов резко

отодвинул от себя телефонный аппарат и произнес:

— Иди, Саша. Звонили из «МК». Спрашивают, когда им назовут убийцу Юрия Иванова. Позвони от себя, успокой журналистов. У тебя есть опыт общения с ними. А меня прямо трясти начинает от этих правдоискателей с рупором. Скоро генеральному позвонят и отчета потребуют. Ну что ты с ними, ей-богу, будешь делать? — проворчал Меркулов, прощаясь с Турецким.

2

Яковлев сдал в военную прокуратуру задержанного им Павла, а также его «УАЗ» и помчался в МУР к Грязнову. Подполковник вошел в кабинет начальника МУРа, но не успели они и двух слов друг другу сказать, как зазвонил телефон. Грязнов поднял трубку.

— Добрый день, господин генерал, — приветствовал он звонившего. — Что? Что? Да это же идиотизм! — вдруг крикнул Грязнов в трубку.

Яковлев удивленно следил за разговором шефа.

— Во-первых, подполковник Яковлев еще не появился, а во-вторых, вы все с ума там посходили. Да... да, слушаюсь, — еле выдавил Грязнов и бросил трубку.

— Что случилось, Слава? — с тревогой спросил Яковлев.

— Слушай меня внимательно, — быстро заговорил Грязнов. — Звонил Федоров, требует твоего ареста. Шьют тебе боевиков, которых застрелили на твоих глазах, а также Иванова. Кто-то начал игру в подставки, видно, плотно Турецкий кому-то на хвост сел. Он сегодня должен был допросить Цезаря — это многое решит. А ты сейчас уходи с Петровки. Вечером звони из автомата мне и Сане. Действуй. Я сейчас звоню Турецкому.

— А то-то я думаю, чего это дежурный на меня как-то странно взглянул, — кивнул Яковлев.

— Если сейчас тебя все же возьмут, держись, Володя. Мы тебя вытащим. Это дело двух дней, — ободрил Грязнов друга.

Яковлев бесшумно вышел в коридор и направился к выходу. По пути он никого не встретил. Мелькнула бесполезная мысль: хорошо бы уйти через окно. Но на окнах стояли решетки. Он решил проскочить во двор через черный ход, а там уже что-нибудь придумать.

В этот момент спереди и сзади подполковника одновременно распахнулись двери двух кабинетов. Из них выскочили автоматчики в камуфляже и масках. Яковлев почувствовал, что ему в спину уперся автоматный ствол, а передний спецназовец скомандовал:

— Стоять! Руки вверх!

— Вы, ребята, не из солнцевской группировки? — попробовал пошутить подполковник.

Автоматчики напряженно молчали. Из кабинета вышел еще один и надел на запястья арестованному наручники.

— Пошли! Вперед! — скомандовал третий.

— А если мне назад? — пытался еще ерничать муровец.

— Теперь не ты определяешь, куда тебе идти, — оборвали его.

Яковлева быстро вывели из ГУВД на Петровке, 38, запихнули в машину, и вскоре он очутился в кабинете начальника Главного управления уголовного розыска МВД.

Федоров мрачно оглядел арестованного. Автоматчики расположились так, чтобы Яковлев в случае чего не смог прикрыться хозяином кабинета или даже его ударить.

— Да, подполковник, — сурово произнес Федоров. — Были хорошим сыскарем и вот докатились до уголовщины...

— О чем речь? В чем меня обвиняют? — воскликнул муровец.

— В грубейшем нарушении дисциплины и закона: без санкции прокурора вы произвели арест человека. Но боюсь, что это будет перекрыто обвинением в умышленном убийстве...

— Это недоразумение! — тихо сказал Яковлев.

— Именно так. Вам придется объяснить также, подполковник, что произошло в охотничьем домике, где были обнаружены следы крови и личные вещи пропавшего без вести продюсера Иванова. Кроме того, у нас имеются улики, подтверждающие вашу причастность к убийству Сергея Соловьева и Георгия Рябова, трупы которых обнаружили в джипе недалеко от охотничьего домика. Кстати, вы тоже ехали в этой машине.

— Меня в этом джипе «ехали» в наручниках! — раздраженно перебил Яковлев.

— Об этом вы расскажете следователю, который будет вести ваше дело, — повысил голос Федоров. — Итак, учитывая тяжесть совершенных вами преступлений и опасность того, что вы скроетесь от следствия, я испросил у прокурора Москвы санкцию на ваш арест и содержание под стражей.

3

Грязнов не стал по телефону сообщать Турецкому информацию об аресте Яковлева. Он сам поехал к нему. Секретарша сказала, что Александр Борисович допрашивает Трауберга. Начальник МУРа решил при Трауберге ничего не говорить следователю и только через секретаршу сообщил Турецкому, что он ожидает конца допроса в приемной.

Тем временем Турецкий приготовил бланк протокола допроса свидетеля и окинул Трауберга изучающим взглядом. Тот в свою очередь оценивающе взглянул на следователя. По сравнению с элегантным зеленым костюмом бизнесмена костюмчик следователя выглядел простовато, от долгой носки он вообще утратил первозданный вид, но, несмотря на это, «важняк» выглядел весьма внушительно.

— Глядя на вас, Александр Борисович, убеждаюсь, что человек одежду красит, а не наоборот, — начал Трауберг с комплимента.

— Это комплимент человечеству в целом, — улыбнулся следователь.

— Хорошо! Задавайте вопросы, — посуровел Трауберг.

— Что означает фраза «операция «Ошейники для волков»? — спросил Турецкий, пристально глядя на бизнесмена.

— Вы полагаете, что я смогу ответить на ваш вопрос?

— Да, вы умный человек и не станете торговать тем, чего не знаете. Эту фразу сказал мне умирающий Сергей Колобов. Вы как бывший разведчик лучше других разбираетесь в возникшей ситуации. За этим делом кроется нанесение ущерба нашему государству.

— Хотите взять меня на сю-сю, Александр Борисович? — хмыкнул Трауберг.

— Ни в коем случае, — твердо возразил следователь. — Наша следственная группа вцепилась в это дело мертвой хваткой. Мы не ослабим ее, пока не раскрутим это дело до конца.

— Ясно, — кивнул Трауберг.

— И пожалуйста, Аркадий Альфредович, не пытайтесь выставлять впереди себя покойного Сергея Колобова. Не надо быть провидцем, чтобы догадаться, что главной фигурой в «Каскаде» были вы. Как, впрочем, и в этой схватке с Тураевым. Сергей был как бы вашим ассистентом, имеющим доступ в кабинеты ваших врагов.

— Лестно слышать, — улыбнулся Трауберг. — Но в разговоре с вами я все же, извините, буду занимать пассивную позицию. У меня есть основания...

— В таком случае сообщаю вам последнюю новость, — сказал Турецкий. — Вас подставили на уровне правительства.

Турецкий протянул бизнесмену листок анонимного заключения неизвестных лиц, составленного на базе заявки, якобы посланной Траубергом на имя Президента страны.

— Всего-то? — весело спросил Трауберг.

— Как? Вас это совсем не беспокоит? — удивился следователь.

— Не так сильно, как вы полагаете. Этот аноним у кого-то из моих врагов на довольствии, вот и состряпал под диктовку липовое заключение, компрометирующее нашу организацию.

— У меня иная точка зрения. Думаю, вам отрубают пути наверх. Если вам завтра понадобится срочно выйти на президентские структуры, то возникнут проблемы. Теперь понимаете?

После этих слов Трауберг встал и, подойдя к окну, стал смотреть на улицу. Турецкий напряженно ждал его реакции.

Трауберг оглянулся слишком резко, и листок, выскользнув из неплотно сжатых пальцев, плавно полетел по кабинету. Следователь поднял его и положил в карман.

— Решайтесь же на что-то, черт бы вас побрал, или вы тоже хотите вслед за Колобовым отправиться к праотцам? — почти выкрикнул Турецкий.

— Не нервничайте, Александр Борисович, мне все-таки кажется, что вы взяли нашу фирму под колпак.

— А мне кажется, что я сотрудничаю с вами на грани допустимого, — уточнил Турецкий. И задумчиво добавил: — Может, действительно поделиться с вами кое-чем? Тогда, может, и вы в ответ...

— Чем? — быстро спросил Трауберг.

— Вы, я слышал, машинками интересуетесь? Один мой приятель работает в военной прокуратуре. Он мне недавно рассказал, что они крутят сейчас одного зампотеха из Острогожска. Продавал, понимаете, технику, якобы списанную в Чечне. Но самое интересное, что один из их покупателей — фирма «Каскад».

— Деньги мы еще не перечисляли, — быстро сказал Трауберг.

— Не волнуйтесь, если бы даже и перечислили, то проходили бы как свидетель. Дело в другом: денег-то у вас на эти машины нет. Информация поступила от Тураева.

— Сволочь Тураев! — Трауберг стукнул кулаком по столу.

— Не надо нервничать, Аркадий Альфредович, а то, случись что с Тураевым, мне сразу придется ехать к вам... для допроса. А мне бы этого не хотелось. Я уже признался вам, что тешу себя мыслью, что вы единственный в этой кровавой игре человек, который думает по-государственному.

— Спасибо на добром слове, Александр Борисович, — тихо поблагодарил Трауберг и долгим испытующим взглядом посмотрел в глаза Турецкому. — Думаю, что у нас с вами еще будет время поговорить об «ошейниках для волков», — тем же тихим голосом добавил он, — но сейчас лучше прервать разговор...

4

После рассказа Грязнова об аресте Яковлева и об обвинениях, которые ему предъявили, а вернее, о которых ему сообщил Федоров, Турецкий сразу же позвонил Меркулову:

— Костя, по ходатайству Федорова выдана санкция на арест подполковника Яковлева. Его обвиняют в убийстве двух боевиков, с которыми его нашли в машине недалеко от охотничьего домика. Бред собачий! В этом убийстве сегодня признался Виктор Князев. Позвони, пожалуйста, немедленно генеральному. Я тебе перезвоню минут через пятнадцать.

Турецкий положил трубку и спросил Грязнова:

— Кажется, я понял, откуда все эти анонимки и подставки пошли!

— Откуда, Саня?

— Это исходит от Тураева, но все это он осуществляет через генерала Авдеева. Вот увидишь, сведения о Яковлеве пришли из военной прокуратуры...

Зазвонил телефон. Меркулов подтвердил догадку «важняка» насчет военной прокуратуры и пообещал, что больше суток Яковлев не просидит под арестом.

Немного успокоившись, Турецкий спросил Грязнова, нет ли еще каких новостей.

— Новости прилетают одна за одной, и все удручающие, — ответил полковник. — Пришла информация, что сгорела дача профессора Шатохина.

— Это... — начал вспоминать Турецкий.

— Это бывший муж Ангелины Ивановой.

— Точно сгорела, Слава?

— Почти дотла.

— Вместе с хозяином? — насторожился следователь.

— Слава Богу, нет.

— Я же его попросил поискать, не оставила ли там что-нибудь Ангелина, — вспомнил Турецкий.

— Судя по тому, что он не подавал так долго о себе вестей, он ничего не нашел или не искал, Саня, — махнул рукой Грязнов.

— А может, нашел и решил прибрать к рукам? — рассуждал следователь. — А чтобы следы уничтожить, пустил красного петуха?

— Да нет, Саня, профессор далек от дел Ангелины, — возразил Грязнов. — Вот его поджечь могли — это несомненно...

— Ладно. Расскажи хоть, как это произошло, — попросил «важняк».

— Только со слов оперуполномоченного, — сказал Грязнов.

— Валяй, — кивнул Турецкий.

— Возгорание началось внутри здания, — начал Грязнов. — Поэтому о том, что горит дача профессора Шатохина, стало известно далеко не сразу.

Из рассказа полковника вырисовывалась такая картина.

Двойные рамы окон, плотно закрытые на зиму двери и форточки долгое время скрывали дым и огонь от глаз соседей. Затем лопнуло стекло в окошке кладовки, где начался пожар. Хлебнув воздуха, пламя взвилось длинным оранжевым языком, и повалил серо-черный дым.

Заметались соседи. Кто-то бежал с ведром, кто-то пытался отыскать спрятанный в сарае до весны поливочный шланг, кто-то звонил пожарникам. Но время было упущено. Пожар, вовсю бушевавший внутри, алчно выбрасывал языки пламени на внешние стены, на мансарду.

Прибежал профессор, роняя из хлипкой авоськи молочные пакеты. Пока он ходил в магазин на станцию, его жилище превратилось в пылающий костер.

— Там рукопись! — кричал он. — Рукопись там!..

И рвался к дому спасать свой труд.

Его держали за руки и уговаривали двое мужиков:

— Да ну ее, рукопись, профессор! Еще одну напишете. А то ща обвалится все, а вы там! Тогда уже не напишете ни хрена!

Профессор не хотел ничего слышать и понимать, но вырваться из крепких рук не мог.

Сотрясая воздух сиренами, подъехали пожарные машины. Пожарные развернули шланги и начали тушить. От горящего дома пахнуло яростным шипением и клубами пара, но пена и вода не справлялись с огнем.

С грохотом обрушилась мансарда, взметнув в воздух тучу горячей золы. Наружные стены еще держались, по ним пробегали языки пламени, упорно не затухающие под напором воды. Через час с огнем было покончено, но на месте дома чернело жалкое нагромождение обгорелого хлама.

Профессор пытался посмотреть, уцелело ли хоть что-нибудь, но пожарник остановил его:

— Повремените пока. Еще опасно... У вас было что-нибудь включено из электроприборов?

— Нет. Когда я ухожу, то все обязательно выключаю.

— В таком случае вам тем более не стоит туда ходить. Будет расследование, — сказали профессору. — Если вы исключаете возгорание по вашей халатности, значит, кто-то поджег. У вас есть враги, способные на такое? — Это была последняя фраза офицера-пожарника.

Он развернулся и пошел к машине. Потом оперуполномоченный наскоро составил протокол происшествия, и сразу после этого бедный профессор угодил в реанимацию.

— Вот такие пироги, Саня, — закончил свой короткий рассказ Грязнов.

— Ищут кассету, — уверенно сказал Турецкий. — И задача тех, кто ищет, уже несколько изменилась: если не найти, так уничтожить, хотя бы и вместе с домом.

5

Кем-то умелым и могущественным вокруг личности подполковника Яковлева в кратчайшее время была возведена глухая, непроницаемая стена. Как ни старались Турецкий и Грязнов выяснить что-либо, везде отвечали одно и то же: идет предварительное расследование, поэтому пока рано что-либо говорить. Признание Цезаря в убийстве двух боевиков не возымело пока действия. Когда и прокурор Москвы начал говорить общие фразы, Турецкий не выдержал и рявкнул в трубку:

— Ты, значит, считаешь, что и мне рано сообщать хоть что-то. Мне, который ведет это чертово дело!

— Естественно, Александр Борисович, — спокойно ответил тот. — Убийство Соловьева и Рябова расследует городская прокуратура.

— С подачи военной! — перебил его Турецкий.

— Да. Сведения поступили из военной прокуратуры. У вас что, есть основания подвергать сомнению действия военной прокуратуры?

— У меня есть доказательства непричастности подполковника Яковлева к убийству двух боевиков. Доказательства, понимаете! Заниматься проверкой мнений у меня просто времени нет. Да и профессия у меня другая...

— Успокойтесь, Александр Борисович. Нам известно, в каких вы отношениях с обвиняемым Яковлевым, поэтому тайну следствия я раскрывать перед вами не стану. Если хотите что-нибудь узнать, посылайте официальный запрос. Мы еще посмотрим, что́ вам ответить. Историю помните? Вассал моего вассала — не мой вассал!

«Про тайну следствия вещает, а сам проболтался: назвал, кого на Володю вешают», — в сердцах подумал «важняк» про прокурора Москвы.

Как-то на совещании в Генпрокуратуре Турецкого попросили выступить с оценкой работы некоторых специалистов, и он пожурил мужичка за слабый профессионализм. Тот тогда поблагодарил его за товарищескую критику, но злость, как видно, затаил.

— Надо выручать Володю, — вслух сказал Александр Борисович и задумался.

В голове следователя крутилась предсмертная фраза Сергея Колобова: «Операция «Ошейники для волков»... Генштаб». «Важняк» решил немедленно ехать к ответственному сотруднику Генштаба генералу Борису Авдееву. К тому самому генералу, который являлся единственным пока известным следователю персонажем видеопленки, отснятой скрытой камерой Юрием Ивановым. Авдеев также был запечатлен на фотоснимках, принадлежащих Людмиле Семеновой и Тураеву. Переснятая Яковлевым в квартире Семеновой фотография лежала у следователя в столе. Он достал ее и положил в карман. Вдруг придется показать ее генералу.

Авдеев встретил следователя по особо важным делам довольно радушно. Встал навстречу, чтобы поприветствовать работника Генпрокуратуры.

— Извините за беспокойство, Борис Альбертович, я не займу у вас много времени, — вежливо произнес Турецкий.

— Да уж конечно! — пророкотал генерал. — Если что, у нас своя прокуратура имеется, военная.

— Это замечательно, — согласился следователь, — но она подчиняется генеральному прокурору.

— А что вы хотите! И так нашу бедную армию топчут все кому не лень и все безобразия норовят с ходу обнародовать. Поэтому нам необходим старый партийный принцип тайного ордена. Мы сами разберемся со своими раздолбаями, и, может, покруче, чем ваши суды присяжных! А вообще-то они у вас имеются?

— В некоторых регионах есть, — ответил следователь. — Надо ввести это правило повсеместно.

— А много народных судов вы и не будете

иметь, — улыбнулся генерал. — Вам самим это не выгодно. Не так ли? Халтура не пройдет!

— У нас халтуры немного, — обиделся Турецкий за свое ведомство.

— У вас, — акцентировал генерал, — у вас лично, может быть, немного халтуры, но это у вас... Вернемся к нашим баранам: собственно, по какой нужде вы ко мне явились, цивильный человек?

— Хочу попытаться выяснить, что́ означает одно маловразумительное словосочетание, которое я недавно услышал: «Ошейники для волков».

— Ошейники для волков? — вполголоса пророкотал Авдеев, — и где, интересно, вы это слышали?

— В беседе с одним бизнесменом.

— А почему вы у него самого не спросили об этом?

— Это были его последние в жизни слова, товарищ генерал.

— Понятно, фамилию-то не скажете небось?

— Отчего же? Сергей Колобов. Знали такого?

Генерал изучающе взглянул на Турецкого, вышел из-за стола и стал мерить кабинет шагами.

— Колобов, говорите? Конечно, я знал этого офицера. В Германии у меня служил. Убили его, говорите. Жаль, хороший был служака. Черт знает что творится. Вот как это объяснить, Александр Борисович? Бывший военный люд словно с цепи сорвался, мочат друг друга за дело и без дела. Вот для таких людей в буквальном смысле

401

и нужны эти ошейники. Рынок людей в зверей превращает.

— Почему — словно с цепи сорвались? — возразил Александр Борисович. — Идет даже очень расчетливая и хладнокровная борьба.

— Но вернемся к нашим баранам, — перебил его генерал. — Вообще-то фраза, которая вас заинтересовала, была сказана совсем по другому поводу. И вот по какому. — Генерал вновь задумался. Турецкий повернулся на стуле, чтобы лучше видеть собеседника, шагающего взад-вперед по кабинету. — Дело это уже прошлое. Короче говоря, один ученый, имея в виду людей, подобных западному мультимиллионеру Каширину, как-то во всеуслышание заявил, что без «голодных волков», как он выразился, нигде в мире невозможно было бы накопить необходимый для развития государства капитал. Он также высказал мысль, что у нас в России тоже должны сначала прийти к экономической власти такие «голодные волки», а уж потом придут те, кто приручит этих «волков».

— Неплохо, — хмыкнул Турецкий, — а пока «голодные волки» обжираются, шахтеры, учителя и офицеры зарплату не получают. Дети голодают. Если не остановить этих «волков», они вскоре всю Россию сожрут.

— Ну это вы бросьте, Турецкий, — вновь перебил его Авдеев. — Не надо понимать так буквально философскую мысль. В положенное время Россия спокойненько наденет ошейники на этих «голодных волков». Но вернемся к нашим баранам, — улыбнулся генерал деланной улыбкой. — С Серегой Колобовым, и не только с ним, конечно, мы эту тему часто обсуждали. Поэтому он вполне мог употребить в разговоре заинтересовавшую вас фразу. Мне только интересно, в связи с чем он об этих «волках» вспомнил, да еще в самый последний момент. Хотелось бы знать также, почему и вас эта фраза подвигла на встречу со мной. Здесь есть какой-то криминал?

— Колобов сказал мне это, уже будучи смертельно раненным, — уточнил следователь.

— Так, ясно, — мотнул головой Авдеев, — вновь над бедными вояками из Западной группы войск тучи собираются. Но по какому поводу? Уже, кажется, все грязное белье перетрясли и всем косточки перемыли... Три года уже, как нас в Германии нет.

— Так уж и нет! По-моему, говоря так, вы явно преувеличиваете, Борис Альбертович. Еще кое-кто и кое-что в Германии у вас есть, — с ехидцей заметил Турецкий.

— На что вы намекаете, — посуровел генерал. — Я человек военный. Говорите со мной как с военным — прямо, а то у нас никакого разговора не получится.

— Откровенно говоря, идя к вам, Борис Альбертович, я заранее знал, что разговора у нас не получится. А это очень печально, потому что вы — русский генерал, один из руководителей Генштаба, а я следователь по особо важным делам при генеральном прокуроре. И по важным делам нам с вами пристало говорить напрямую, но увы... — выходя из-за стола, подытожил Турецкий.

— Ладно-ладно, не берите меня на пушку. Я был с вами достаточно откровенен, а вот вы все время говорите намеками, — вспылил генерал. — Расскажите хоть, как Серега Колобов погиб? О чем ему с вами было беседовать?

— Мы говорили с ним об убийстве его брата. В этот момент автоматная очередь прошила его, — уже в дверях сказал Турецкий.

— Вон оно что! Наверное, их бизнесменские разборки, да?

— Вполне возможно, — все еще стоя возле дверей кабинета, отвечал следователь. Генерал явно пытался закончить разговор на нейтральной ноте. — У них конкурентная борьба идет. У французов сказано: конкуренция — это всегда криминал.

— Вот-вот! — оживился Авдеев.

— Вам, Борис Альбертович, я думаю, тоже пора обратить внимание на эти «каскады» и «кононги», а то перестреляют друг друга и некому на памятные вечера будет собираться.

Когда Турецкий, попрощавшись, вышел, генерал Авдеев долго и мрачно смотрел ему вслед, затем не спеша набрал телефонный номер.

На улице Турецкий вспомнил о фотографии, которая лежала у него в кармане, но он не жалел о том, что забыл ее показать Авдееву. Пусть генерал думает, что они пока еще у него на хвосте.

6

Перехватив взгляд Турецкого, Ангелина хмуро бросила:

— Красиветь не с чего, гражданин следователь по особо важным делам. В камере смрад, голодно, курева нет. И навестить меня некому.

— «LM» будете? — предложил Турецкий.

— Давайте.

Она с наслаждением закурила.

— Что, следак, злорадствуешь? — вновь стала дерзить Иванова.

— Это жизнь над вами злорадствует, Ангелина Николаевна, — спокойно парировал на этот выпад следователь. — Но, однако, начнем допрос, — сказал Турецкий, взяв ручку. — Перед тем, как задавать вопросы, сообщу вам как родственнице погибшего Юрия Иванова, что преступление раскрыто. Вашего мужа по приказу генерала Бориса Авдеева убил Виктор Князев. Тот самый, которого вы мне назвали Цезарем. Он арестован и находится под следствием.

— Уж не арестовали ли вы и генерала Авдеева? — вскинула брови Ангелина.

— Это дело времени, — уточнил Турецкий.

— Эх! Все равно мне уже не вырваться, — с сожалением заговорила Ангелина. — Круг с каждым днем сужается. Твоя берет следак. То ли действительно плюнуть на все и помочь тебе завладеть этой кассетой.

— Почему же не вырваться? — ободрил ее «важняк». — Если поможете следствию, это вам зачтут. Вы же не главарь, а соучастник преступлений.

— Не лей елей, Турецкий. С Юркой, может, и проканает соучастие, а с Остапом Ореховым — точно групповуха по полной программе. Дело не в поблажках, даже если ты и не врешь. На большую волю мне теперь уже не вырваться — за бугор. С судимостью на Запад трудно выехать. А в России-то что мне с моих тайн?

— Какие же у вас тайны?

— Маленькие, но существенные. Поделиться?

— Ваша воля, — заметил следователь.

— Ишь, какие мы гордые! Когда начальство спросит, гордость пропадает. Короче, догадки твои, Турецкий, правильные были. Потому меня ловили, что хотели последнюю Юркину кассету забрать. Из-за того, что я сразу ее не отдала, может, и жива до сих пор осталась.

— Что вы скажете конкретно? — спросил следователь.

— Так вот, Юрка сделал эту кассету в Германии. Заказал ему эту съемку Тураев, он же дал деньги на командировку. Юрка мне рассказывал, что работа была шпионская — герои фильма не должны были заметить съемку, даже заподозрить, что она проводится. Все снималось не для эфира. Во всяком случае, не для «Спектра».

— Он не сказал, кого снимал?

— Нет. Он не знал. Это я ему расшифровала, кто есть кто за столом переговоров.

— Кто же? — чуть не выскочил из-за стола Турецкий.

— За столом переговоров сидят трое: генерал Генштаба Борис Авдеев, западный мультимиллионер Евгений Каширин и представитель иракских военных. Имени его я не знаю.

— Откуда вы могли знать Каширина и представителя военных Ирака? — удивленно поднял брови Турецкий.

— Я знала только Авдеева, в узком кругу его зовут просто дядя Боря. Остальных мне назвал наш человек. Сейчас ты, начальник, со стула грохнешься, — засмеялась Ангелина. — Я сделала с видеокассеты фотографию и показала ее Траубергу. Он старый кагэбист, разведчик. Каширина он узнал, конечно, сразу, а иракца вычислил к вечеру.

— А текст? — дернулся Турецкий.

— Об этом же сразу спросил меня Трауберг. Но они говорили на немецком, и я действительно не знаю о чем. Хотела подключить Людку Семенову, чтоб перевела, но тут начались эти умопомрачительные события. Словом, текст на кассете...

— Фотография цела? — еле сдерживая волнение, спросил Турецкий.

— Зачем тебе фотография, когда я тебе сейчас скажу, где находится видеокассета.

— Где?

— Пиши, следователь. Видеокассета с компроматом находится на даче моего первого мужа профессора Шатохина, в кладовке, в бумажном мешке с удобрениями. Все, следак, теперь моя жизнь на твоей совести! — с драматическим пафосом воскликнула Ангелина.

— Это вы, конечно, надоумили Иванова сорвать куш побольше? — спросил Турецкий.

— Сам знаешь. Зачем спрашиваешь? Но так получилось, что, наехав на него, наехали и на меня. Тогда мы и придумали это дело с подставкой покойника. А перед тем как Юрке исчезнуть, мы решили спрятать кассету в надежном месте.

— А покупатель-то кто? — не удержался от наивного вопроса Турецкий.

— Скажу только: не Трауберг, не Тураев, не даже дядя Боря, хотя сам туда вляпался. Покупатель, дорогой следак, — последний мой козырь в этой смертельной игре. Уж позволь, я его пока попридержу, — почти победным тоном заявила Ангелина. — Но поделиться гонораром мне все равно придется. На сей раз я не пожадничаю. Вопрос стоит — или ничего, или половину, — лукаво взглянув на следователя, добавила она. — Но эта половина меня устроит лишь в придачу к свободе. Я понятно говорю, следак?

— Да уж куда понятнее, — кивнул Турецкий, записав показания Ивановой. — Между прочим, дача вашего первого мужа Шатохина полностью сгорела, гражданка Иванова. Поэтому, если вы не лжете и кассета действительно была там, все ваши планы, считайте, рухнули как карточный домик.

— Во черт! — ругнулась Ангелина. — Ну да ладно, следак, во всяком случае, во второй части своих признаний я была откровенна с тобой.

Думай! А я подумаю, может, действительно я оговорилась, сказав, что кассета была на даче Шатохина...

Когда Ангелину увели, Турецкий задумался. Чертова баба явно намекала ему войти с ней в долю.

— Вот чертова баба! — ругнулся он вслух и вложил протокол допроса обвиняемой в папку с делом Иванова.

7

Полтора дня и две ночи Яковлев провел в камере временного содержания заключенных. Наутро третьего дня его вывели из камеры, предварительно нацепив на запястья наручники.

В дежурке офицер милиции заполнял сопроводительные документы. Значит, куда-то переводят, догадался Яковлев и сказал:

— Вы должны представить мне возможность позвонить родственникам, чтобы они не беспокоились.

— К телефону не велено тебя допускать.

— А везете куда?

— В прокуратуру.

— Генеральную? — с надеждой уточнил подполковник.

— Невелика птица — и в городской хорошо отпрессуют.

— Мог бы быть и повежливей, — проворчал Яковлев. — Я все-таки подполковник милиции.

— Будешь возникать, подполковник, получишь по сусалам и зубов у тебя станет поменьше. А в тюрьме зубы ой как нужны!..

— Ты-то откуда знаешь, баловень закона?

— В школе милиции изучал, — рассмеялся офицер. — А вот ты на своей шкуре скоро узнаешь!

...Его ввели в кабинет следователя и оставили там, не сняв наручники.

Вскоре появился моложавый, в хорошем костюме следователь. Уселся за стол напротив Яковлева и улыбнулся:

— Здравствуйте, Владимир Михайлович.

— Приветствую!

— Моя фамилия Егоров, зовут Сергей Сергеевич, я старший следователь по особо важным делам горпрокуратуры. Я веду ваше дело.

— У меня уже и дело есть? — изумился Яковлев.

— О, еще какое! Если вам повезет и не получите вышку, можете в тюрьме писать мемуары, будет запас деньжат для достойного выхода на свободу.

— Так-так. И что же вы мне шьете, грубо говоря?

— Я понимаю, Владимир Михайлович, вам психологически трудно перестроиться сразу из сыскаря в подозреваемого, но, пожалуйста, напрягитесь, и начнем работать. Согласно УПК, вопросы задаю я.

— Ладно, — устало согласился Яковлев, — спрашивайте — отвечаем.

— Вот и правильно. Хотите курить?

— Нет пока.

— Хорошо. Начнем. Вы знали Юрия Иванова?

— Нет.

— И никогда не видели?

— Видел.

— Когда?

— Когда нашел его в охотничьем домике. Правда, он был уже мертв.

— Вы уверены? — криво улыбнулся Егоров.

— Да. Как в том, что ты пока живой.

— А дерзить не надо!

— Сие не дерзость, а констатация факта, — уточнил Яковлев.

— Почему вы поехали в тот домик и с кем? — спросил Егоров.

— Я поехал туда с оперативной группой, со старшим лейтенантом милиции Никитой Бодровым и доктором Чижом. Операция была разработана при участии следователя по особо важным делам Турецкого и начальника МУРа полковника Грязнова. Там мы должны были встретиться с Юрием Ивановым. МУР занимался его розыском. Да ты и сам все это знаешь. Зачем спрашиваешь? — махнул рукой Яковлев.

— Я обязан выяснить все обстоятельства этого события, — заметил Егоров.

— Как вы узнали, что Иванов находится в охотничьем домике?

— От доктора Чижа.

411

— Кто может подтвердить ваши показания, Владимир Михайлович?

— А зачем их нужно подтверждать? — удивился муровец.

— Чтобы снять с вас обвинение в убийстве Иванова.

— Кого вы еще на меня вешаете? — спросил Яковлев.

— С вами в машине были обнаружены двое убитых — Соловьев и Рябов. Это тоже надо объяснить. Попробуйте доказать свою непричастность к этим убийствам. Кроме вас, там никого не было. Доктор Чиж уже ничего не скажет...

— Ну хорошо, — пожал плечами Яковлев. — Допустим, я подозреваюсь в этих преступлениях, но какие у меня мотивы? Для чего столько трупов навалил подполковник Яковлев?

— Причина была одновременно высокой и ничтожной. Трудно объяснить, что побудило преступника отрубать жертве руки и отрезать уши — это уже, согласитесь, патология.

— Значит, нашли труп Иванова? — оживился Яковлев.

— Ну а как вы думали? Концы в воду, и следов нет? Вот телефонограмма, где сказано: в реке Нара обнаружен труп мужчины с отрубленными кистями рук и отрезанными ушами. Судмедэкспертиза установила, что это труп Юрия Иванова. Что вы с ним там в домике делали? — спросил Егоров.

— Я, обнаружив труп, составлял предварительный протокол места преступления и тела жертвы.

— Хорошо. А как вы оказались в одной машине с трупами частных детективов Соловьева и Рябова? — начал Егоров с другого конца.

— Значит, бандиты у вас уже частными детективами называются, — вновь вспылил Яковлев. — Хватит переворачивать все с ног на голову, Егоров!

— Это вы, простите, Иванова с ног на голову перевернули, — налился краской следователь.

Егоров еще полчаса выстраивал свои бредовые версии. По одной из них выходило, что Соловьев и Рябов искали Иванова, чтобы отвезти его к тем, кому он задолжал. Но к тому времени Иванов уже был мертв. Яковлев с Бодровым уговорили их поехать в деревню, куда якобы убежал от них Иванов. За это время муровцы успели спрятать труп. Ну и по пути застрелили тех двух парней. Потом Бодров приковал своего напарника наручником к дверце джипа, а сам поехал с донесением в МУР.

— Ты уже полчаса несешь чушь, Егоров! — прервал его подполковник. — Почему ты не обратишься к следователю Турецкому, который ведет это дело? Мы вместе с ним включены в следственно-оперативную бригаду по делу Иванова. Позвони Турецкому, и тебе все разъяснят, если, конечно, это не заранее спланированная провокация. Я отказываюсь отвечать на ваши вопросы. Только в присутствии следователя по особо важным делам Генпрокуратуры Турецкого я намерен с вами разговаривать.

— Успокойтесь, Владимир Михайлович, если вы человек умный, то вскоре сами попроситесь на допрос, чтобы изложить все ваши правонарушения, — вкрадчивым голосом сказал Егоров. — А пока до свидания!

Следователь нажал кнопку вызова под столом и попросил вошедшего надзирателя увести подследственного.

Яковлев бросил на следователя тяжелый презрительный взгляд и молча вышел из комнаты.

Глава пятая

1

— Третий тайм мы уже отыграли, и не лучшим образом, — грустно констатировал Турецкий, входя в кабинет к Меркулову.

— Что ты имеешь в виду? — спросил Меркулов.

— Я про дачу Шатохина. Мне сегодня Ангелина Иванова сообщила, что искомая нами кассета находилась там, в кладовке. Каково мне было это слышать, когда я уже знал, что дача сгорела. Правда, есть уже заключение пожарной инспекции и химиков, что в пепле, который был найден на месте кладовки, продуктов горения пластмасс, из которых делают видеокассеты, не обнаружено. Ангелина опять солгала, но кто-то вновь обогнал нас на шаг. Мы первыми должны были сделать обыск по пусть даже ложному признанию гражданки Ивановой. Теперь еще на Володю Яковлева охоту устроили... Кстати, Костя, тебе удалось хоть что-нибудь узнать о нем? Лично меня на всех уровнях посылают подальше — даже свою стажерскую молодость вспомнил. А ведь Цезарь сознался в убийстве Иванова, двух боевиков, доктора Чижа и Бодрова.

— Давай поговорим о Яковлеве, — кашлянул Меркулов. — Володю мотает следователь горпрокуратуры Егоров. Я выяснил, этот Егоров действительно раньше работал в военной прокуратуре. А как раз военная прокуратура затеяла это разбирательство. Ясно, что все это провокация и через день-два Володю освободят, но у меня такое впечатление, что эта третья сила пошла ва-банк. Делают ходы исключительно на отвлечение внимания следствия. Но вот от чего они пытаются отвлечь наше внимание, Саша?

— Я беседовал с генералом Авдеевым. Цезарь прямо указывает на него как на шефа. Все приказы об убийствах, по словам Цезаря, отдал ему Авдеев. Этот генерал, по моим данным, связан с западными мафиозными синдикатами. Полагаю, дело здесь в торговле оружием. Но пока у меня нет видеокассеты, я не могу в него вцепиться. Его и так уже почти не видно за пеленой трагических событий, связанных с делом Иванова. Возможно, все это тоже лишь отвлекающий момент в большой игре высокого армейского чиновника.

— Какое у тебя впечатление от беседы с Авдеевым? — спросил Меркулов.

— Удручающее. Он чувствует себя уверенно, несмотря на то что творится вокруг него. И он будет до конца надеяться на выигрыш, Костя, поэтому все еще может быть.

— Что ты с ним цацкаешься, Саша? Подключай ФСБ, вызывай его к себе на допрос в кабинет, устраивай очные ставки с Цезарем, Ивановой, Семеновой, Тураевым... — резко заговорил Меркулов.

— Это я и собираюсь сделать, но сначала надо Володю Яковлева вытащить. Позвони, пожалуйста, еще раз генеральному насчет него. Я готов встретиться со следователем Егоровым как старший в следственно-оперативной группе по делу Иванова. Пусть генеральный устроит нам такую встречу...

2

Яковлева привезли в Бутырки. Много раз ему приходилось бывать в этом знаменитом следственном изоляторе, но мог ли подполковник предположить, что когда-нибудь его самого привезут сюда в качестве узника?! Долго тянулись формальности. Муровец не торопил события: отвечал медленно, делал большие паузы. Он еще до конца не мог поверить, что все, что с ним происходит, серьезно. Но ехидная улыбочка Егорова, которой он сопроводил свою информацию о том, что Яковлева поместят в общую камеру, развеяла его последние надежды. Яковлев посуровел и приготовился к жестокой схватке с людьми и обстоятельствами.

Егоров выполнил свое обещание: контролеры подняли Яковлева на второй этаж и подвели к так называемой черной двери воровской хаты.

— Ну что, — глумливо поинтересовался милиционер, — сам войдешь или вбросить?

— Сам могу, а могу и с тобой на пару, — ответил с жестоким юмором Яковлев.

— Но-но, — отшатнулся милиционер и угрожающе выставил дубинку.

Подполковник усмехнулся и с презрительной, даже вызывающей миной на суровом лице шагнул в прокуренный полумрак камеры.

Со шконок поднялись арестованные. Они подходили к нему и с любопытством разглядывали. Сердце Яковлева на мгновение сжалось, когда он узнал среди узников нескольких своих клиентов, которых муровец брал быстро и безжалостно.

— Век воли не видать! Кого я вижу! Владимир Михайлович! Какими судьбами? — заорал один на всю камеру. Подполковник узнал в нем вора по кличке Дрель.

Яковлев кашлянул и хриплым голосом произнес:

— Наверное, меня к вам под пресс бросили.

По камере пошел шумок: «мент», «муровец»...

Растолкав любопытствующих, к Яковлеву прорвался огромный детина в адидасовском костюме и, потрясая раздутыми от вазелиновых инъекций кулаками перед носом подполковника, воскликнул:

— Что, ментяра, на экскурсию пришел? Парашки понюхать? А?

Яковлев не отвечал. Он постарался рассеять взгляд, чтобы одновременно видеть как можно больше зеков. Но, кроме громилы, пока никто не выказывал агрессии. К тому же парень невольно загораживал его от остальных.

Детина для начала решил угостить мента апперкотом. Яковлев чуть отклонился назад, и кулачище мелькнул в сантиметре от его носа, обдав запахом вазелина. Помогая летящей вверх руке, муровец мягко подхватил ее под локоть, другой рукой перехватил запястье и, повернувшись на месте, резко дернул захваченную руку парня в сторону и вниз. При этом он завернул локоть детины вниз, а запястье вверх. Такого изощренного вектора заросшие твердыми мышцами суставы выдержать не могли. Раздался хруст рвущихся связок, и детина с воплем отлетел к ногам угрюмой толпы зеков.

— Да он — борзый, — воскликнул кто-то. — Мент в «черной хате»! Мочить!..

Толпа гудела, но не двигалась с места.

На свет тусклой лампы не спеша вышел смотрящий. Им оказался невысокий коренастый мужчина почти интеллигентного вида. Он смерил муровца цепким взглядом и, обращаясь к толпе, спросил:

— Кого он еще брал, братва?

Кроме Дрели к смотрящему подошли еще четверо: Косяк, Шило, Конь и Арнольд.

— Ну пошли, побазарим, — пригласил смотрящий подошедших к нему воров.

Они ушли в глубь камеры, где у окошка стояли аккуратно застеленные шконки. Воры, обступив муровца, подвели его к этим шконкам и расселись полукругом возле пахана. Яковлев остался стоять под их перекрестными взглядами.

Прекрасно зная, что тюремная почта работает безотказно, Яковлев отвечал на все вопросы правдиво. Да и нечего ему было скрывать от блатных.

— ...еще Скользкого на меня вешают, — закончил муровец свой рассказ.

— Ну нет. Скользкий не твоих рук дело, — сказал пахан. — Ты, значит, брал этих людей? — кивнул он на воров.

— Да. Брал. Да разве в этом дело? Меня сюда под пресс бросили, так что рассусоливать?

— А ты не спеши на тот свет. Я не подписывался куму с ним в карты играть. Кто тебя знает? Может, за дверью менты с автоматами ждут, когда мы тебя кончать начнем... Еще неизвестно, кому этот пресс уготован... Слыхали вы еще такое, братва, чтобы заместителя начальника конторы в «черную» кидали?

Раздался приглушенный ропот:

— Да хрен этих ментов разберешь! Что-то маклюют...

Пахан поднял руку, и все замолчали.

— Косяк, держишь ли ты на этого мента зло? — начал разборку пахан.

— Как не держать. Взял меня тепленьким. Только я с похмелюги после скока глаза продрал, а он у постельки стоит, доброго утречка желает. Хотел ему в рожу шарахнуть — и на пяту, да где там, спортивный, зараза. Опять же лавы предлагал и хорошую сумму. Не стал брать. Но побриться разрешил и марухе позвонить. Теперь вот с гревом сидим. Так что не знаю, Стах, с одной стороны, конечно, мент. С другой — человек.

— Ясно. Что скажешь ты, Дрель?

— То и скажу — человек. Ты знаешь, у меня язва. Когда прихватили меня они, тут и обострение подоспело. Загибался я конкретно. А он мне кефир носил на допросы и творог со сметаной. Я, бывало, со злобы и от боли юродивым его обзывал...

— И что?

— Да ниче. Скажет: сам дурак. А назавтра опять пакет тащит.

— Что имеешь ты сказать, Шило?

— Мать у меня была при смерти. Ну под следствием свиданка не положена. Так он, перед тем как следаку меня передать, мамашу привез... Да ну!..

Шило махнул рукой и ушел в сумрак камеры, чтобы не показать братве своей нечаянной слабости — выступивших слез.

— В самом деле, ребята, — спросил несколько растроганный Яковлев, — зачем вы это? Все равно ведь, если выйду и из МУРа не выпрут, буду вас ловить.

Воры негромко рассмеялись. Дрель заметил:

— Михалыч, это мы еще посмотрим, опыт — сын ошибок трудных! Капица сказал. Академик!

— Это не Капица сказал! Пушкин! — возразил подполковник.

— Вас, ментов, еще и литературе учат? — шутливо восхитился Дрель.

— Нет, самообразованием занимаюсь в свободное от работы время, — улыбнулся Яковлев, почувствовав перемену в настроении воров.

— Шел бы в частный бизнес бакланов жирных охранять, — заметил пахан. — А то, видишь, свои же подставили...

— Смотря какие свои, — возразил Яковлев. — Мне Грязнов Слава — свой. Он за многих из вашей братвы просил, чтоб я по-человечески относился...

— Ну ладно, — подвел итог разговору пахан. — По жизни ты — мент, а здесь — просто зек. Будешь жить в «черной», как все.

— Спасибо! — искренне сказал Яковлев.

— Э, — махнул рукой пахан. — Себя благодари!..

3

Черный факс фирмы «Панасоник», стоящий на приставном столике в кабинете Турецкого, требовательно телькнул.

Поднимая трубку, следователь вспоминал, от

кого он сегодня ожидал сообщения, но запамятовал.

В это же время зазвонил еще один телефон. В трубке раздался голос Трауберга.

— Нам с вами необходимо срочно встретиться! — срывающимся голосом сказал бизнесмен. — Я звоню из автомата, поэтому с долгими расспросами повремените, — нервно добавил он. — Вы можете принять меня прямо сейчас?

— Да. Приходите, я закажу на вас пропуск, — согласился Турецкий.

Положив трубку, следователь задумался. В душе появилось чувство тревоги. Ему вспомнился день, когда погиб Сергей Колобов. Сегодняшняя ситуация походила на ту...

«А может, Трауберг просто хочет сбросить ему какую-нибудь второстепенную информацию? — подумал Турецкий. — Каждый раз он что-то обещал сказать следователю, но уходил от откровения. Может, настал момент, когда тянуть уже нельзя и операция «Ошейники для волков» входит в завершающую фазу, которая может стоить жизни и ему, Траубергу...»

— Да ну вас! — в сердцах сказал вслух Александр Борисович. — Меркулов прав. Сегодня же начну устраивать очные ставки... — Но через минуту он остыл. Чутье подсказывало ему, что с Авдеевым торопиться нельзя. На этого волка можно надеть ошейник, лишь прихватив его на месте преступления, переделал фразу про волков на свой манер Турецкий.

Следователь спустился вниз и сам заказал

пропуск на Трауберга. Потом он вышел на улицу и стал поджидать визитера.

Первый снежок сыпал на мокрый асфальт. На улице было неуютно. На противоположной стороне припарковался белый «мерседес». Открылась передняя дверца, и на проезжую часть вышел высоченный парень в кожаной куртке. Он внимательно осмотрел улицу, дома, скользнул взглядом по крышам.

Охранник, догадался Турецкий. Чей? Уж не Трауберга ли?

А тот долго и внимательно смотрел на Турецкого, затем, вероятно окликнутый пассажиром, нагнулся...

У Турецкого сложилось впечатление, что стреляли с трех сторон. Расширившимися глазами он, как в замедленной киносъемке, наблюдал быстрое и профессиональное убийство. Стреляли с глушителями, поэтому звуков не было слышно. Просто лопнули и осыпались лобовое и боковые стекла, череда пуль вспорола натянутую на спине куртку охранника. Изогнувшись от боли, он оперся спиной о машину, успел еще достать пистолет и попытался прицелиться в Турецкого. Но еще две пули раскололи ему голову. Рука с пистолетом безжизненно повисла, палец рефлекторно нажал спусковой крючок. Первый громкий выстрел послал пулю в асфальт, от него она ушла в сторону, выбив снопик искр.

Схватив Турецкого за локоть, дежурный милиционер втащил следователя внутрь помещения, затем стал звонить в милицию, приговаривая:

— Ну, блин, совсем оборзели! Возле Генпрокуратуры стрельбу затеяли!

Турецкий обессиленно уселся на стул. Он был уверен, что в «мерседесе» сейчас умирает Трауберг. Минут через сорок, после того как опергруппа и ОМОН оцепили квартал и, очистив его от любопытных, стали вынимать из продырявленного салона автомобиля тела, он увидел знакомую фигуру бывшего военного разведчика, вялую и нескладную, будто тряпочную. Ее вытащили, положили на расстеленный брезент. Турецкий увидел, что у «куклы» в дорогом, но сильно испачканном костюме лицо директора «Каскада» Аркадия Трауберга.

Охранник Трауберга, наверное, хотел застрелить Турецкого, видимо подумав, что «важняк» подставил его шефа.

От горьких дум Турецкого отвлек шум вокруг. На улицу выскочили работники прокуратуры. Омоновцы из оцепления корректно, но жестко оттесняли зевак, не давали никому приближаться к расстрелянной машине.

Турецкий сказал плечистому парню, что убитый приехал к нему. Тогда милиционер махнул рукой в сторону «мерседеса», мол, проходи туда. Он подошел к трем лежащим рядом телам и взглянул на Трауберга. Падающие на лоб бизнесмена снежинки еще таяли.

— Личность установили? — спросил Турецкий у дежурного Генеральной прокуратуры, который стоял около машины.

— Да, при нем были документы.

— Он ехал ко мне, — повторил следователь фразу, которая все время вертелась у него на языке. — Он ехал ко мне, — еще раз произнес он и спросил: — Что уже сейчас можно сказать в связи с этим?

— Особенного ничего, — ответил дежурный прокурор, руководящий осмотром места происшествия, — профессиональная работа. Видите, стекла в машине затемненные, поэтому один сначала стрелял по стеклам, а другой, через секунду, по видимым уже людям. Всего было трое стрелков. Оружие бросили.

— АКСы? — спросил Турецкий.

— Да. Только номера сбиты.

— Умерли сразу?

— Конечно, наповал.

Следователь по особо важным делам Турецкий вернулся к себе. Он слегка удивился, увидев в кабинете Меркулова.

— Что, Костя? — тихо спросил Турецкий.

— Ничего, — ворчливо ответил тот. — Коньяка тебе принес.

— За это спасибо. Кстати, Костя, что ты знаешь о следователе Егорове, который Яковлева мурыжит? Что он за личность? — Турецкий выпил коньяку, крякнул и вдруг сказал: — Дай твою руку, Костя, спасибо тебе. Ты меня прости, что я такой дерганый. Совсем обалдел в последнее время. И тебе уже перестал доверять.

— Бывает, Саша, хуже, но редко, как говорит один мой знакомый, — сказал Меркулов и налил себе коньяка, — кстати, я Володю люблю не меньше тебя... А про Егорова я тебе сейчас кое-что расскажу. Он служил в военной прокуратуре. Парень способный, но амбициозный.

— Прямо как я! — заметил Турецкий.

— Мне кажется, у тебя способностей побольше, чем амбиций. Так вот, вышел Егоров каким-то образом на мошенничество в Оборонэкспорте и пошел напролом, полагая, что прогремит с этим делом на всю великую Русь. Однако совсем неожиданно его отстранили от дела. Сказали, что его специализация — преступления в действующей армии, и отправили в командировку в Забайкальский военный округ. Там солдатик в карауле пострелял сослуживцев. После этого он подал рапорт об увольнении. Рапорт быстренько удовлетворили, но пропасть не дали, пристроили в Московскую городскую прокуратуру. О чем это свидетельствует? О том, что Егоров сменил амбиции на покладистость, которая есть гарантия хорошей карьеры.

— Значит, он прессует Володю по чьему-то приказу? — спросил Турецкий.

— По всей видимости. Давай-ка еще по одной тяпнем.

Они еще выпили по полстакана коньяка.

— Чьи приказы он обязан выполнять? — спросил Турецкий.

— Того, кто его держит на крючке.

— А кто его может держать на крючке?

— Да кто угодно, Саша. Он сейчас кругом должен, — пояснил Меркулов. — Но вот что я еще про него узнал: он работает в горпрокуратуре уже более полугода и ни разу самостоятельно не вел никаких дел. Все время какие-то спецзадания. Все время на побегушках у прокурора города.

— Что ж, понятно. Пора его брать за кадык!

— Не спеши, Саша.

— Это почему же?

— Потому что я сегодня узнал-таки, где сидит Володя...

— Где? — воскликнул «важняк».

— Слава Богу, там его уже нет. Понимаешь, сволочи, в воровскую камеру его посадили. Но он там ночку переночевал, а утром его перевели в одиночную камеру. Немного погодя мы поедем с тобой в городскую прокуратуру и учиним разнос. А пока говори и показывай, что у тебя есть.

— Ангелина Иванова навела меня на одну московскую квартиру, где мне передали вот это, — сказал Турецкий и положил перед Меркуловым фотоснимок.

Меркулов долго и внимательно рассматривал фотографию. Потом вернул ее Турецкому со словами:

— Кто эти двое с Авдеевым?

— Мультимиллионер Евгений Каширин и представитель иракских военных, — разъяснил Турецкий.

— Да, совсем обнаглели. За спиной Президента вышли на контакт с военными Ирака! Видишь, что эти сволочи затеяли, поэтому не только мы сели им на хвост.

— Да, Костя, Колобова и Трауберга они боялись больше, чем нас. Они в этой игре собирались уничтожить Авдеева и всех, кто за ним стоит. Жаль, что Колобов и Трауберг нам не доверяли.

4

Яковлев не мог уснуть. Сонное сопение пятидесяти человек, удушливый воздух да еще опасение, что покалеченный им детина постарается отомстить, настраивали на печальные размышления. Он знал, что в любом случае блатняки за убийство мента своего выдавать не будут.

Утром он встал с больной головой и стал ожидать вывода на оправку. Муровец мрачно размышлял о том, что́ же с ним будет дальше, и переживал за Грязнова. Он понимал, что они его просто могут убрать. Надежда была только на Сашу Турецкого и Костю Меркулова. Конечно, Яковлев не сомневался, что друзья делают все возможное, чтобы вытащить его отсюда. Если только знают, где он находится.

— Можно с вами поговорить? — услышал он тихий голос и поднял глаза. Перед его нарами стоял молодой, но очень заросший мужчина в измятом дорогом костюме.

— Слушаю вас, — как можно деликатнее ответил муровец.

— Вы заместитель Грязнова? — спросил он.

— Да. А вы что, с ним знакомы? — удивился Яковлев.

— Нет. Но про него и про вас я слышал от Сергея Колобова.

— Так-так, — оживился подполковник. — Так вы, значит, из «Каскада»?

— Оттуда. Неверов я, Сергей. Я хочу вас попросить...

— О чем?

— Чтоб вы замолвили за меня словечко.

— Перед смотрящим? — уточнил Яковлев.

— Нет. Он меня презирает, но не трогает. У меня есть информация, что у вас есть знакомства в Генеральной прокуратуре.

— Откуда информация?

— Вы мне пообещайте, что поможете, тогда я все объясню.

— Ты так говоришь, Серега, будто меня утром сегодня освобождают!

— Ну сегодня не сегодня, но выйдете вы отсюда. Если вас в «черной хате» не тронули, прессовать больше нет смысла.

— Грамотный! Чего хочешь? — улыбнулся муровец.

— Когда выйдете, постарайтесь сделать так, чтобы мое дело отправили на дополнительное расследование.

— Для начала нужно знать, что́ за дело. Вдруг ты хронический мокрушник, убийца?

— Да нет, что вы! Наркота, и та по подставе.

— Точно?

— Мамой клянусь!

— Ладно, обещаю. Рассказывай.

— Я работал у Сереги Колобова в одном отделе...

— Что за отдел, уточни, — вставил Яковлев.

— Охрана и безопасность.

— На кикбоксера ты что-то не похож, — хмыкнул муровец.

Неверов улыбнулся:

— У меня другая специализация была. Система охранной сигнализации, радиоперехват и борьба с прослушиванием офиса и производственных помещений. Как-то раз получаю боевую задачу: выявить возможную утечку информации. Серега Колобов сказал, что вроде его уже кто-то опередил, воспользовавшись перехваченной информацией. Облазил я весь офис — нет ничего, да и не могло быть, я регулярно все проверял новейшим японским детектором. Значит, думаю, перехват. Может, вы не в курсе, но, когда между передающей и принимающей сторонами вклинивается кто-то третий, аппаратура фиксирует вкрапления постороннего шума, иногда уловимые только специальной аппаратурой. Мы располагали такой. И решили перехватить вора. Сначала Серега разговаривал по своему радиотелефону — никакой реакции. Из этого следовало, что тот, кто доит информацию, прекрасно знает, кого нужно слушать, а кого необязательно. Тогда мы договорились с директором, тот на полдня отдал нам свой радиотелефон, на магнитофон наговорил всякой коммерческой, достаточно правдоподобной ерунды. Мы с Серегой разделились. Он остался в офисе и периодически названивал по разным телефонам, включая магнитофон. А я в машине с перехватчиком помех мотался по периметру... В общем, нашел я гениального умельца, высчитал, записал улицу, дом. Вернулся, передал все Сереге и поехал домой. Около полуночи звонят в дверь. Кто такие, спрашиваю. Милиция. И я открыл. Они вошли, показали ордер на обыск и нашли в поддоне холодильника пакет с наркотиком. Вот так.

— Тебе еще повезло, — заметил Яковлев.

— Как это?

— Колобова застрелили. По всей видимости, он что-то узнал у вашего перехватчика.

Неверов помолчал, потом сказал:

— Записывайте адрес.

— Ты говори, я запомню.

Неверов назвал дом, улицу и квартиру.

— Найдем, — заверил Яковлев. — Если, конечно, Колобов его не спугнул и он хату не поменял. Однако для этого и мне надо отсюда выбраться...

— Ему очень далеко от этой точки нельзя уезжать — перехвата не будет, — пояснил Неверов.

Лязгнул замок — все повернули головы в сторону двери.

— Яковлев! — зычно окликнул надзиратель. — С вещами на выход!

— С какими еще вещами? — громко спросил Яковлев.

431

— Да ты что! Живой, что ли? — удивился надзиратель.

— Твоими молитвами! — сострил муровец.

— Ну тогда давай быстрее на выход. С вещами...

Яковлев попрощался с зеками и, пожав руку Неверову, тихо сказал ему:

— Держись, Серега! Подмога будет! — И снова, обращаясь ко всем: — Счастливо выбраться, земляки!

— Вот тебе и весь пресс! — с уважением посмотрев на пахана, сказал вор Арнольд. — А мы его вчера чуть не замочили... Ментовские дела...

— Уходи из ментов — целее будешь! — напутствовал Дрель.

Яковлева привели в следственную камеру, где в одной из комнат его уже поджидал следователь Егоров. Он был явно озадачен, поэтому картинно и натужно улыбался.

— Что, не рад? Хладное тело мое осмотреть приехал? — грубо бросил Яковлев.

— Присаживайтесь, Владимир Михайлович. Данный акт вашего фантастического освобождения только утверждает меня в мысли о вашей связи с преступными кругами, — заявил следователь Егоров.

— Какой такой факт? Что я живой остался? Если я у воров в камере ночь провел, то это подтверждает, что я оперативник-сука?! Так, что ли? Ладно. Ты чего еще от меня хочешь? — спросил сыскарь, снизив тон.

— Благодарите своих друзей, Меркулова с Турецким, — ехидно улыбнулся Егоров. — Они вычислили, где вы находитесь. Наверное, действительно скоро всей Москве будет известно, что вы ночь с ворами переночевали и вышли как ни в чем не бывало!

— Пошел ты!.. — в сердцах сказал Яковлев.

— Не нервничайте, Владимир Михайлович. Если признаете свою вину в незаконных действиях по аресту без санкции прокурора бывшего военного из Острогожска, обещаю отпустить вас под подписку о невыезде, — доверительно пообещал Егоров.

— Да ты глупее, чем я думал, — искренне удивился муровец. — Шил мне мокруху и тут же вякаешь о подписке. Ты что, юридического образования не имеешь?

— Сегодня все можно... — начал было Егоров, но раздался телефонный звонок.

По ответам следователя звонившему Яковлев понял, что с Егоровым разговаривает его начальник. Последним словом Егорова было: «Слушаюсь!» Он положил трубку, не говоря ни слова, вызвал конвой, и Яковлева повели в отдельную «ментовскую» камеру.

5

Турецкий не стал участвовать в экзекуции, которую приготовил для следователя Егорова заместитель генерального прокурора Меркулов. «Важняк», не теряя времени, поехал в «Кононг».

Директор концерна встретил Турецкого с добродушной улыбкой.

— Давненько не были у нас, Александр Борисович! Сообщаю, что назначенная вами документальная ревизия идет полным ходом. Вы к нам с новостями или решили просто убедиться, существуем ли мы еще на белом свете? — пытался иронизировать Тураев.

— Пожалуй, что с новостями, — сухо ответил Турецкий.

— Слушаю вас внимательно, — кивнул Тураев.

— Недавно я был в следственном изоляторе, допрашивал Ангелину Иванову. Тяжело ей в тюрьме сидеть, некому передачку послать... — начал следователь.

— Вот как? Ну если хотите, я распоряжусь, притаранят ей завтра передачку, — улыбнулся бизнесмен.

— Да нет, не стоит. Накушается еще цианистого калия, потом администрации СИЗО расхлебывай, — предостерег Турецкий.

Тураев рассмеялся:

— Вы подозреваете, что я могу такое сделать? Это здорово! Нет, я сам мараться не стану.

— Возможно, станете, когда я скажу вам, в чем она мне призналась. Она сказала, где спрятала кассету.

Следователь замолчал, наблюдая за Тураевым. Тот и бровью не повел.

— Вы думаете, она сказала правду?

— Увы, это сложно проверить. Она указала на

дачу профессора Шатохина, а дача возьми да и сгори синим пламенем.

— Значит, врет! — решительно сделал вывод Тураев.

— Я тоже так думаю, но не понимаю, какой ей смысл врать? Страх? Чего ей бояться? Смерти? Тюрьма от нее не страхует. Пыток? Они тоже в тюрьме возможны, — заметил Турецкий.

— Значит, время еще не пришло. Ей сейчас выгодно, чтобы кассета никому не попала в руки, — сказал директор и с интересом посмотрел на Турецкого. — Намекаете, будто знаете больше того, что говорите? — добавил он.

— Зачем же намекать? — слукавил Турецкий.

— Если хотите продать мне компромат на меня, то я вас разочарую: в отношении меня нет компромата! — повысил голос Тураев.

— Вы хотели сказать, что компромат на вас просто никому не нужен, — съязвил Турецкий. — Вот кто боится компромата, — с вызовом сказал следователь и бросил на стол перед Тураевым фотографию, сделанную Ангелиной Ивановой с видеокассеты. Обещайте не рвать и не есть, — добавил Турецкий. — У меня есть копии.

Тураева этот жест следователя рассмешил. Он совершенно искренне расхохотался и взял фотографию в руки. Когда он взглянул на фото, улыбка медленно сползла с его губ.

— Так-так, любопытно, — пробормотал он. — Все верно, но отсюда вытекает тупиковая ситуация...

— Никакого тупика, господин Тураев, — сурово изрек Турецкий. — Изображенная сделка называется — измена Родине.

— Ну знаете, от контактов с иностранцами ни один деловой человек у нас в Российской Федерации не застрахован. В данном случае генерал Авдеев выступает в роли бизнесмена.

— Ничего себе бизнесмен, — присвистнул Турецкий. — Замнач Генштаба...

— Да что вы, в самом деле, Александр Борисович, как с луны свалились — даже у членов нашего правительства есть свои связи с бизнесом. Еще раз повторяю: частный бизнес не застрахован от всяких нежелательных неожиданностей...

Тураев замолчал и, отведя взгляд в сторону, задумался.

Выдержав паузу, Турецкий сказал:

— Хватит про неожиданности толковать. И вы, и Трауберг, и Колобов прекрасно знали, что ваши фуры перевозили за границу не только лом цветных металлов. Но в отличие от вас Колобов и Трауберг со всеми их капиталистическими устремлениями все же не переступили грань, за которой начинается государственная измена, то есть преступление, предусмотренное статьей 275 Уголовного кодекса Российской Федерации.

— Не бейте меня изменой по морде! — воскликнул Тураев. — В конце концов, зафиксировать сей факт Иванова попросил я. Честно говоря, я это сделал, чтобы иметь на руках козырь против Трауберга и Колобова. В последнее время меня не покидало ощущение, что они хотят стать полновластными хозяевами концерна. А кто заказывал на меня покушение? Я чудом жив остался...

— Успокойтесь, смею вас обрадовать, — сказал следователь. — Трауберг вам больше не помеха.

— Да? Почему?

— Потому что он сегодня застрелен прямо возле Генеральной прокуратуры.

— Что? Что он там делал?

— Шел ко мне, поговорить хотел о вас.

Тураев подавленно молчал.

— Вы, кстати, на редкость нелюбопытны, господин директор. Даже не поинтересовались у меня, где я взял эту фотографию.

— И в самом деле — где? — Тураев поднял взгляд на Турецкого.

— А вы бы могли себе представить, что фотографию дал мне Трауберг?

Тураев удивленно уставился на следователя.

— Он? Откуда она у него взялась? Зачем он отдал ее вам? — сыпал вопросами Тураев. — Впрочем... ну да ладно...

— Наверное, ему крыша помогла, — перебил его следователь.

— Ерунда! От пули не защитила.

Турецкий с минуту помолчал и тихо промолвил:

— Мне почему-то кажется, что это вы убрали Колобова и Трауберга.

— Нет, дорогой следователь, — спокойно сказал Тураев. — Я мог бы их убить десять раз до этого, а сегодня мне это совершенно не выгодно. Видимо, мы не поняли друг друга...

Тураев вновь погрузился в раздумья.

— Значит, вам это не нужно было, — продолжал Турецкий.

— Конечно, нет. Досадно, что вы так подумали.

Турецкий вышел из-за стола, прошёлся по кабинету и, остановившись напротив директора, сказал:

— Послушайте, господин Тураев, не пора ли вам признать, что вы с Колобовым и Траубергом оказались заложниками в преступной игре этих людей. — Турецкий ткнул пальцем в фотографию. — Колобов и Трауберг поняли это раньше вас и стали противостоять им. Вы же слепо продолжали исполнять приказы дяди Бори, то есть генерала Авдеева, и вот результаты.

— Авдеев помогает нам. Он посредничает там, на Западе, — вставил Тураев. — Послушайте, я расскажу вам кое-что, чтоб вы не думали, что я только и делаю, что пудрю вам мозги. Хотите виски? Или лучше глинтвейн, так сказать, по сезону.

— Пожалуй, глинтвейн, — кивнул следователь.

Через несколько минут секретарша принесла поднос с двумя серебряными чашечками, струящимися ароматным парком.

— Так вот, Александр Борисович, когда кавказцы взяли вашего молодого опера, я послал со

Скользким своего человека. Он должен был поговорить с Бодровым, предостеречь...

— Насчет чего? — насторожился Турецкий.

— Чтобы не разрушал наше сотрудничество с фирмой Скользкого. Мы, как, собственно, и многие сейчас, вынуждены сотрудничать и с такими деятелями. Вот и все... Все разговоры по этому поводу я вел по сотовому телефону. И все же кто-то поставил засаду, — вздохнул Тураев.

— Стоп, господин Тураев! — перебил его Турецкий. — Это вы думали, что посылаете к Бодрову вашего человека. Это был Цезарь. Следствие установило, что он давно подчинялся небезызвестному вам генералу Авдееву и исполнял только его приказы. Точно так же ошибался и Сергей Колобов, считая, что на стрелке погиб его завхоз. Однако этот завхоз выполнял роль водителя Ваграма. Эта путаница создана специально. Кстати, Цезарь поведал следствию и о вашем личном приказе ему. Как он проверил то, что Семенов везет в фуре, вы в курсе, — сурово изрек следователь и пристально взглянул на Тураева.

— Я не отдавал приказа убивать! — воскликнул Тураев... — Это кошмарная самодеятельность монстра Цезаря...

— Ладно, следствие разберется, — оборвал его Турецкий. — Что вам известно о готовящейся операции под условным названием «Ошейники для волков»?

Наступила тишина.

— Я могу вам сейчас сказать только то, что готов сообщить о времени начала этой операции.

Но лишь тогда, когда я об этом узнаю. Пока я действительно не знаю этого, не знаю и цель этой операции, — сиплым голосом сказал Тураев.

— Я так понял, что день начала операции «Ошейники для волков» вам будет сообщен.

— Да, — односложно ответил бизнесмен. — Я буду в ней участвовать.

— В каком качестве? — с нетерпением спросил следователь.

— Я должен обеспечить караван военных машин, — ответил бизнесмен.

— Значит, вот для чего через «Каскад» в Острогожске закупали машины, — покачал головой Турецкий.

— Да. Для осуществления операции «Ошейники для волков», — утвердительно кивнул Тураев.

— Что ж, я буду терпеливо ждать, — сурово сказал «важняк». — Теперь я верю, что смерти Колобова и Трауберга вам были не нужны. Они сделали свое дело: обеспечили караван военных машин и... А вы не боитесь стать последней помехой для осуществления этой операции?

— Нет. Я им очень нужен, — твердо сказал Тураев.

— Что ж, спасибо за угощенье, господин директор. Жду вашего сообщения о начале операции. Но все же советую вам быть начеку. Пока мы имеем лишь это. — Турецкий взял со стола фотографию и положил ее в карман пиджака. — Вы, однако, не угадали. Эту фотографию я получил от Ангелины Ивановой, — сказал он на прощанье. — Держите меня в курсе событий.

Из своего кабинета Турецкий связался с Меркуловым и узнал, что Яковлева завтра выпустят из тюрьмы.

Глава шестая

1

Напротив старого семиэтажного дома остановились обшарпанные «Жигули». Водитель и два пассажира достали пиво, пирожки, разложили все это на лавочке и стали перекусывать. Время от времени они посматривали в сторону крайнего подъезда.

— Никак не могу надышаться воздухом свободы! — с восторгом сказал Яковлев своим молодым товарищам, оперативникам Юре и Диме.

— В этом что-то есть, — улыбнулся Дима. — Но я совершенно однозначно считаю, что в тюрьме должны сидеть только бандиты!

— И те, кто им способствует, — добавил Юра. — Вот и подумаешь, не податься ли действительно в частный сыск?

— Нет, Юра! Дело принципа... Надо кое-кому показать кузькину мать, — вставил Яковлев. — А уж потом посмотрим. Все-таки я надеюсь дожить до светлого дня и плюнуть начальнику своего главка Федорову в морду, — добавил он сурово.

— Доживете, Владимир Михайлович, — поддержал его Дима.

...Выйдя на волю, Яковлев сразу же связался с Грязновым и в одной из еще сохранившихся в Москве забегаловок рассказал ему о разговоре с Неверовым. Грязнов подключил своих архаровцев, и они оперативным путем установили, что указанную Неверовым квартиру снимает Евгений Петрович Подколзин, 1967 года рождения, по профессии радиоэлектронщик, нигде не работает, но платит за квартиру 300 долларов в месяц. Его жена и двое детей проживают в городе Лыткарино.

Прежде чем начать действовать, Яковлев со своими молодыми помощниками, с которыми брал Цезаря, провел подготовительные мероприятия. Четыре дня муровцы с утра до поздней ночи дежурили у дома, выдавая себя то за подгулявших работяг, то за пьяных бомжей, то за интеллигентно пьющих интеллектуалов. Зато теперь они досконально знали режим дня Подколзина.

Единственная более-менее длинная пауза в работе радиоперехватчика наблюдалась с двенадцати до трех часов дня. Это объяснялось тем, что объект его наблюдений и перехватов, Тураев, тщательно следил за своим здоровьем и обедал долго, со вкусом. После обеда он еще часок отдыхал на диване. Это время невольные террористы и должны были использовать, чтобы взять радиоперехватчика.

Как показало долгосрочное наблюдение, обычно в час дня Подколзин ходил в магазин за продуктами. Он не закупал продукты впрок и поэтому наведывался в магазин раза три в день.

Яковлев посмотрел на часы.

— Готовься. Сейчас он пойдет, — предупредил он напарников. — Как вы думаете, какую пиццу он возьмет сегодня: с грибами или с курицей?

— С зубами, — ответил Дима. — Со своими зубами...

— Но-но! Попрошу без насилия! — погрозил Яковлев пальцем.

— А если он первый полезет? — спросил Дима.

— Тихо! — одернул его Яковлев. — Вон идет!

Подколзин, помахивая пакетом, вышел из подъезда и направился к арке, которая была ближе других к продовольственному магазину.

— Ценю за постоянство привычек! — произнес Яковлев и голосом командира добавил: — Давайте через соседнюю арку ему навстречу!

Оперативники быстро ушли. Яковлев завел машину, выехал на просторную улицу и остановился возле магазина, к которому с другой стороны не спеша подходил Подколзин.

Оперативники решили подождать, пока он купит продукты и выйдет из магазина.

Подколзин довольно долго и с радостным видом человека, получившего недавно приличные деньги, расхаживал возле витрин, рассматривая продукты, кое-что покупал.

Пока он занимался покупками, оперативники решили инсценировать захват под блатных. Как только Подколзин вышел на улицу, оперативники одновременно подошли к нему с двух сторон и взяли под руки.

— Не дергайся, побазарить надо, — сказал Дима, и оперативники увлекли растерявшегося Подколзина к «Жигулям». Захваченный послушно сел в машину на заднее сиденье. Оперативники продолжали держать его с двух сторон за руки.

— Поехали, Вовчик! — словно шеф, распорядился Дима.

— Куда? — спросил Яковлев, улыбнувшись.

— За город, — лаконично уточнил Дима.

— Вы кто? — испуганным голосом спросил Подколзин.

— Мы ужас, летящий во мраке ночи, — охотно ответил Дима.

Яковлев тронулся с места и быстро погнал «жигуленок» с места захвата. За кольцевой дорогой Яковлев свернул на первом же проселке и остановил машину возле лесного массива.

— Евгений Подколзин? — спросил Дима.

— Да. Это я...

— Значит, все правильно, — кивнул Юра.

— Что вам от меня надо? — несколько успокоенным тоном спросил пленник.

— Нас интересует работа, которую ты делаешь в снятой для этого хате.

— Ничего я не делаю. Просто работаю с радиолюбителями, — улыбнулся пленник.

— Вот видишь, Вовчик, я же говорил, что он ни хрена не скажет, — обратился Дима к Яковлеву. — Уроем его сразу, да и все. Он заслужил...

— За что вы меня урыть хотите? — взмолился Подколзин.

— Мы узнали, что ты прослушиваешь телефонные разговоры Сергея Колобова с Траубергом. Они долго ломали голову, чтобы тебя вычислить, но это удалось нам. Удалось, потому что нашего кореша Серегу Колобова с твоей подачи замочили, — проинформировал перепуганного пленника Юра.

— Я ничего не знаю, парни. Мое дело только брать информацию, — вновь попытался сыграть в незнайку пленник. — А вы-то сами на кого работаете? — вдруг спросил он.

— На себя, — грубо бросил Дима.

— Хорошо. Но разве в ваши разговоры я влезал? — спросил Подколзин с надеждой.

— А откуда мы знаем? Может, и влезал, — заметил Юра.

— Может, я смогу от вас откупиться, ребята? Вам деньги нужны. Я так понял?

Оперативники на мгновение замешкались не зная, что ответить.

А пленник, приняв их замешательство за сомнения, пошел в наступление:

— Нет, в самом деле, все может быть. Я же не отрицаю, что мог где-то задеть ваши интересы. Так назовите сумму ущерба, и без лишнего базара все уладим.

— Хочешь откупиться? — задумчиво спросил Юра.

— Да. Назовите сумму...

— А если я у тебя десять штук баксов сейчас спрошу, заплатишь? — спросил Дима.

— Да что вы, парни, откуда у меня с собой такие бабки, если я чуть ли не в тапочках в магазин выскочил. Надо позвонить, и минут через двадцать деньги привезут, — заверил пленник.

— Патроны они привезут, милок, автоматы и базуки, — наставительно заметил Яковлев. — И стрелять будут так, чтобы наверняка всех. И прежде всего — тебя. Потому что проваленный агент должен умереть как можно скорее, пока не принес слишком много вреда...

После этих слов Яковлев решил немного сблефовать:

— Или ты думаешь, если тебя прикрывают военные с лампасами на брюхах, они будут с тобой по-интеллигентному? Да они всю жизнь тренируются, тысячи людей на смерть посылают. Что им одна твоя жизнешка! Значит, так, сейчас ты рассказываешь все, что знаешь о своих хозяевах: с кем поддерживаешь связь, через кого, телефоны, факсы, прозвища, позывные — все. Затем последние планы твоих хозяев. После чего мы отвозим тебя домой и ты продолжаешь работать как ни в чем не бывало. Только в этом случае ты можешь уцелеть.

— Кто вы? — одними губами прошелестел Подколзин.

— Это пока тебе знать необязательно, — отрезал Яковлев. — Наша осведомленность будет для тебя пока нашей визитной карточкой.

Ошеломленный чередой неожиданных стрессов, пленник вздохнул и начал рассказывать.

2

Не успели газеты как следует посмаковать тот факт, что возле Генеральной прокуратуры средь бела дня совершилось заказное убийство предпринимателя Трауберга из фирмы «Каскад», как вскоре там же прозвучал еще один выстрел.

Утром Турецкий не спеша шел на службу. Его одолевали грустные мысли: днями и ночами он пропадает на работе, рискует жизнью, но больших доходов это ему не приносит, а его жена и дочь продолжают редко видеть мужа и отца.

Человек, которому дали задание убить следователя Турецкого, расположился на чердаке, там же, где всего день назад прятались убийцы Трауберга. Акция имела целью запугать серую прокурорскую братию, чтобы они не совали нос куда не следует. Задача у киллера была достаточно проста: от него не требовали вести огонь на поражение, достаточно было легкого ранения. Но киллер ненавидел работников юстиции и решил пристрелить следователя. Ему показали фотографию Турецкого, намекнув, что, если под пулю попадет именно этот, будет совсем неплохо.

Киллер терпеливо ждал. Он пропустил уже пятерых работников прокуратуры, вполне годящихся для мишени. Наконец появился тот, которым заказчики особо интересовались.

Киллер поднял карабин, поймал в прицел затылок Турецкого и начал медленно выпускать из легких воздух, чтобы плавно нажать на спусковой крючок. В тот момент, когда киллер почти нежно нажал на спусковой крючок, Турецкий, споткнувшись о кусок арматуры, пригнулся. Это спасло «важняка»: пуля лишь слегка оцарапала ему ухо.

Но кровь хлынула ручьем, что вызвало у Турецкого приступ ярости. Он подскочил к сержанту, стоящему возле караульного помещения, и, вырвав у него автомат, побежал к подъезду дома. Турецкий сообразил, что стрелять больше было неоткуда. Взяв автомат на изготовку, он замер в ожидании.

Странно, но там, где следователь ожидал появления киллера, не было никого. Лишь какая-то старушка, увидев в руках перепачканного кровью интеллигента автомат, торопливо засеменила к ближайшему подъезду.

Турецкий затаил дыхание и прислушался. Все как будто тихо, необычных шумов слух не фиксировал. Дом под зеленой сеткой. На ремонте, значит. Вдруг он расслышал какое-то сопение.

Осторожно ступая по строительному мусору, он вошел в темный подъезд, постоял немного, ожидая, пока глаза привыкнут к темноте.

Убийца лежал на лестнице без перил между вторым и третьим этажами. Левая нога у него была явно повреждена, рука тоже. Оружия при нем не было.

— Ну привет, старина! — сказал Турецкий.

— Пошел ты!.. — кривя губы от боли, огрызнулся киллер.

— Что это ты такой грубый? Это же ты в меня стрелял!

448

— Увидел тебя с автоматом, труханул, а ты всего лишь мозгляк с ежиком на башке, небось и стрелять не умеешь!

— Что, торопился убегать и сорвался? — стал допрашивать киллера «важняк».

— Сам видишь! — огрызнулся тот.

— Кто меня заказал?

— Прыткий какой!

— Не скажешь?

— Нет.

— Зря. Скажешь — тебя в больнице будут охранять как ценного свидетеля. Нет — обычный сержант будет возле твоей палаты дремать. И до суда не доживешь, — пригрозил Турецкий.

— Шантажируешь? — погрустнел киллер.

— Рисую реальное положение вещей.

— Потом нарисуешь. Сейчас «скорую помощь» вызывай.

— А ты не убежишь?

— Как? — улыбнулся через силу киллер.

Когда киллеру оказали первую медицинскую помощь и увезли в тюремную больницу, а следователю Турецкому залепили царапину на ухе пластырем, в кабинет к Турецкому решительно вошел Меркулов.

— Привет, Костя! Пришел навестить раненого?

— Да! — без улыбки заметил Меркулов. — Это немного веселее, чем прощаться с усопшим!

— Ну, Костя, что за упаднические настроения? Обычный трудовой режим... — улыбнулся Турецкий.

— Нет уж! Хватит! — хмыкнул Меркулов.

— Что — хватит? — не понял «важняк».

— Работать хватит! Володьку вынули из камеры?

— Да.

— Ну и где он теперь?

— Полагаю — девушки, фрукты, вино... — улыбнулся Турецкий.

Меркулов выпалил несколько непечатных выражений и только после этого перевел дух.

— Да, Константин Дмитриевич, не знал я, что вы можете так с подчиненными разговаривать!

Меркулов покачал головой.

— Саша, не хорохорься. Искал я Володю Яковлева, хотел собрать нас всех, как говорится, на семейно-дружескую пирушку по случаю избавления его из узилища. Дома его нет. На службе — тоже нет. Уже два дня пропадает где-то вместе с молодыми своими помощниками...

— Может, там и пропадают, где фрукты...

— Не надо, знаю я вас! Ты, кстати, не с ними заодно?

— Что ты! Знаешь ведь, я с Володей, после того, как его освободили, не виделся!

— Могли и созвониться, — ворчливо заметил Меркулов.

— Не созванивались, клянусь!

— Ладно, юный пионер! Вот что я решил: тебя я отправляю в отпуск после ранения, а дело это передаю следователю Могилинцу.

— Погоди, Костя...

450

— Молчать! — рявкнул с неожиданной силой Меркулов.

— Но...

— Никаких «но»! Если я потеряю тебя, с кем же я останусь в этом гадюшнике, а? С кем?

— Хорошо, Костя, уговорил. Так и быть, завтра напишу заявление...

— Сегодня. Сейчас. А я оформлю приказ об отпуске с сегодняшнего числа.

— Где это тут была моя ручка...

— Возьми мою.

Несколько мгновений они смотрели в глаза друг другу, затем Турецкий послушно сел и сказал:

— Хоть убей меня, Костя! Пока дело не доведу до конца, ни в какой отпуск не пойду!

3

Когда в кабинет следственного изолятора ввели на допрос Ангелину Иванову, Турецкий отметил, что она выглядит хуже со времени последней встречи.

— Ну что, Ангелина Николаевна, сегодня в наших отношениях наступил решающий день, — сурово произнес Турецкий. — До этого дня время терпело. И вы давали следствию по кусочку информации об этом деле. Хватит крутить и играть в смертельную для вас игру. Где пленка? Или что с ней? На даче Шатохина ее не было. Вы даже расстались с фотографией, сделанной с этой

451

пленки, и, надо сказать, таким образом помогли следствию, но время для себя вы не выиграли. Уверяю вас, если сегодня вы не скажете мне, где пленка, последствия для вас могут быть самые непредсказуемые. На сделку с вами я, конечно, никогда бы не пошел, но зла я вам более того, что с вами уже приключилось, не желаю. Итак, в последний раз взываю к вашему благоразумию, Ангелина Николаевна, представьте следствию видеокассету, которую скрытой камерой отснял ваш покойный муж в Германии.

— Вы можете сейчас сделать так, чтобы мы с вами вышли отсюда? — тихо спросила Ангелина.

— Этого не может сделать никто. В том числе и я, — отрезал следователь.

Ангелина подумала немного и наконец решилась:

— Хорошо, Александр Борисович, но без моего звонка вам кассету не отдадут. Я должна позвонить этой женщине. И договориться, чтобы она на встречу с вами привезла эту видеокассету. Как быть, ведь подследственным, насколько я знаю, звонить нельзя? — иронично улыбнулась Ангелина.

Турецкий моментально принял решение: дозвонился до Меркулова и через двадцать минут подследственной гражданке Ангелине Ивановой было разрешено в присутствии старшего следователя по особо важным делам Турецкого сделать звонок по сотовому телефону с целью помочь следствию по делу Юрия Иванова.

Через полчаса в сопровождении следственно-

452

оперативной бригады Турецкий добрался до небольшого уютного трактира, расположенного недалеко от центра. Александр Борисович отметил про себя, что он и его помощники были почти единственными посетителями этого заведения. Никто не обращал ни на кого внимания. Но Турецкий не расслаблялся: еще немного саднило оцарапанное пулей киллера ухо...

Следователь развернул, как было условлено, газету «Московский комсомолец» и время от времени поглядывал на вход в трактир.

Наконец прекрасная незнакомка появилась, быстро подошла, села за столик Турецкого и сказала:

— Вы ждете меня?

— Да, я от Ангелины Николаевны, — кивнул «важняк». — Что-нибудь заказать?

— Бутылку шампанского и шоколад, — улыбнулась незнакомка, поставив перед собой на столик небольшую изящную сумочку. — Турецкий напрягся. Вот будет фокус, если вместо кассеты она выхватит из сумочки пистолетик. Он невольно насторожился и многозначительно взглянул на сидящего лицом к нему оперативника, выполняющего сейчас роль одного из его телохранителей.

Официант мигом исполнил заказ. Турецкий разлил шампанское по бокалам и выжидательно взглянул на незнакомку:

— За что выпьем, мадам?

Женщина усмехнулась, небрежным жестом

расстегнула сумочку и положила перед Турецким видеокассету. Затем она взяла бокал и сказала:

— Вы с вашими друзьями выиграли эту партию, а деляги оказались в заднице. За это и выпьем. Я вас поздравляю с успехом!

— Еще одна такая фраза, мадам, и мне придется приобщить ваши слова к делу, как эту кассету, — улыбнулся Турецкий.

— Да Бог с вами! Я ничего больше не знаю! Просто констатировала факт. Потому что Ангелина, насколько мне известно, хотела передать эту штучку отнюдь не следователю, — засуетилась незнакомка.

— Сейчас мне некогда, — перебил ее Турецкий. — Но если в будущем мне захочется задать вам несколько вопросов, я надеюсь, вы мне в этом не откажете, — мягко сказал он и откланялся.

Дама так и осталась сидеть с поднятым бокалом. Когда Турецкий и несколько парней вышли из трактира, она хмыкнула и залпом выпила шампанское.

4

В отличие от Москвы Брест — город провинциальный, тихий, патриархальный. За век он пережил два потрясения, по его мощенным камнем улицам прокатились две мировые войны.

Яковлев за пару часов разобрался в немудреной сетке брестских улиц. Собственно, центров, так сказать, цивилизации было не так уж много: вокзал, погранпереходы, кафе «У Славы» — штаб местной мафии. Имелся еще и аэропорт, но обедневшие белорусы услугами «Аэрофлота» практически не пользовались, лишь мрачные и деловитые грузины и чеченцы, заказчики чартерных рейсов, небрежно соря деньгами, принимали-отправляли грузы.

Три «МАЗа», караван Ильяса Тураева, провожали до Можайска. Затем, на заправке, неторопливо, почти впритирку объезжая грузовики концерна «Кононг», прицепили к раме радиомаяк. И после этого спокойно сопровождали караван, не нарушая пределов видимости.

Как и предполагал Яковлев, неизвестные пока контрабандисты особо крупного пошиба использовали головастого Подколзина втемную. Парень пообещал помогать сыщикам всем чем можно. От слов перешел к делу, снабдив подполковника и его напарников целым арсеналом всяких штучек в лучших шпионских традициях. Кроме того, дал позывной своего шефа и прибор, которым его можно уловить, если тот появится в радиусе пяти километров. К сожалению, ни имени с фамилией, ни клички, ни даже описания внешности шефа Подколзин указать не смог. Он его просто никогда в жизни не видел. Деньги, инструкции и прочее он получал через человека с невыразительным лицом и спокойным, безжалостным взглядом.

В Брест муровцы приехали потому, что шеф Подколзина поручил ему отслеживать через свой более мощный радиомаяк караван Тураева, и еще потому, что он сам собирался быть в пограничном городе.

Караван Тураева остановился в хвосте полуторакилометровой очереди на грузовом погранпереходе Козловичи. Яковлев притормозил «девятку» за поворотом так, что их не было видно никому из очереди, но маяк работал исправно.

— Как думаешь, Дима, у Тураева хватит терпения очередь выстоять? — спросил Яковлев.

— Не знаю, я с ним незнаком, — пожал оперативник плечами.

— Говорят, таможенники тут дешевы, — вставил Юра.

— Местные мелкие бандиты рассказывали с восторженным придыханием, что если местный таможенник за смену пятьсот баксов не натрясет, то считает, что день потерян, — кивнул Яковлев.

— Тогда, я думаю, наскребет и штуку, чтобы за Буг без хлопот проехать, — присвистнул Дима.

— А мы не поедем дальше? — спросил Юра.

— В баню я сейчас хотел бы, а не за Буг! После тюряги еще не парился! — отмахнулся Яковлев.

— Ты ничего не замечаешь, Юра? — добавил подполковник.

Оперативник огляделся.

— Поля тут унылые... — неопределенно сказал он.

— Тоже мне Черниченко нашелся! Если зябь волнует, надо было в фермеры идти, а не в сыскари. На очередь смотри.

— Я из-за вас не вижу, — буркнул Юра.

456

— Вот выйди из машины, пройдись, потом мне расскажешь, обменяемся, так сказать, мнениями.

Юра послушно вышел, пошел вдоль дороги мимо терминала с полощущимися на ветру германским и белорусским флагами туда, где к тураевским «МАЗам» уже пристроился грузовой «мерседес» с длинной фурой-рефрижератором.

Он вернулся минут через двадцать, плюхнулся рядом на сиденье. Яковлев протянул ему чашку дымящегося кофе из термоса. Тот взял, благодарно кивнул и, сделав добрый глоток, начал рассказывать.

— Думаю, ты прав, — выслушав оперативника, сказал Яковлев. — Тураев и напарники тусуются возле таможенного помещения, наверное, собираются сунуть.

— Сунуть они, может, и сунут, но как очередь на это посмотрит, — с сомнением произнес Юра.

— Придумают что-нибудь, — вставил Дима.

— Возможно. Что еще? — спросил подполковник.

— Какие-то черные береты толпятся с той стороны...

— А, это польский приграничный спецназ. Еще? — кивнул Яковлев.

— Вроде все... — закончил Юра.

— А заметил ты, мой друг, какие такие машины стоят перед караваном Тураева и рядом? — вновь спросил Яковлев.

— Кажется, фургоны какие-то.

— Какие?

Юра пожал плечами.

— Разве ты не заметил, что фургончики совсем небольшие, что рессоры прогнулись чуть-чуть? Значит, груз маленький, — продолжил Яковлев.

— Ну и что?

— То, что мне это не нравится, а может, нравится. Пока не знаю, но что-то тут не так.

В это время на дороге, ведущей к переходу, появилась колонна грузовиков с кузовами, закрытыми тентами.

— О, жизнь кипит! — пытаясь пофилософствовать, заметил Дима.

— Смотри-ка! — перебил его Юра и показал рукой на датчик, настроенный на волну шефа, которого они искали так долго.

Лампочка на датчике горела ровно, интенсивно.

— Так это, значит, шеф?! — воскликнул Яковлев. — Ну с Богом!

«Девятка» плавно и стремительно выехала из ненадежной засады в кустах и поехала вслед за колонной военных автомобилей «ГАЗ-66».

— Что будем делать? — стараясь быть деловитым, спросил Юра.

— Будем мешать. Ты пока попробуй связаться с Подколзиным. Может, он знает, чего этот шеф сюда приперся.

Вот и очередь. Ближе к голове она раздваивалась, так как на пропуск работали два таможенных канала. Минуя хвост, автомобили шефа двигались прямо к левому каналу, игнорируя возмущенно сигналящих водителей из очереди.

— Алло! Алло, Евгений?! — кричал в портативную радиостанцию «Моторола» Яковлев, надев наушники, чтобы не мешал внешний шум. Подполковник сидел прямо, нервно перебирая пальцами оплетку руля и переводя взгляд то на караван Тураева, то на караван шефа. Наконец прорвавшись через эфир к радиоперехватчику, Яковлев задал нужные вопросы. — Шеф тоже сидит на связи с Подколзиным. Он едет через Польшу на Ближний Восток, — сообщил он напарникам.

— Странный маршрут, — удивился Дима.

— Подожди удивляться. Он летел из Москвы до Бреста самолетом. Здесь его уже ждали автомашины, которые везут груз в Варшаву. Оттуда самолетом груз перебросят к месту назначения.

— Что за груз?

— Подколзин сказал: военная тайна.

— А что везет Тураев?

— Подколзин сказал: ничего серьезного.

— Ну-ка, смотри! — указал Яковлев.

Юра послушно повернул голову вправо.

Возле каравана Тураева что-то происходило. Это «что-то» Ильяса Тураева явно не приводило в восторг, хотя он активно жестикулировал и громко говорил.

Три таможенника, русский, белорусский и польский, с непроницаемыми лицами выслушали его тираду и что-то негромко сказали.

— Пойду посмотрю, — решил Яковлев. — А

вы глаз с шефа не спускайте! Поедет через переход — догоняйте и тараньте!

— Шутите, Владимир Михайлович! — спросил Дима.

— Шучу.

Тураев не знал Яковлева в лицо. Поэтому обычной наружности мужик в кожаной куртке и джинсах, присоединившийся к группе любопытствующих шоферов, интереса у раздосадованного Ильяса не вызвал.

— Послушайте, — напирал он на таможенников. — У меня срочный груз! Партнеры ждут, и каждый день опоздания грозит мне штрафами, а стране убытками. Там нет ничего, кроме указанного в документах груза — просто лом цветных металлов. Можете посмотреть! Только недолго, пожалуйста.

— Посмотрим, — согласился таможенник. — Вот в этой и этой. — Он показал на вторую машину.

Тураев пожал плечами и отошел. Вместо него к таможенникам присоединился «черный берет» с коротким автоматом на груди.

Они пробыли в кузове недолго, было такое впечатление — они знали, что и где искать.

Сначала «берет», изменив сонно-безразличное выражение лица на строго-настороженное, взял автомат в руки и подошел поближе к Тураеву.

— В чем дело? — спросил он бизнесмена.

Помогая друг другу, вылезли из машины таможенники, сняли изъятый груз: два автомата Калашникова и ящик с патронами.

— Что это? — с непритворным изумлением воскликнул Тураев.

— Об этом мы у вас сейчас будем спрашивать!

— Тут все ясно, — сказал вполголоса Яковлев и направился к «девятке».

Оперативники встретили его вопросительными взглядами. Подполковник вкратце поведал о состоявшейся приграничной драме.

— Думаете, подстава? — спросил Дима.

— Несомненно. Поехали, однако, к шефу.

— Что будем делать? — спросил Юра.

— Не пускать его в Польшу.

— Да как мы его не пустим?

— Чего бы нам это ни стоило!

В отличие от бедолаги Тураева у шефа, судя по всему, дела обстояли неплохо.

«Девятка» сумела обогнуть очередь от начала до конца и достигла ее левого рукава. Автомобили шефа оттерли практически всех претендентов на первоочередной досмотр. В связи с чрезвычайным происшествием — обнаружением контрабандного оружия — таможня сделала перерыв в своей работе. В первом автомобиле, в кабине, сидел грузный крепыш лет пятидесяти пяти. Место за баранкой пустовало. Водитель с бумагами терся возле таможни. В кабине второй машины сидели и курили два мужичка в камуфляже.

Яковлев достал с заднего сиденья сумку.

— Ну что ж, приготовим шанцевый инструмент, — изрек он.

Из сумки последовательно появлялись на свет и исчезали в просторных карманах его куртки: пистолет Макарова с запасной обоймой, наручники, граната Ф-1 и складной охотничий нож.

— Что вы собираетесь делать? — с тревогой спросил Юра.

— Остановить караван шефа. Значит, так. Я пошел, а ваша задача — любым способом убедить местных деятелей службы безопасности, что в этих машинах офигенная контрабанда, чуть ли не ядерная бомба. На все про все у вас есть часа полтора. Не больше. Поняли?

— Ясно, Владимир Михайлович! — ответили оперативники.

Медленной и даже какой-то вялой походкой поплелся Яковлев мимо грузовиков. Поравнявшись с первым в очереди автомобилем «ГАЗ-66», водитель которого рассказывал что-то веселое, муровец в два прыжка оказался в кабине на месте водителя. Суровый мужчина в годах удивленно взглянул на него и открыл рот, чтобы что-то сказать. Не дав ему опомниться, Яковлев накинул на запястье его левой руки один браслет наручников, а второй браслет защелкнул на металлическом поручне. Шеф от рывка наклонился вперед.

— В чем дело? — возмутился он.

Но в этот момент Яковлев уже достал из кармана гранату, быстрым движением снял с нее кольцо и осторожно вложил смертоносную штуку в подрагивающие пальцы шефа.

— Хорошо держи, а то взорвемся! — посоветовал он.

— Кто ты? — спокойным голосом спросил шеф.

— Сотрудник МУРа, подполковник Яковлев, — четко произнес он.

— Послушай, подполковник, не будь дураком. Сколько денег хочешь, чтобы по-доброму разойтись? — начал шеф, испытующе взглянув на своего пленителя.

— Сейчас в сторону отъедем и поговорим, — кивнул Яковлев.

— Куда отъедем? Нам на той стороне надо быть!

Яковлев, не слушая шефа, завел двигатель, включил передачу и стал осторожно выруливать из очереди. Водитель, бросив рассказывать байки, побежал к машине. Шеф замахал ему свободной рукой: мол, назад, не лезь! В боковом окне мелькнул парень в камуфляже, но он не успел вскочить на подножку. Машина набрала скорость.

Все это время шеф, реально оценив обстановку, махал свободной рукой с зажатой в ней гранатой, своим людям, чтобы они не преследовали машину.

Минут через пятнадцать Яковлев остановил машину на пустыре. Далеко сзади спичечными коробками виднелись постройки терминала и таможни, впереди виднелись кубики домов брестской окраины.

— Ну так что тебе надо? — спросил шеф.

— Чтобы караван с вашим грузом не ушел из России, — ответил Яковлев.

— Давно меня пасете? — буркнул шеф.

— Обо всем этом тебе расскажет старший следователь по особо важным делам Турецкий. А мне, в порядке исключения, вы можете сказать, кто организовал побоище на стрелке возле бетонного завода, — добавил Яковлев.

— Да. Помню. Это мой приказ, — улыбнулся шеф. В его голосе совсем не было страха или даже тревоги. Это насторожило муровца. Он с нетерпением поглядывал, не появится ли на горизонте вереница милицейских машин.

— А почему ты спросил об этом, подполковник? — поинтересовался шеф.

— Там погиб мой друг и сослуживец, — сухо ответил Яковлев.

— Ты хоть знаешь, что ты вместе со мной арестовал, подполковник? — с вызовом спросил шеф.

— Что?

— Боеголовки к ракетам типа «Скад». Представляешь, что будет, если я сейчас разожму руку? — с сарказмом бросил он.

— Не разожмешь! — уверенно сказал муровец.

Они еще минут двадцать сидели молча. А потом, словно порожденные сумрачным небом и бордовым холодным закатом, поплыли над дорогой голубые и красные всполохи маячков, установленных на крышах милицейских машин. В хвосте колонны Яковлев заметил и белую «девятку».

5

Четверо сотрудников ФСБ остались в приемной, а Турецкий вошел в кабинет генерала Авдеева без стука. Он не стал демонстрировать знаки вежливости не только потому, что генерал этот досиживал здесь последние часы, но и потому, что глубоко не уважал этого человека.

Сухо поздоровавшись, Александр Борисович сел напротив Авдеева и раскрыл папку с делом.

Авдеев поднял голову от стола, и Турецкий увидел, как он постарел и осунулся, на его лице уже не было прежней уверенности.

— Что вам угодно? — буркнул Авдеев.

— Я пришел сообщить вам результаты следствия по делу Юрия Иванова. Следствию удалось раскрыть целый ряд тяжких преступлений, выявить преступников. Но самым главным преступником в этом деле оказались вы, генерал. Несколько лет назад, а конкретно в 94-м году, вы, вернувшись вместе с ЗГВ из Германии, создали в Москве преступное сообщество концерн «Кононг» и входящие в него дочерние предприятия типа «Каскад». Сообщество было создано на деньги западного мультимиллионера Каширина, с которым вы, еще будучи в Германии, провели несколько преступных операций по продаже советского оружия в развивающиеся страны. Возвратясь в Россию и заняв ответственный пост в Генштабе, вы привлекли к руководству вышеназванных фирм своих бывших сослуживцев по ЗГВ — Тураева, Сергея Колобова и Семенова.

Ваше преступное сообщество в короткий срок благодаря инвестициям, которые устраивал Каширин, отмывая капиталы, приобретенные преступным путем на Западе, уже имело на своих счетах столько денег, что вас уже стала интересовать политика. Начали вы со своего выкормыша — продюсера телекомпании «Спектр» Юрия Иванова. Ильяс Тураев по вашему приказу снабжал телеканал Иванова средствами. «Спектр» даже прогремел в предвыборной кампании Президента. Юрию Иванову высказывались все новые просьбы по раскрутке людей, необходимых вашему преступному сообществу. Естественно, их надо было продвигать наверх...

Собственно говоря, глобальные идеи вашего западного патрона Каширина вас мало волновали. Вы готовились сорвать самый главный куш и навсегда покинуть Россию. Но средства, которыми вы намеревались осуществить цель вашей жизни, увы, сыграли против вас. Чтобы у ваших компаньонов Тураева и Колобова взгляд не простирался далее собственных экономических проблем, вы сами спровоцировали их конкурентную борьбу, в которой участвовали даже бандитские группировки, возглавляемые Лечо и Скользким.

Вы пропустили момент, когда эта конкурентная борьбы стала опасной для вас. Тураев, почувствовав, что приток денег на его счета резко убавился, решил, что вы отдали предпочтение Колобову. Чтобы проверить это, он заказал небезызвестному вам Цезарю проверить груз, который сопровождал в Польшу Семенов. Цезарь устроил бойню, но ничего не нашел, кроме ящиков с ломом цветных металлов.

Ответным шагом «Каскада» было неудачное покушение на самого Тураева. Собственно, по словам покойного свидетеля Трауберга, они и не хотели убивать Тураева. После этого между Траубергом, Колобовым, с одной стороны, и Тураевым, с другой, произошел серьезный разговор. Конкуренты наконец начали понимать, что их используют в какой-то преступной игре, а прибылей они за это не получают. Во время этого разговора, по показаниям Тураева, решено было как-то от вас обезопаситься. Наиболее эффективный способ — собрать компромат.

Тураев взял на себя разговор с Юрием Ивановым и оплату его командировки в Германию. Иванов выполнил задание и, вернувшись, хотел отдать заказ Тураеву, получить вознаграждение и поехать с женой отдыхать. Так бы оно и случилось, если бы у Иванова не было такой жены, как Ангелина. Гражданка Иванова внесла свои коррективы в ход событий.

Опытная интриганка, Иванова почувствовала, что на этой кассете можно хорошо заработать на Западе. Безвольного Юрия Иванова она напугала тем, что если он вернет кассету, то его уберут как свидетеля и что из этой ситуации у них только один выход — слава Богу! — золотой.

Растерявшийся Иванов согласился сначала сказать Тураеву, что пленка просто была запорота, ничего не получилось. Ильяс ему не поверил. Он заподозрил, что Иванова перекупил «Каскад».

Чтобы выяснить это, он попросил брата Сергея Колобова за приличную сумму выбить у Иванова кассету. Тураев знал, что Олег обязательно посоветуется с Сергеем и Траубергом, поэтому визит Олега к Иванову свидетельствовал бы о том, что «Каскад» не перекупил продюсера. Олег пошел к Иванову, был усыплен и задушен. Потом положен в гроб и под именем Юрия Иванова похоронен на Ваганьковском кладбище.

И вот здесь началась неразбериха. Колобов потерял брата после того, как тот направился к Иванову. Иванов попал в аварию. Сергей Колобов и Трауберг предположили, что Олег все же замочил Иванова и сейчас скрывается, потому что жива свидетельница — жена Иванова Ангелина. Но прошло несколько дней, а Олег не позвонил. Колобов, использовав свои связи, обратился в МУР с просьбой найти брата. После того как следствие установило, что вместо Иванова в гробу оказался Олег Колобов, никто из конкурентов уже не сомневался, что кассеты у Юрия Иванова. Начались поиски. Рядом по этому же делу работали МУР и Генпрокуратура. Надо было спешить.

Тураев понимал, что события вокруг кассеты приняли катастрофический характер. Он решил себя обезопасить и в анонимном послании сообщил Авдееву о существовании кассеты с компроматом. Он указал также, что компромат заказали Иванову Сергей Колобов и Трауберг. Узнав о компромате, вы поняли, что операция «Ошейники для волков» под угрозой, и начали валить трупы. По вашему приказу от рук Цезаря в охотничьем домике погиб Иванов, там же были убиты два боевика Тураева. Цезарь сознался и в том, что по вашему приказу убрал доктора Чижа. Он же и опять же по вашему приказу участвовал в бойне на стрелке возле бетонного завода, где погиб сотрудник МУРа старший лейтенант Бодров. Но в живых остался важный свидетель — Людмила Семенова. Она сообщила приметы Цезаря. ФСБ без особого труда его вычислило, и мы его взяли. Кстати, вы не случайно наняли в палачи человека с подмоченной репутацией. Ведь Цезарь был осужден и находился в бегах. Это обстоятельство еще раз подтвердило мою мысль, что вы идете ва-банк и вам нужны те люди, на которых легко можно все свалить.

— Все было задумано отменно, — неожиданно заговорил генерал. — Все они и должны были заниматься выяснением отношений, втягивая в это дело как можно больше организаций и людей, включая бандитские группировки. — Он вздохнул и закурил сигарету. — Вы нашли кассету?

— Разумеется! — продолжал Турецкий. — Так вот, первыми прозрели Колобов и Трауберг. Они, собственно, искали эту кассету с компроматом на вас, чтобы передать ее правоохранительным органам. Когда, после смерти Иванова вы поняли, что кассета у Ангелины, и попросили Тураева заняться этой женщиной. Кстати, Ангелина призналась, что еще до убийства мужа она через Людмилу Семенову вышла на вас и сообщила, что кассета у Иванова, потом намекнула на доктора Чижа, а потом и на своего бывшего мужа профессора Шатохина. Вы ей не верили, но не убирали, потому что выяснить местонахождение кассеты можно было только через Ангелину. Тураев ее вспугнул, и Ангелина скрылась в стенах следственного изолятора. Время стремительно приближалось к началу операции. Вы организовали покушения на Колобова и Трауберга, в руках которых могла оказаться кассета. Тураева вы не убрали только потому, что его роль козла отпущения еще не была закончена. А заключалась она в том, что перед вашим караваном с оружием в конфликтную ситуацию должен был попасть — да он и попал — Тураев со своим караваном. Под этот шум вы и рассчитывали проскочить на тот берег Буга.

— Как вы узнали о начале операции? — сиплым голосом спросил генерал.

— Прижатый к стене следствием, Тураев согласился сотрудничать с нами и все нам сообщил. Но даже если бы Тураев попытался сыграть двойную игру, это бы вам не помогло — сотрудники МУРа, входящие в состав следственной бригады по этому делу, вычислили вашего радиста. Они подъехали к Бугу на час раньше вас...

Турецкий сделал небольшую паузу и продолжал:

— Мое убийство тоже входило в ваши планы, генерал, но киллер оказался неудачником.

— Да нет, мы вас просто попугать решили, не столько лично вас, сколько вашу контору, — криво усмехнулся Авдеев.

— Вы циничный человек, генерал, — заметил следователь. — Носить погоны генерала, быть заместителем начальника Генштаба — и участвовать в таких делах?!

— Дурак ты, Турецкий, добрались до меня — и рады. А чему вам радоваться-то? Вам за ваши подвиги даже грамот не дадут. Где это видано, чтобы генерал-полковник, заместитель начальника Генштаба и — преступник?

— Да, генерал-полковник, я многое понял, раскручивая дело Иванова. Как вы сказали? Где это видано, чтобы заместитель начальника Генштаба и — преступник? Так вот, я сей факт вижу воочию и своим молодым коллегам передам, чтобы относились к этому спокойно. Ничего страшного... Итак, гражданин Авдеев, — продолжал Турецкий, — с вами мне еще предстоит как следует поработать: допросы, очные ставки... Все, о чем я вам только что говорил, уже факт, доказанный следствием. Остались формальности. Заявляю вам, что вас будут судить сразу по нескольким статьям, но главной статьей в этом списке будет статья 275 Уголовного кодекса РФ — государственная измена!

Турецкий закрыл папку, молча встал и вышел из кабинета.

— Ну что, Александр Борисович? — поднялись ему навстречу сотрудники ФСБ.

В этот момент в кабинете Авдеева раздался хлопок пистолетного выстрела.

— Вот черт! — воскликнул один из сотрудников ФСБ, и все поспешили в кабинет.

Эпилог

Вскоре в газетах появилось сообщение, что отправленный под арест заместитель начальника Генштаба генерал-полковник Б. Авдеев застрелился у себя в кабинете. На его похороны из Германии приехал бизнесмен Каширин. Генерала похоронили в дорогом гробу, но салюта над ним не прозвучало...

Директор концерна «Кононг» Тураев, уладив неприятности на брестской границе, укатил в отпуск за рубеж. Фирма «Каскад» вышла из состава концерна и подключилась к экологическому движению в стране. Следователь Московской прокуратуры Егоров был уволен из органов за злоупотребления служебным положением. Полковник Грязнов и подполковник Яковлев продолжают повышать авторитет дорогого их сердцу МУРа на фоне частных сыскных агентств.

Ангелину Иванову приговорили к долгосрочному заключению.

На могилу Никиты Бодрова иногда приносит цветы молодая красивая девушка. Это Людмила Семенова. Она все еще не может забыть этого веселого парня.

Константин Меркулов отправил старшего следователя по особо важным делам Генпрокуратуры Александра Турецкого в отпуск. «Важняк» сдержал свое слово: довел следствие по делу Иванова до конца. Расследование преступных сделок и последовавших за этим событий, связанных с застрелившимся генералом Авдеевым, продолжается другим следователем и сотрудниками уголовного розыска МВД России.

ОГЛАВЛЕНИЕ

Литературно-художественное издание

Фридрих Евсеевич Незнанский

ОШЕЙНИКИ ДЛЯ ВОЛКОВ

Редактор *О. А. Александров*
Художественный редактор *О. Н. Адаскина*
Компьютерный дизайн: *И. А. Герцев*
Технический редактор *Н. В. Сидорова*
Корректор *О. В. Селиванова*

Подписано в печать с готовых диапозитивов 03.12.97.
Формат 84×108^1/$_{32}$. Гарнитура «Таймс». Печать высокая
с ФПФ. Бумага типографская. Усл. печ. л. 25,2.
Тираж 50 000 экз. Заказ № 631.

Налоговая льгота — общероссийский
классификатор продукции ОК-00-93,
том 2; 953 000 — книги, брошюры.

«Олимп». Изд. лиц. ЛР № 070190 от 25.10.96.
123007, Москва, а/я 92.

ООО «Издательство АСТ-ЛТД».
Лицензия В 175372 № 02254 от 03.02.97.
366720, РИ. г. Назрань, ул. Фабричная, 3.

При участии ООО «Харвест». Лицензия ЛВ № 32
от 27.08.97. 220013, Минск, ул. Я. Коласа, 35-305.

Ордена Трудового Красного Знамени полиграфкомбинат
ППП им. Я. Коласа. 220005, Минск, ул. Красная, 23.

Качество печати соответствует качеству предоставленных
издательством диапозитивов.

Незнанский Ф. Е.

Н 44 Ошейники для волков: Роман / Худож. М. Закиров. — М.: Олимп; ООО «Издательство АСТ-
ЛТД», 1998. 480 с. (Марш Турецкого).

ISBN 5—7390—0562—0 («Олимп»)
ISBN 5—15—000647—5 (ООО «Издательство АСТ-ЛТД»)

En автомобильной катастрофе гибнет неизвестный. По утверждению
вдовы, это знаменитый телепродюсер Ю. Иванов. Обычный, казалось
бы, несчастный случай влечет за собой серию загадочных убийств...
    За дело берутся старший следователь по особо важным делам при
Генеральном прокуроре РФ А. Б. Турецкий и его друзья из МУРа.

Н 8820000000   ББК 84 (2Рос-Рус)6